SANS LAISSER D'ADRESSE

Harlan Coben

Né en 1962, Harlan Coben vit dans le New Jersey avec sa femme et leurs quatre enfants. Diplômé en sciences politiques du Amherst College, il a rencontré un succès immédiat dès ses premiers romans, tant auprès de la critique que du public. Il est le premier écrivain à avoir reçu le Edgar Award, le Shamus Award et le Anthony Award, les trois prix majeurs de la littérature à suspense aux États-Unis. Il est l'auteur notamment de *Ne le dis à personne...* (Belfond, 2002) qui a remporté le prix des Lectrices de *ELLE* et a été adapté avec succès au cinéma par Guillaume Canet. Il poursuit l'écriture avec plus d'une quinzaine d'ouvrages dont récemment *Sans laisser d'adresse* (2010), *Sans un adieu* (2010), *Faute de preuves* (2011), *Remède mortel* (2011), *Sous haute tension* (2012) et *Ne t'éloigne pas* (2013), publiés chez Belfond, ainsi que *À découvert* (2012) et *À quelques secondes près* (2013), publiés au Fleuve Noir.

Ses livres, parus en quarante langues à travers le monde, ont été numéro un des meilleures ventes dans plus d'une douzaine de pays.

Retrouvez l'actualité d'Harlan Coben sur :
www.harlan-coben.fr

HARLAN COBEN

SANS LAISSER D'ADRESSE

Traduit de l'américain
par Roxane Azimi

BELFOND

Titre original :
LONG LOST
publié par Dutton, a member of Penguin Group
(USA) Inc., New York.

Pocket, une marque d'Univers Poche,
est un éditeur qui s'engage pour la
préservation de son environnement et
qui utilise du papier fabriqué à partir
de bois provenant de forêts gérées de
manière responsable.

© 2009, Harlan Coben. Tous droits réservés
© 2008, Belfond, pour la traduction française.

Et, pour la présente édition,
© 2010, Belfond, un département de place des éditeurs

ISBN 978-2-266-21082-9

À Sandra Whitaker,
la cousine la plus cool du monde.

Accroche-toi.
Ceci va faire plus mal que tout ce qu'il y a eu avant.

William Fitzsimmons,
« I Don't Feel It Anymore »

PREMIÈRE PARTIE

1

— TU NE CONNAIS PAS SON SECRET, M'A DIT WIN.

— Pourquoi, je devrais ?

Win a haussé les épaules.

— C'est grave ? ai-je demandé.

— Très.

— Alors j'aime mieux ne pas savoir.

Deux jours avant que je ne découvre le secret qu'elle gardait enfoui en elle depuis dix ans – un secret a priori personnel qui allait non seulement nous démolir tous les deux, mais changer à jamais la face du monde –, Terese Collins m'avait téléphoné à cinq heures du matin, me propulsant d'un rêve quasi érotique dans un autre. Pour me déclarer de but en blanc :

— Viens à Paris.

Ça faisait sept ans que je n'avais pas entendu le son de sa voix, il y avait de la friture sur la ligne, et elle n'avait pas perdu de temps en préliminaires.

— Terese ? avais-je répondu en émergeant. Où es-tu ?

— Dans un charmant hôtel de la rive gauche. Tu

vas adorer. Il y a un vol Air France ce soir, à dix-neuf heures.

Je m'étais assis. Terese Collins. Les images affluaient : son bikini assassin, l'île privée, la plage baignée de soleil, son regard envoûtant, son bikini assassin.

Le bikini mérite d'être cité deux fois.

— Je ne peux pas, avais-je dit.

— Paris.

— Je sais.

Il y a presque dix ans, nous nous étions réfugiés sur une île comme deux âmes perdues. Je pensais ne plus jamais la revoir, mais je me trompais. Quelques années plus tard, elle m'avait aidé à sauver la vie de mon fils. Après quoi, pfuitt, elle s'était volatilisée… jusqu'à ce jour.

— Réfléchis, avait-elle poursuivi. La Ville lumière. On pourrait faire l'amour toute la nuit.

J'avais dégluti avec difficulté.

— Oui, d'accord, mais qu'est-ce qu'on ferait dans la journée ?

— Si mes souvenirs sont bons, tu aurais sans doute besoin de repos.

— Et de vitamine E, avais-je ajouté en souriant malgré moi. Je ne peux pas, Terese. Je suis pris.

— La veuve du 11 Septembre ?

Comment avait-elle su ?

— Oui.

— Ça n'a rien à voir avec elle.

— Je crains fort que si.

— Tu es amoureux ? avait-elle demandé.

— C'est grave si je dis oui ?

— Pas vraiment.

14

J'avais changé le combiné de main.

— Qu'est-ce qui t'arrive, Terese ?

— Mais rien. J'ai juste envie de passer un week-end romantique – luxe, calme et volupté – à Paris avec toi.

J'avais dégluti à nouveau.

— Je n'ai pas eu de tes nouvelles depuis sept ans.

— Presque huit.

— J'ai appelé. Plus d'une fois.

— Je sais.

— J'ai laissé des messages. J'ai écrit des lettres. Je t'ai cherchée.

— Je sais, avait-elle répété.

Il y avait eu un silence. Je n'aime pas ça, le silence.

— Terese ?

— Quand tu as eu besoin de moi, avait-elle repris, vraiment besoin de moi, j'ai été là, non ?

— Si.

— Viens à Paris, Myron.

— Quoi, comme ça ?

— Oui.

— Où étais-tu pendant tout ce temps ?

— Je t'expliquerai tout quand on se verra.

— Je ne peux pas. J'ai quelqu'un d'autre dans ma vie.

Ce fichu silence, encore.

— Terese ?

— Tu te souviens de notre rencontre ?

Je venais de vivre la pire catastrophe de ma vie. Elle aussi, je crois. Des amis bien intentionnés nous avaient poussés à assister à une soirée caritative et, dès le premier regard, nos détresses réciproques avaient subi l'effet d'une sorte d'aimant. Je ne pense

15

pas que les yeux soient les fenêtres de l'âme. J'ai connu trop de psychopathes capables de vous posséder avec leurs regards. Mais, dans les yeux de Terese, on lisait clairement de la tristesse. Elle émanait de toute sa personne et, ce soir-là, la loque que j'étais n'en demandait pas davantage.

Terese avait un ami qui possédait une petite île dans la mer des Caraïbes, pas loin d'Aruba. Nous étions partis le soir même, sans prévenir qui que ce soit. Pour finir, nous y avions passé trois semaines, à faire l'amour, pratiquement sans parler, cramponnés éperdument l'un à l'autre parce que c'était tout ce qu'il était possible de faire.

— Bien sûr que je m'en souviens.

— Nous étions tous les deux anéantis. Nous n'en avons jamais parlé. Mais nous savions.

— Oui.

— Toi, avait dit Terese, tu as su surmonter ton malheur. C'est naturel. On guérit. On reconstruit sur les ruines.

— Pas toi ?

— Je n'ai pas pu reconstruire. Je crois même que je n'en avais pas envie. J'étais en miettes, et c'était peut-être mieux ainsi.

— Je ne comprends pas.

Sa voix s'était faite douce.

— Je ne pensais pas – OK, d'accord, je ne pense toujours pas que je tiens à savoir à quoi ressemblerait mon univers après reconstruction. Je crois que je n'aimerais pas le résultat.

— Terese ?

Elle n'avait pas répondu.

— Je voudrais t'aider.

16

— Peut-être que tu ne peux pas. Peut-être que ça ne sert à rien.

Nouveau silence.

— Oublie que je t'ai appelé, Myron. Prends bien soin de toi.

Et elle avait raccroché.

2

— AH, A DIT WIN, LA DÉLICIEUSE TERESE COLLINS. Des fesses superbes, la grande classe.

Nous étions assis sur les gradins métalliques branlants du gymnase du lycée de Kasselton. Les relents familiers de sueur et de détergent industriel flottaient dans l'air. Tous les bruits, comme dans n'importe quel gymnase de ce vaste continent, étaient déformés, les étranges échos créant un effet audio équivalent à un rideau de douche.

J'adore ce genre de gymnase. J'y ai grandi. J'ai vécu quelques-uns des meilleurs moments de ma vie dans ces salles à l'atmosphère confinée avec un ballon de basket à la main. J'aime le son du dribble. J'aime le voile de transpiration qui perle sur les visages pendant l'échauffement. J'aime le contact du cuir grenu, l'instant sacré où, le regard rivé sur l'anneau, on lance le ballon, et le monde entier cesse d'exister autour de vous.

— Ravi que tu te souviennes d'elle, ai-je répondu.

— Des fesses superbes, la grande classe.

— J'avais compris, merci.

Win et moi avions partagé une chambre à

l'université de Duke ; depuis il était devenu mon associé et, avec Esperanza Diaz, mon meilleur ami. Son vrai nom était Windsor Horne Lockwood III, et il avait bien la tête de l'emploi : boucles blondes clairsemées avec une raie tracée par un dieu, carnation sanguine, beau visage de patricien, bronzage en V de golfeur, regard bleu glacier. Il portait un pantalon kaki hors de prix dont le pli n'avait rien à envier à la raie de ses cheveux, un blazer bleu Lilly Pulitzer à la doublure vert et rose, et une pochette assortie, bouffante comme ces fleurs de clown qui crachent de l'eau.

La décadence faite homme.

— Quand Terese était à la télé…

Son accent snob très école privée donnait l'impression qu'il expliquait une évidence à un enfant attardé.

— … ça ne se voyait pas. Elle était assise derrière son bureau de présentatrice.

— Mm-mm.

— Mais quand je l'ai vue en bikini…

Pour ceux qui ont suivi depuis le début, c'était le fameux bikini assassin dont j'ai déjà parlé.

— … ma foi, c'est un merveilleux avantage. Quel gâchis, pour une présentatrice. Un vrai drame, quand on y pense.

— Comme le *Hindenburg*, ai-je ajouté.

— Hilarante comparaison. Et très à propos.

Win arborait en permanence une expression hautaine. Les gens voyaient en lui le snob, l'aristo, l'héritier d'une vieille fortune. Tout cela était vrai. Mais la chose qu'ils ne voyaient pas… celle-là pouvait faire très mal.

— Bon, allez, termine ton histoire.

19

— Il n'y a rien à ajouter.

Win a froncé les sourcils.

— Et tu pars quand pour Paris ?

— Je n'ai pas l'intention d'y aller.

Le deuxième quart-temps venait de commencer. C'était un match entre élèves de CM2. Mon amie – c'est plat comme appellation, mais je doute que « bien-aimée », « personne référente » ou « poupée d'amour » conviennent davantage –, mon amie donc, Ali Wilder, avait deux enfants, dont le plus jeune, Jack, jouait ce jour-là. Il n'était pas très doué. Cela n'est pas un jugement ni un pronostic concernant ses succès futurs – Michael Jordan a intégré l'équipe de son lycée quand il était en première –, mais une simple observation. Jack était grand pour son âge, grand et costaud, ce qui signifie souvent manque de rapidité et de coordination. Chez lui, sport rimait avec effort.

Mais il aimait ça et, à mes yeux, c'était le principal. Jack était un môme attachant, complètement dans la lune, et très en demande, ce qui est normal quand on perd son père si jeune et dans des circonstances aussi tragiques.

Ali ne pouvait pas être là avant la mi-temps, et moi, à défaut d'autre chose, je suis toujours prêt à apporter mon soutien.

Win continuait à froncer les sourcils.

— J'ai bien compris, tu as refusé de passer un week-end avec la délicieuse Mme Collins et ses fesses superbes dans un hôtel de charme à Paris ?

Ce n'était jamais une bonne idée de parler affaires de cœur avec Win.

— C'est exact.

— Pourquoi ?

Win s'est tourné vers moi, l'air sincèrement interloqué. Soudain, son visage s'est éclairé.

— Attends, je sais.

— Quoi ?

— Elle a pris du poids, c'est ça ?

C'était tout Win.

— Aucune idée.

— Eh bien, alors ?

— Alors tu le sais très bien. J'ai quelqu'un dans ma vie, tu as oublié ?

Win m'a dévisagé comme si j'avais baissé mon pantalon en public.

— Quoi ? ai-je dit.

Il s'est laissé aller en arrière.

— Grande fille, va.

Le signal a retenti. Jack Wilder a chaussé ses lunettes de protection et s'est dirigé vers la table de marque avec son demi-sourire délicieusement béat. Les petits gars de Livingston jouaient contre l'équipe rivale de Kasselton. La tension qui régnait dans la salle me donnait envie de rire ; ce n'étaient pas tant les mômes que les parents dans les gradins. Sans vouloir généraliser, les mères se divisaient en deux catégories : les pipelettes, qui venaient là pour voir du monde, et les flippées, qui vivaient et mouraient chaque fois que leur rejeton touchait le ballon.

Mais le vrai problème, c'étaient les pères. Certains parvenaient à maîtriser leur anxiété en marmonnant dans leur barbe, en accompagnant les mouvements de leur gamin par une discrète gestuelle et en se rongeant les ongles. D'autres criaient, apostrophaient sans relâche joueurs, arbitres et entraîneurs.

L'un de ces pères, assis deux rangées plus bas, était atteint de ce que Win et moi appelions la « Tourette du spectateur » : il a passé le match à insulter tout le monde à haute voix.

Je suis plutôt bien placé pour juger de la situation. J'ai été ce phénomène rare que sont les athlètes de haut niveau. À la surprise de toute ma famille, vu que le plus grand exploit sportif jamais accompli par un Bolitar, ç'avait été le tournoi de palets remporté par mon oncle Saul au cours d'une croisière Princess en 1974. Au lycée déjà, je faisais partie de la sélection nationale. Défenseur vedette de l'équipe de Duke, j'avais été nommé capitaine pour le championnat universitaire. Avant d'être recruté par les Celtics de Boston.

Et un jour, badaboum, tout s'était écroulé.

Quelqu'un a hurlé :

— Changement !

Jack a ajusté ses lunettes et foncé sur le terrain.

L'entraîneur de l'équipe adverse a pointé le doigt sur lui en criant :

— Yo, Connor ! Tu as vu le nouveau ? Le gros balourd ? Contourne-le.

— Le score est serré, a gémi le papa Tourette. Pourquoi le faire entrer maintenant ?

Le gros balourd ? Avais-je bien entendu ?

J'ai regardé fixement l'entraîneur de Kasselton. Avec ses cheveux méchés aux pointes hérissées de gel et son bouc soigneusement taillé, il ressemblait à un membre vieillissant de boys band. Il était grand – je mesure un mètre quatre-vingt-dix, or il avait cinq bons centimètres de plus que moi, et dix à quinze kilos en prime.

— Le gros balourd ? ai-je répété à Win. Non mais tu as entendu ça ?

Win a haussé les épaules.

J'ai essayé de me raisonner. Ç'a été proféré dans le feu de l'action. Laisse tomber.

Le score était bloqué à vingt-quatre partout quand le désastre a eu lieu. C'était juste après un temps mort, et l'équipe de Jack était en train de jouer l'entre-deux sous le panneau de l'équipe adverse. Kasselton a décidé subitement de leur mettre la pression. Jack était libre. On lui a passé le ballon, mais, l'espace d'un instant, harcelé par la défense, il a perdu ses moyens. Ça arrive.

Désorienté, il s'est tourné vers le banc le plus proche, celui de Kasselton, et l'entraîneur aux cheveux hérissés a hurlé en montrant le panier :

— Tire ! Tire !

Le mauvais panier.

— Tire ! s'égosillait l'entraîneur.

Et Jack, toujours prêt à faire plaisir et à écouter les adultes, s'est exécuté.

Le ballon a franchi l'arceau. L'arceau adverse. Deux points pour Kasselton.

Les parents de Kasselton l'ont acclamé en riant. Les parents de Livingston ont levé les bras, atterrés par l'erreur du gamin. L'entraîneur de Kasselton, le type au look boys band, a tapé dans la main de son adjoint et, pointant le doigt sur Jack, a crié :

— Eh, petit, remets-nous ça !

Jack était peut-être le plus grand des garçons sur le terrain, mais en cet instant on aurait dit qu'il cherchait à rentrer dans un trou de souris. Le demi-sourire béat avait disparu. Sa lèvre tressaillait. Ses yeux papillotaient. Il était profondément mortifié, et moi je l'étais pour lui.

Rigolard, un père de Kasselton a lancé, les mains en porte-voix :

— Passe-le au grand dadais de l'autre équipe ! C'est notre meilleur atout !

Win lui a tapoté l'épaule.

— Vous allez la fermer tout de suite.

L'homme s'est retourné, a vu l'allure décadente, les cheveux blonds, les traits ciselés. Il allait riposter, mais quelque chose – probablement un instinct de survie lové au fin fond de son cerveau reptilien – l'a retenu. Son regard a rencontré le regard bleu glacier de Win ; il a baissé les yeux et dit :

— Désolé, c'était déplacé, je sais.

Je l'ai à peine entendu. J'étais incapable de bouger. Assis dans les gradins, je fixais l'entraîneur aux cheveux hérissés, et la moutarde me montait au nez.

Le signal a retenti, annonçant la mi-temps. Le type ricanait toujours, secouant la tête d'un air incrédule. Un de ses adjoints s'est approché pour lui serrer la main, imité de quelques parents et spectateurs.

— Je dois partir, a dit Win.

Je n'ai pas réagi.

— Tu veux que je reste dans les parages ? Au cas où ?

— Non.

Il a hoché brièvement la tête et m'a laissé. Sans quitter l'entraîneur des yeux, j'ai descendu les gradins branlants. Mes pas résonnaient comme un bruit de tonnerre. Il s'est dirigé vers la porte. Je l'ai suivi. Il s'est engouffré dans les toilettes, souriant comme le crétin qu'il était indéniablement. J'ai attendu devant la porte.

Quand il a émergé, j'ai dit :

— Très classe.

Les mots « Coach Bobby » étaient cousus en lettres cursives sur son polo. Il s'est arrêté.

— Pardon ?

— Encourager un gamin de dix ans à marquer un panier contre son camp. Et cette remarque désopilante : « Eh, petit, remets-nous ça », après l'avoir humilié. Vous êtes un crack, coach Bobby.

Ses yeux se sont étrécis. De près, il était bâti comme une armoire à glace, avec de gros avant-bras, des jointures épaisses et un front de Néandertalien. Je connaissais ce genre d'individu. On en connaît tous.

— Ça fait partie du jeu, vieux.

— Ridiculiser un môme de dix ans, ça fait partie du jeu ?

— Agir sur son mental. Pousser l'adversaire à la faute.

Je n'ai pas moufté. Il m'a jaugé et s'est dit que non, je ne lui faisais pas peur. Les grands gaillards comme le coach Bobby s'imaginent qu'ils sont de taille à affronter n'importe qui. Je me suis contenté de le regarder.

— Vous avez un problème ? a-t-il dit.

— Ce sont des enfants.

— Des enfants, c'est ça. Et vous êtes qui, vous… un papa poule qui prêche l'égalité sur le terrain ? Surtout ne froisser personne, personne ne doit perdre ou gagner… À la limite, il ne faudrait même pas compter les points, hein ?

Son adjoint s'est approché de nous. Il portait un polo assorti avec l'inscription « Coach adjoint Pat ».

— Bobby ? La seconde mi-temps va commencer.

J'ai fait un pas en avant.

— Lâchez-lui la grappe, OK ?

Le coach Bobby a ricané, comme il fallait s'y attendre.

— Ou bien ?

— C'est un garçon sensible.

— Vous allez me faire pleurer. S'il est si sensible que ça, peut-être qu'il devrait renoncer à jouer.

— Peut-être que vous devriez renoncer à entraîner.

L'adjoint Pat s'est rapproché. Il m'a regardé, et son visage s'est fendu d'un sourire, ce sourire entendu que je connaissais trop bien.

— Tiens, tiens, tiens.

— Quoi ? a dit le coach Bobby.

— Ce gars, tu sais qui c'est ?

— Qui ?

— Myron Bolitar.

Le coach Bobby a cogité dur, ça se voyait, comme s'il y avait une fenêtre sur son front et que l'écureuil qui actionnait la roue courait de plus en plus vite. Quand les synapses ont fini de faire des étincelles, son sourire lui a pratiquement déchiré son bouc de chanteur de boys band.

— La grande « superstar »…

Il a esquissé pour de bon des guillemets avec ses doigts.

— … qui n'a jamais réussi à se hisser au statut de professionnel ? Qui s'est pris un gadin à la première occasion ?

— Celui-là même, a renchéri l'adjoint Pat.

— Je comprends mieux maintenant.

— Eh, coach Bobby ? ai-je dit.

— Quoi ?

— Laissez le gamin tranquille.

Le front s'est plissé.

— Vous n'allez pas me les briser.

— Certainement pas. Je veux juste que vous laissiez ce gosse tranquille.

— Pas question, vieux.

Souriant, il s'est rapproché de moi.

— Ça vous pose un problème ?

— Un gros problème, oui.

— Si on poursuivait cette discussion après le match ? En privé ?

Mon sang n'a fait qu'un tour.

— C'est un défi ?

— Ouais. Sauf si vous êtes une poule mouillée. Vous êtes une poule mouillée ?

— Je ne suis pas une poule mouillée.

Quelquefois, mon sens de la repartie me laisse sans voix.

— J'ai un match à diriger. Mais ensuite, on règle ça entre hommes. OK ?

— OK.

L'esprit de repartie, toujours. Décidément, j'étais en verve.

Le coach Bobby a pointé le doigt dans ma figure. J'ai hésité à le lui arracher d'un coup de dents… c'est un bon moyen d'attirer l'attention de quelqu'un.

— Vous êtes un homme mort, Bolitar. Vous m'entendez ? Un homme mort.

— Un homme qui mord ?

— Un homme mort.

— Ah, tant mieux, autrement je vous aurais déjà mordu.

Le signal a retenti. L'adjoint Pat a dit :

— Tu viens, Bobby ?

— Un homme mort, a-t-il répété encore une fois.

— Rrrrr, ai-je répondu en retroussant les babines.

Mais il avait déjà tourné les talons.

Je l'ai suivi du regard. Il avait une démarche lente, chaloupée, qui respirait l'arrogance, les épaules en arrière, balançant les bras de façon un peu trop ostentatoire. J'allais lui lancer une vanne stupide quand j'ai senti une main sur mon bras. J'ai tourné la tête. C'était Ali, la maman de Jack.

— Qu'est-ce qui se passe ? a-t-elle demandé.

Ali avait de grands yeux verts et une frimousse que je trouvais proprement irrésistible. J'ai eu envie de la soulever de terre pour la couvrir de baisers, mais ce n'était peut-être pas le lieu idéal.

— Rien.

— Ç'a été, la première mi-temps ?

— On est menés de deux points, je crois.

— Jack a marqué ?

— Je ne pense pas, non.

Ali a scruté mon visage et vu quelque chose qui ne lui a pas plu. J'ai regagné les gradins. Elle s'est assise à côté de moi. Deux minutes après la reprise du jeu, elle a redemandé :

— Alors, qu'est-ce qui se passe ?

— Rien.

J'ai changé de position sur mon siège inconfortable.

— Menteur.

— Je viens d'arriver.

28

— Menteur.

J'ai jeté un coup d'œil sur son joli minois, sur les taches de rousseur qui n'étaient plus de son âge mais qui me faisaient craquer, et moi aussi j'ai vu quelque chose.

— Toi non plus, tu n'as pas l'air dans ton assiette.

Ça ne datait pas d'aujourd'hui. Depuis plusieurs semaines, il y avait de l'eau dans le gaz. Ali était distante et préoccupée, et elle refusait d'en parler. Accaparé par mon travail, je n'avais pas cherché à en connaître les raisons.

Elle gardait les yeux sur le terrain de basket.

— Il a bien joué, Jack ?

— Pas mal. À quelle heure est ton vol, demain ?

— Trois heures.

— Je t'emmènerai à l'aéroport.

Erin, la fille d'Ali, avait été reçue à l'université de l'Arizona. Ali et Jack partaient là-bas pour l'aider à s'installer.

— C'est bon. J'ai déjà loué une voiture.

— Ça me ferait plaisir de t'accompagner.

— Ça ira.

Le ton de sa voix coupait court à toute tentative éventuelle de discussion sur le sujet. J'ai essayé de me poser pour suivre le match. Mon pouls battait toujours de façon accélérée. Au bout de quelques minutes, Ali a demandé :

— Pourquoi regardes-tu l'entraîneur de l'autre équipe comme ça ?

— Quel entraîneur ?

— Le type coiffé comme dans une émission de télé ringarde, avec la barbichette à la Robin des Bois.

— Je cherche des idées pour mon nouveau look.

Elle a presque souri.

— Jack a beaucoup joué pendant la première période ?

— Comme d'hab, ai-je répondu.

Kasselton a gagné le match avec trois points d'avance. La foule exultait. L'entraîneur de Jack, un brave type, avait choisi de ne pas l'appeler sur le terrain pendant la seconde mi-temps. Ali, ça l'a un peu perturbée – normalement, il accordait le même temps de jeu à tous les gamins –, mais elle n'a pas fait de commentaire.

Les équipes se sont retirées chacune dans un coin pour un débriefing. Ali et moi avons attendu dans le couloir, à la porte du gymnase. Ça n'a pas loupé. Le coach Bobby s'est dirigé vers moi, même démarche chaloupée, mais poings serrés cette fois. Il y avait trois autres gars avec lui, dont l'adjoint Pat, tous gros et gras, et bien moins coriaces qu'ils ne se plaisaient à le croire. Le coach Bobby s'est planté à un mètre de votre serviteur. Ses trois comparses se sont déployés et m'ont dévisagé, bras croisés.

Pendant un moment, personne n'a dit un mot. Ils se sont contentés de me toiser.

— C'est là que je fais dans mon froc ? ai-je lancé.

Le coach Bobby a de nouveau brandi son index.

— Vous connaissez le Landmark Bar à Livingston ?

— Oui.

— Ce soir, dix heures. Sur le parking, derrière.

— C'est l'heure de mon couvre-feu, ai-je dit. Et puis, je ne suis pas comme ça. Le dîner d'abord. Des fleurs peut-être.

— Si vous ne venez pas…

30

L'index s'est rapproché de mon visage.

— … je trouverai un autre moyen d'obtenir satisfaction. Vu ?

Je ne voyais pas, non, mais je n'ai pas eu le temps de demander des explications. Il avait déjà tourné les talons. Ses potes lui ont emboîté le pas. Ils se sont retournés. Je leur ai fait un signe de la main, en remuant les cinq doigts. Quand l'un d'eux a laissé son regard s'attarder au-delà de ce qui était convenable, je lui ai envoyé un baiser. Il s'est détourné comme s'il venait de se prendre une claque.

Envoyer un baiser, ma provoc favorite, avis aux homophobes.

Je me suis tourné vers Ali et, voyant sa tête, je me suis dit : Oups…

— C'est quoi, ce cirque ?

— Il y a eu un truc pendant le match, avant ton arrivée.

— Quel truc ?

Je lui ai expliqué.

— Du coup tu as allumé l'entraîneur ?

— Oui.

— Pourquoi ?

— Comment ça, pourquoi ?

— Tu n'as fait qu'envenimer les choses. C'est un fanfaron. Même les gosses s'en rendent compte.

— Jack était au bord des larmes.

— Alors c'est à moi de gérer. Je n'ai pas besoin que tu fasses le coq.

— Je ne fais pas le coq. Je voulais juste qu'il fiche la paix à Jack.

— Pas étonnant qu'il n'ait pas joué en seconde mi-temps. Son entraîneur a dû remarquer ta prestation à deux balles et a eu le bon sens de ne pas jeter d'huile sur le feu. Tu te sens mieux, maintenant ?

— Pas encore, mais une fois que je lui aurai arrangé le portrait au Landmark, je pense que ça ira mieux, oui.

— N'y songe même pas.

— Tu as entendu ce qu'il a dit.

Ali a secoué la tête.

— J'y crois pas. Mais qu'est-ce qui te prend, bon Dieu ?

— J'ai voulu défendre Jack.

— Ce n'est pas à toi de le faire. Ce n'est pas ta place. Tu…

Elle s'est interrompue.

— Dis-le, Ali.

Elle a fermé les yeux.

— Tu as raison. Je ne suis pas son père.

— Ce n'est pas ce que j'allais dire.

C'était précisément ce qu'elle allait dire, mais je n'ai pas relevé.

— Ce n'est peut-être pas mon rôle… sauf qu'il ne s'agit pas de ça. J'aurais réagi de la même façon avec n'importe quel autre gamin.

— Mais pourquoi ?

— Parce que ce n'est pas bien.

— Et qui es-tu pour porter ce jugement ?

— Quel jugement ? Il y a le bien. Il y a le mal. Ce type a mal agi.

— C'est un gros con. Des cons, on en trouve partout. C'est la vie. Jack le comprend ou le comprendra avec les années. Grandir, c'est aussi apprendre à affronter les cons, tu ne crois pas ?

Je n'ai pas répondu.

— Et si mon fils a été tant affecté que ça, a ajouté Ali entre ses dents, pourquoi ne m'en as-tu rien dit, hein ? Je t'ai même demandé de quoi vous aviez parlé pendant la pause.

— C'est vrai.

— Tu as dit que ce n'était rien.

Re-silence.

— Pourquoi, Myron ? Ce ne sont pas des histoires de bonnes femmes, c'est ça ?

— Pas du tout.

Ali a secoué la tête et s'est tue. Comme si on l'avait débranchée d'un seul coup.

— Quoi ? ai-je dit.

— Je t'ai trop laissé te rapprocher de lui.

J'ai senti mon cœur se serrer.

— Zut, a-t-elle fait.

J'ai attendu.

— Pour un homme merveilleux qui sait se montrer tellement sensible, tu peux être très obtus quelquefois.

— Bon, d'accord, peut-être que je n'aurais pas dû m'en prendre à cet imbécile. Mais si tu avais été là quand il a crié à Jack de remettre ça, si tu avais vu la tête de Jack…

— Je ne parle pas de ça.

Je me suis tu.

— Dans ce cas, tu as raison. Je suis un mec obtus.

Je fais un mètre quatre-vingt-dix ; Ali, un mètre soixante. Elle a levé le visage vers moi.

— Je ne vais pas dans l'Arizona pour m'occuper de l'installation d'Erin. Enfin, pas seulement. Mes parents sont là-bas. Et les siens aussi.

Les siens... les parents de son défunt mari, le fantôme que j'avais appris à accepter et parfois même à intégrer. Le fantôme toujours présent. Je doute qu'il s'en aille un jour, bien qu'il m'arrive de souhaiter son départ, chose qui ne se fait pas, évidemment.

— Ils – je veux dire les grands-parents des deux côtés – veulent qu'on aille s'installer là-bas. Pour être près d'eux. Ce qui tombe sous le sens, quand on y pense.

Faute de mieux, j'ai hoché la tête.

— Jack et Erin, et ma foi, moi aussi, on a besoin de ça.

— Besoin de quoi ?

— De la famille. Ses parents doivent faire partie de la vie de Jack. Ils supportent mal le climat qui règne là-haut. Tu comprends ?

— Bien sûr que je comprends.

Ma voix sonnait bizarrement à mes propres oreilles, comme si quelqu'un d'autre parlait à ma place.

— Mes parents ont trouvé un appartement qu'ils aimeraient nous faire visiter, a continué Ali. Dans la même copropriété qu'eux.

— C'est bien, une copropriété, ai-je bafouillé. Les charges sont peu élevées. On paie une fois par mois, c'est ça ?

Cette fois, c'est Ali qui n'a pas répondu.

— Bon, ai-je repris, pour dire les choses claire-ment, qu'est-ce que ça signifie pour nous ?

— Tu as envie d'aller vivre à Scottsdale ?

J'ai hésité.

Elle a posé la main sur mon bras.

— Regarde-moi.

J'ai obtempéré. Et là, elle a dit une chose que je n'avais absolument pas vue venir :

— On n'a pas signé pour la vie, Myron. Nous le savons tous les deux.

Un essaim de gamins est passé en courant devant nous. L'un d'eux m'a bousculé et a dit, mais oui :

— Excusez-moi.

Un arbitre a donné un coup de sifflet. Un signal a retenti.

— Maman ?

Nous nous sommes ressaisis tous les deux pour sourire à Jack. Lui ne souriait pas. D'ordinaire, même s'il avait joué comme un manche, il arrivait en gambadant tel un jeune chiot, souriant, pour nous taper dans la main. Ça faisait partie de son charme, à ce gosse. Mais pas aujourd'hui.

— Salut, p'tit loup, ai-je fait, ne sachant pas bien quoi dire.

Souvent, dans une situation semblable, j'entends les gens déclarer : « C'était un bon match. » Mais les mômes savent que c'est du pipeau, qu'on les prend pour des brêles, et ça ne fait qu'aggraver les choses.

Jack s'est précipité vers moi, a noué ses bras autour de ma taille et, cachant son visage contre ma poitrine, a éclaté en sanglots. Mon cœur s'est serré de plus belle. J'ai posé mes mains sur sa nuque. Ali m'observait, et son expression ne me disait rien qui vaille.

— Rude journée, ai-je dit. Ce sont des choses qui arrivent. Ne t'en fais pas, hein. Tu as fait de ton mieux, c'est ce qui compte.

Et j'ai ajouté quelque chose que le gamin ne comprendrait pas, mais qui était la stricte vérité :

— Au fond, ces matchs n'ont pas grande importance.

Ali a pris son fils par les épaules. Il m'a lâché, s'est tourné vers elle, cachant à nouveau son visage. Nous sommes restés ainsi une bonne minute en attendant qu'il se calme. Puis, avec un sourire forcé, j'ai frappé dans mes mains.

— Qui a envie d'une glace ?

Jack récupérait vite.

— Moi !

— Pas aujourd'hui, a dit Ali. Il faut qu'on prépare nos valises.

Il a froncé les sourcils.

— Une autre fois, peut-être.

Je m'attendais à un « Oh, allez, m'man ! », mais lui aussi a dû entendre quelque chose dans sa voix. Penchant la tête, il s'est tourné vers moi sans mot dire. Nous nous sommes tapé dans la main, doigts repliés – c'était notre façon de nous dire bonjour et au revoir –, et il s'est dirigé vers la porte.

Du regard, Ali m'a fait signe de jeter un œil à droite. J'ai vu qu'elle me désignait le coach Bobby.

— Je t'interdis de te battre avec lui.

— C'est lui qui m'a défié.

— C'est au plus fort de céder.

— Au cinéma peut-être. Au pays de la poudre de perlimpinpin, du lapin de Pâques et des jolies fées. Mais dans la vraie vie, celui qui cède passe pour une grosse lavette.

— Alors fais ça pour moi, OK ? Pour Jack. N'y va pas, dans ce bar. Promets-le-moi.

— Il a dit que si je ne me pointais pas, il obtiendrait satisfaction autrement, un truc comme ça.

— C'est un fanfaron. Promets-moi.

Elle a planté son regard dans le mien.

J'ai hésité, mais pas très longtemps.

— OK, je n'irai pas.

Elle a tourné les talons. Sans m'embrasser...
même pas la moindre petite bise sur la joue.

— Ali ?

— Quoi ?

Le couloir m'a soudain paru très vide.

— Sommes-nous en train de rompre ?

— Tu veux venir vivre à Scottsdale ?

— Tu veux une réponse tout de suite ?

— Non. La réponse, je la connais déjà. Et toi
aussi.

3

COMBIEN DE TEMPS S'EST ÉCOULÉ, JE L'IGNORE. Une minute ou deux, probablement. Je suis allé à ma voiture. Le ciel était gris. Il bruinait. Je me suis arrêté un instant et, fermant les yeux, j'ai offert mon visage à la caresse de la pluie. Je pensais à Ali. Et à Terese dans l'hôtel de charme de Paris.

Baissant la tête, j'ai fait deux pas de plus… et c'est là que j'ai repéré le coach Bobby et ses potes dans une Chevy Expedition.

Soupir.

Ils étaient là tous les quatre : l'adjoint Pat au volant, le coach Bobby à la place du mort, les deux autres gorilles sur la banquette arrière. J'ai sorti mon portable et composé le 1, qui correspondait à un numéro préenregistré. Win a répondu dès la première sonnerie.

— Articule.

C'est sa manière à lui de répondre au téléphone, même quand il sait que c'est moi et, je l'avoue, ça m'énerve prodigieusement.

— Tu devrais faire demi-tour.

— Oh, s'est-il exclamé, heureux comme un gosse le matin de Noël, chouette !

— Tu en as pour longtemps ?

— Je suis un peu plus bas dans la rue. Je subodorais qu'on pourrait en arriver là.

— Tu ne butes personne, hein ?

— Oui, maman.

Ma voiture était garée au fond du parking. L'Expedition a suivi lentement. La pluie tombait plus dru à présent. Je me demandais quel était leur plan – un quelconque coup d'esbroufe, sûrement ; et j'ai décidé de laisser venir.

La Jag de Win s'est arrêtée à distance. Moi, je conduis une Ford Taurus, un vrai aspirateur à belettes. Win déteste ma voiture. Il refuse de monter dedans. J'ai sorti mes clés et pressé le bouton de déverrouillage automatique. Les portières se sont débloquées avec un clic. Je me suis glissé à l'intérieur. L'Expedition est alors passée à l'action. Elle a accéléré pour se placer juste derrière moi, me bloquant la sortie. Le coach Bobby en a surgi le premier en tripotant son bouc. Ses trois acolytes ont suivi.

J'ai soupiré et je les ai regardés approcher dans mon rétro.

— Que puis-je faire pour vous ?

— J'ai entendu votre copine vous passer un savon.

— L'indiscrétion est un vilain défaut, coach Bobby.

— J'ai eu peur que vous ne changiez d'avis. Alors on s'est dit qu'on allait régler ça sur place. Tout de suite.

Le coach Bobby s'est penché vers moi.

— Sauf si vous êtes une poule mouillée.

— Auriez-vous mangé du thon à midi ? ai-je demandé.

La Jaguar de Win s'est arrêtée à côté de l'Expedition. Le coach Bobby a reculé en plissant les yeux. Win est descendu. Les quatre hommes l'ont dévisagé, le sourcil froncé.

— Qui c'est, celui-là ?

Souriant, Win a levé la main comme si, invité sur le plateau d'une émission télé, il voulait remercier le public qui l'applaudissait.

— Ravi d'être parmi vous, a-t-il déclaré. Merci infiniment.

— C'est un ami, ai-je répondu. Il vient en renfort, histoire d'égaliser les chances.

— Lui ? a fait Bobby en riant.

Son chœur s'est joint à lui.

— Mais oui, bien sûr.

Je suis sorti de la voiture. Win s'est rapproché imperceptiblement des trois comparses.

— Je vais vous donner la raclée de votre vie, a clamé le coach Bobby.

J'ai haussé les épaules.

— Je vous en prie, faites.

— Trop de monde par ici. Il y a une clairière dans les bois, juste derrière ce champ, a-t-il dit en joignant le geste à la parole. Là-bas, personne ne viendra nous déranger.

— Et comment, s'est enquis Win, connaissez-vous l'existence de cette clairière ?

— J'étais au lycée ici. J'en ai filé, des roustes, là-dedans.

Et, bombant le torse, il a ajouté :

— J'étais aussi capitaine de l'équipe de foot.

— Ça alors, a fait Win d'une voix parfaitement monocorde. Vous me prêteriez votre blouson pour le bal du lycée ?

Le coach Bobby a pointé un doigt boudiné sur Win.

— Il va vous servir à éponger votre sang, si vous ne la bouclez pas.

Win a fait de son mieux pour cacher sa joie.

J'ai songé à ma promesse à Ali.

— Nous sommes deux adultes responsables.

Chaque mot me faisait l'effet de cracher du verre pilé.

— On n'a pas besoin de recourir au pugilat, ne croyez-vous pas ?

J'ai regardé Win qui fronçait les sourcils.

— Tu as vraiment employé le terme « pugilat » ?

Le coach Bobby a envahi mon espace vital de sa masse.

— Poule mouillée, hein ?

Encore !

Mais j'étais le plus fort, et c'est au plus fort de céder. Mouais.

— Poule mouillée, oui. Vous êtes content ?

— Vous avez entendu, les gars ? C'est une poule mouillée.

J'ai grimacé, mais ma résolution n'a pas vacillé. Ou mon irrésolution, tout dépend du point de vue où on se place. Enfin quoi, j'étais le plus fort, non ?

Jamais, je crois, je n'avais vu Win arborer une mine aussi accablée.

— Vous voulez bien déplacer votre véhicule pour me laisser sortir ? ai-je demandé.

— OK, a lâché Bobby, mais je vous aurai prévenu.

— Prévenu de quoi ?

À nouveau, il a rempli mon espace vital.

— Vous ne voulez pas vous battre, parfait. À partir de maintenant, c'est le gosse qui va trinquer.

J'ai senti le sang bourdonner à mes oreilles.

— De quoi vous parlez ?

— Du gros ballot qui a marqué contre son camp. Pendant le reste de la saison, on ne va pas le rater. Toutes les occasions seront bonnes pour le faire morfler.

Je crois que j'en suis resté bouche bée. J'ai regardé Win pour être sûr d'avoir bien entendu. Il n'avait plus l'air accablé. Il se frottait les mains.

Je me suis tourné vers le coach Bobby.

— Vous êtes sérieux ?

— Sérieux de chez sérieux.

J'ai repensé à ma promesse, cherchant une échappatoire. Après la blessure qui m'avait coûté ma carrière de basketteur, j'avais voulu prouver au monde que j'allais bien, merci. Je m'étais donc inscrit en fac de droit… à Harvard. Myron Bolitar, l'être accompli : sportif, surdiplômé, le tout avec une élégance nonchalante. J'avais une formation d'avocat, autrement dit j'étais payé pour trouver des échappatoires.

Qu'avais-je promis, au juste ? Je me suis rappelé les paroles exactes d'Ali : « N'y va pas, dans ce bar. Promets-le-moi. »

Bien, ça ne se passerait pas dans un bar mais sur un

terrain boisé derrière un lycée. D'accord, j'allais enfreindre l'esprit de la loi, mais pas sa lettre. Or c'est la lettre qui comptait.

— Allons-y, ai-je dit.

Nous nous sommes dirigés tous les six vers le bois. Win sautillait presque. Au bout d'une vingtaine de mètres, les arbres se sont faits plus rares. Le sol était jonché de mégots et de canettes de bière. Le lycée. Ça ne changera jamais.

Le coach Bobby a pris place au centre de la clairière. Levant le bras droit, il m'a fait signe de le rejoindre.

— Messieurs, a déclaré Win, une minute d'attention avant qu'ils ne commencent.

Tous les regards se sont tournés vers lui. Il se tenait avec l'adjoint Pat et les deux gorilles sous un grand érable.

— Je faillirais à mon devoir si j'omettais de vous faire part de cette recommandation de première importance.

— Mais qu'est-ce qu'il raconte ? a demandé le coach Bobby.

— Ce n'est pas à vous que je parle. Cette recommandation s'adresse à vos trois camarades.

Win a balayé du regard leurs visages.

— Il se peut que vous soyez tentés d'intervenir pour aider le coach Bobby à un moment ou à un autre. Ce serait une énorme erreur. Le premier qui bouge sera hospitalisé. Notez bien que je n'ai pas dit retenu, frappé, ni même blessé : hospitalisé. C'est tout ce que j'avais à vous dire.

Il s'est retourné vers le coach Bobby et moi.

— Revenons-en à notre bagarre.

Le coach Bobby m'a jeté un coup d'œil.

— Il rigole ou quoi ?

Mais j'étais déjà dans la zone, et ce n'était pas bon signe. Je bouillais de rage. Ce qui est une erreur lorsqu'il s'agit de se battre. Il faut y aller mollo, empêcher son pouls de s'emballer, ne pas se laisser paralyser par la décharge d'adrénaline.

Bobby m'a regardé et, pour la première fois, j'ai entrevu l'ombre d'un doute dans ses yeux. Mais j'entendais son rire quand il avait lancé : « Eh, petit, remets-nous ça ! »

J'ai pris une grande inspiration.

Le coach Bobby a levé les poings comme un boxeur. Je l'ai imité, bien qu'avec beaucoup moins de raideur. Les genoux fléchis, je me balançais légèrement. Bâti comme une armoire à glace, Bobby avait l'habitude d'intimider ses adversaires, genre copains ou voisins. Mais, au fond, c'était un petit joueur.

Quelques brèves remarques au passage. Tout d'abord, la règle d'or : on ne peut jamais prévoir l'issue d'un combat. Le hasard fait que n'importe qui peut porter le coup fatal. On a tort d'être trop sûr de soi. Mais, en vérité, le coach Bobby n'avait pratiquement aucune chance. Je ne dis pas ça par manque de modestie ni par forfanterie. N'en déplaise aux parents dans les gradins branlants du gymnase, un athlète se forme dans le ventre de sa mère. Évidemment, il faut la motivation, l'entraînement, la pratique, mais la différence, la grande différence, réside dans les capacités naturelles.

L'inné prime l'acquis.

La nature m'avait doté de réflexes fulgurants et

d'une excellente coordination psychomotrice. Ce n'est pas de la vantardise, je le répète. C'est comme la couleur des cheveux, la taille ou l'ouïe. Je ne parle même pas des années d'entraînement pour améliorer ma condition physique et apprendre à me battre. Même si ce n'était pas à négliger non plus.

Le coach Bobby a réagi de manière prévisible. Il a fait un pas en avant et m'a balancé un coup de poing crocheté. Or un crochet n'est jamais efficace contre un lutteur aguerri. On l'apprend vite à ses dépens : la plus courte distance entre deux points est la ligne droite. Autant le savoir quand on en vient à distribuer des coups.

Je me suis déporté vers la droite. Pas beaucoup. Juste assez pour parer le coup de la main gauche et garder la bonne distance pour riposter. J'étais maintenant dans la zone de défense de Bobby, une zone bien exposée. Le temps avait ralenti. J'avais plusieurs points faibles à ma disposition.

J'ai choisi la gorge.

Repliant le bras droit, j'ai envoyé mon avant-bras dans sa pomme d'Adam.

Le coach Bobby a émis un son étranglé. Le combat était terminé. Je le savais. Du moins, j'aurais dû le savoir. J'aurais dû m'écarter et le laisser choir, pantelant, sur le sol.

Mais sa voix moqueuse résonnait dans ma tête.

« Eh, petit, remets-nous ça… On ne va pas le rater… Toutes les occasions seront bonnes pour le faire morfler… Poule mouillée ! »

J'aurais dû laisser tomber. Lui demander s'il avait eu son compte et en rester là. Mais je n'étais pas en état de me contrôler. Repliant le bras gauche, j'ai décrit un arc de cercle avec toute la force dont j'étais capable. Objectif : lui expédier un coup de coude en pleine figure.

Un coup dévastateur. Le genre de coup qui broie les os du visage. Qui mène au bloc opératoire et à plusieurs mois de traitement antidouleur.

À la dernière seconde, j'ai repris suffisamment mes esprits, non pas pour m'arrêter, non, mais pour reculer légèrement. Au lieu d'atterrir sur son visage, mon coude a heurté le nez de Bobby. Le sang a jailli. Il y a eu un craquement, comme quand on marche sur du petit bois sec.

Bobby s'est écroulé pesamment.

— Bobby !

C'était l'adjoint Pat. J'ai pivoté vers lui et, levant les deux mains, crié :

— Non !

Trop tard. Pat s'était avancé, brandissant le poing.

Win a à peine bougé. Juste la jambe. Le coup de pied visait le genou gauche. L'articulation a ployé d'une manière tout sauf naturelle. Pat a hurlé et s'est effondré dans la boue comme si on lui avait tiré dessus.

Win a souri et arqué un sourcil à l'adresse des deux autres hommes.

— Au suivant !

Aucun des deux n'osait respirer.

Ma fureur s'est évanouie d'un coup. Agenouillé, le coach Bobby se tenait le nez comme si c'était un animal blessé. Je l'ai regardé. C'est stupéfiant à quel point un homme à terre ressemble à un petit garçon.

— Laissez-moi vous aider, ai-je dit.

Le sang coulait de son nez à travers ses doigts.

— Ne vous approchez pas de moi !

— Il faut exercer une pression. Pour stopper l'hémorragie.

— Ne vous approchez pas, j'ai dit !

J'allais protester quand j'ai senti une main sur mon épaule. C'était Win. Il a secoué la tête, l'air de dire : Inutile d'insister. Il avait raison.

Nous sommes repartis sans un mot.

De retour chez moi, une heure plus tard, j'ai trouvé deux messages sur mon répondeur. Deux messages clairs et concis. Le premier n'était pas une surprise. Dans une petite ville, les mauvaises nouvelles circulent vite.

« Je n'arrive pas à croire que tu n'as pas tenu ta promesse », disait Ali.

Et voilà.

J'ai poussé un soupir. La violence ne résout rien. Win grimaçait quand je disais ça, mais le fait est que chaque fois que j'y recourais, ce qui m'arrivait assez souvent, les choses n'en restaient jamais là. La violence cascade et ricoche. Et son écho ne meurt jamais vraiment.

Le second message était de Terese :

« S'il te plaît, viens. »

Elle ne cherchait même plus à masquer son désarroi.

Deux minutes plus tard, mon téléphone portable se mettait à vibrer. C'était Win.

— On a un petit souci.

— Lequel ?

— Le coach adjoint, le nommé Pat, qui va avoir besoin d'un chirurgien orthopédiste.

— Oui, eh bien ?

— Il est dans la police de Kasselton. Capitaine, même si je ne porterais pas son blouson au bal du lycée.

— Ah, ai-je dit.

— Apparemment, ils envisagent de lancer un mandat d'arrêt.

— Ce sont eux qui ont commencé.

— Mais oui, a dit Win, et naturellement, toute la ville va nous croire, nous, plutôt qu'un officier de police et trois respectables citoyens.

Là-dessus, il n'avait pas tort.

— Je me disais, a-t-il poursuivi, qu'on pourrait s'offrir quelques semaines en Thaïlande pendant que mon avocat nous règle ça.

— Ce n'est pas une mauvaise idée.

— Je connais un nouveau bar à filles à Bangkok, du côté de Patpong Street. On pourrait débuter notre séjour là-bas.

— J'en doute.

— Ce que tu peux être prude. Mais d'une manière ou d'une autre, tu aurais intérêt à lever les voiles aussi.

— C'était bien mon intention.

Après avoir raccroché, j'ai appelé Air France.

— Auriez-vous une place sur un vol pour Paris ce soir ?

— Votre nom ?

— Myron Bolitar.

— Votre billet a déjà été réservé et édité. Vous préférez côté hublot ou couloir ?

4

J'UTILISAIS MES MILES ACCUMULÉS EN NOMBRE pour voyager dans de meilleures conditions. Les boissons gratuites ou le repas amélioré, je m'en fichais ; ce qui m'intéressait, c'était l'espace pour les jambes. En général, je me retrouve coincé sur le siège du milieu entre deux gros malabars n'ayant aucune notion de territoire imparti, et devant, ça ne rate jamais, une minuscule vieille dame dont les pieds touchent à peine le sol, mais qui rabat son dossier aussi loin que possible, et jubile en entendant le bruit qu'il fait au moment où il m'écrase les genoux, si bien que je passe le reste du vol à compter les pellicules de son cuir chevelu.

Je n'avais pas le numéro de téléphone de Terese, mais je me suis souvenu de l'hôtel d'Aubusson. J'ai donc appelé et laissé un message pour prévenir de mon arrivée. Une fois dans l'avion, j'ai enfoncé les écouteurs de l'iPod dans mes oreilles et glissé dans une sorte de demi-sommeil en songeant à Ali… La première fois que je sortais avec une mère de famille et néanmoins veuve, son regard qui fuyait le mien quand elle avait dit : « On n'a pas signé pour la vie, Myron »…

J'ai essayé d'imaginer la vie sans elle.

Est-ce que j'aimais Ali Wilder ? La réponse était oui.

J'avais aimé trois femmes dans mon existence. La première, Emily Downing, l'amour de mes années Duke. Elle m'avait plaqué pour mon rival, le basketteur de la Caroline du Nord. Mon deuxième amour, mon âme sœur ou ce qui s'en rapprochait le plus, Jessica Culver, écrivain. Elle aussi m'avait brisé le cœur en mille morceaux… ou peut-être qu'à la fin j'avais brisé le sien. Je ne sais plus très bien. Je l'avais aimée plus que la vie même, mais cela n'avait pas suffi. Elle était mariée maintenant. À un dénommé Stone. Stone. Je ne rigole pas.

La troisième, eh bien, la troisième c'était Ali Wilder. J'avais été son premier homme depuis la mort de son mari dans la tour Nord, le 11 Septembre. Notre amour était fort, mais aussi plus paisible et plus mûr, ce qui est peut-être un oxymore. Je savais que la rupture serait douloureuse, mais pas dévastatrice. Était-ce aussi le privilège de la maturité ou bien, à force de se ramasser, on apprend à se caparaçonner ?

Ou alors c'est Ali qui avait raison. Nous n'avions pas signé pour la vie. C'était aussi simple que ça.

Il y a un vieux diction yiddish que je trouve très pertinent : « L'homme prévoit, Dieu rit. » J'en suis l'exemple vivant. Ma vie était toute tracée. Depuis l'enfance, j'avais été une star du basket, promis à une carrière NBA au sein des Boston Celtics. Mais, lors de mon tout premier match de l'avant-saison, Burt Wesson était entré en collision avec moi et m'avait ruiné le genou. J'avais vaillamment tenté de revenir, mais, entre vaillance et efficience, il y a un monde. Ma carrière était terminée avant même que mon pied ne se soit posé sur le parquet.

J'étais aussi destiné à fonder une famille, comme l'homme qui me servait de modèle : Al Bolitar, mon père. Il avait épousé la femme de sa vie, ma maman Ellen ; ils s'étaient fixés dans la banlieue de Livingston, New Jersey, avaient travaillé dur et fait des barbecues dans le jardin. C'était censé être cela, ma vie : une épouse compréhensive, deux virgule six enfants, les gradins branlants pour admirer ma progéniture, un chien peut-être, un cerceau de basket rouillé dans l'allée, le centre commercial le samedi. Vous voyez le tableau.

Or me voici, sur le versant nord de la quarantaine, toujours célibataire et un fils qui grandit sans moi.

— Désirez-vous boire quelque chose ? m'a demandé l'hôtesse.

L'alcool n'est pas trop mon truc, mais j'ai choisi le whisky-soda, le breuvage préféré de Win. J'avais besoin de m'étourdir, d'arriver à dormir. On ferme les yeux, et hop, on bloque tout. Ça fait du bien.

Alors que venait faire Terese Collins là-dedans, la femme pour qui je survolais l'océan ?

Je n'avais jamais songé à Terese en termes amoureux. De relation amoureuse, j'entends. Je pensais à sa peau souple, à son odeur de beurre de cacao. À la douleur qui irradiait d'elle. À nous deux faisant l'amour sur cette île, deux âmes naufragées. Lorsque Win était venu me chercher sur un yacht pour me ramener à la maison, j'allais déjà mieux. Pas elle. Nous nous étions quittés sur un au revoir. Huit ans après, au moment où j'en avais le plus besoin, Terese était venue à mon secours avant de s'effacer à nouveau, de se retrancher dans sa souffrance.

Aujourd'hui elle était de retour.

Huit années durant, Terese Collins avait non seulement disparu de ma vie, mais également de la scène publique. Dans les années quatre-vingt-dix, elle avait été une personnalité connue de la télévision, une présentatrice vedette de CNN. Et puis, un beau jour, pffuit, plus rien.

L'avion avait atterri et roulait sur le tarmac en direction du terminal. J'ai attrapé mon sac – inutile de s'encombrer de bagages pour deux ou trois nuits – et je me suis demandé ce qui m'attendait ici. J'ai été le troisième à débarquer et, avec mes longues enjambées, j'ai eu vite fait d'arriver en tête à la douane et au contrôle des passeports. J'espérais passer facilement, mais il y avait embouteillage de passagers descendus d'autres vols.

La file d'attente serpentait entre les rubans de sécurité un peu comme à Disney World. Elle avançait rapidement. La plupart du temps, le personnel se contentait de jeter un œil sur le passeport et de faire signe au passager suivant. Quand ç'a été mon tour, la fonctionnaire a regardé mon passeport, puis mon visage, puis à nouveau le passeport, puis à nouveau mon visage. Ses yeux s'attardaient sur moi. J'ai souri, la jauge de charme bloquée sur FAIBLE. Je ne tenais pas à ce que la pauvre femme se déshabille en public derrière son guichet.

Se détournant comme si j'avais proféré une grossièreté, elle a adressé un signe de tête à un collègue. Lorsqu'elle s'est retournée vers moi, j'ai décidé d'augmenter la puissance. Élargir le sourire. Faire glisser le curseur de FAIBLE à ÉBLOUISSANT.

— Écartez-vous, je vous prie, a-t-elle dit en fronçant les sourcils.

Je souriais toujours comme un imbécile.

— Pourquoi ?

— Mon collègue va s'occuper de votre cas.

— Ah bon, je suis un cas ?

— Écartez-vous.

J'étais en train de bloquer la file, et les passagers derrière moi commençaient à rouspéter. Je me suis écarté. L'autre agent en uniforme m'a dit :

— Suivez-moi, je vous prie.

Je n'aimais pas ça, mais avais-je le choix ? Pourquoi moi ? Peut-être que la loi française interdit d'avoir autant de charme... Franchement, je trouverais ça tout à fait normal.

L'agent m'a escorté dans une petite pièce sans fenêtre. Les murs étaient beiges et nus. Deux patères derrière la porte. Des sièges en plastique moulé. Une table dans le coin. Le policier a pris mon sac, l'a posé sur la table et a entrepris de fourrager dedans.

— Videz vos poches, s'il vous plaît. Mettez tout dans cette corbeille. Enlevez vos chaussures.

J'ai obéi. Portefeuille, BlackBerry, pièces de monnaie, chaussures.

— Je dois vous fouiller.

Il a été extrêmement minutieux. J'allais lâcher une vanne sur le plaisir qu'il devait en retirer ou suggérer qu'on pourrait commencer par une promenade en bateau-mouche avant qu'il ne me tripote, mais j'ai eu un doute sur son sens de l'humour. Les Français adorent Jerry Lewis, non ? Peut-être qu'un gag visuel aurait été plus approprié.

— Asseyez-vous, s'il vous plaît.

Je me suis assis. Il est sorti, emportant la corbeille contenant mes affaires. Je suis resté là pendant une demi-heure… à mariner dans mon jus, comme on dit. Non, décidément, je n'aimais pas ça.

Deux hommes sont entrés dans la pièce. Le premier était jeune, proche de la trentaine peut-être, beau gosse : cheveux blond-roux, barbe de trois jours que les jolis garçons aiment porter pour avoir l'air plus viril et mâchonnant un cure-dent. Il était vêtu d'un jean, de bottes et d'une chemise aux manches roulées jusqu'aux coudes. Il s'est adossé au mur et a croisé les bras.

L'autre homme était un quinquagénaire avec de grosses lunettes cerclées de métal et des cheveux gris clairsemés. Il est entré dans la pièce en s'essuyant les mains avec une serviette en papier. Sa parka ressemblait à celles des associations sportives de 1986.

Autant pour les Français et leur haute couture.

C'est le plus vieux qui a pris la parole.

— Quel est l'objet de votre visite en France ?

Mon regard est allé de lui au mâchouilleur de cure-dent.

— Et vous êtes ?

— Capitaine Berléand. Et officier de police Lefebvre.

J'ai hoché la tête à l'adresse de Lefebvre, qui n'a pas daigné cesser de torturer son cure-dent.

— L'objet de votre visite ? a répété Berléand. Affaires ou plaisir ?

— Plaisir.

— Où allez-vous loger ?

— À l'hôtel d'Aubusson.

Il ne l'a pas noté. Ils n'avaient ni papier ni stylos.

— Vous serez seul ?

— Non.

Berléand continuait à se frotter les mains avec la serviette en papier. Il s'est arrêté, a remonté d'un doigt les lunettes sur l'arête de son nez. Comme je me taisais, il a haussé les épaules pour m'inviter à développer.

— J'ai rendez-vous avec une amie.

— Le nom de cette amie ?

— Est-ce indispensable ? ai-je demandé.

— Non, monsieur Bolitar, je suis curieux et je vous pose la question comme ça, sans raison.

Les Français sont portés sur le sarcasme.

— Son nom ?

— Terese Collins.

— Quelle est votre profession ?

— Agent.

Berléand a eu l'air déconcerté. Lefebvre, apparemment, ne parlait pas l'anglais.

— Je représente des artistes, des sportifs, des auteurs, des gens du spectacle, ai-je expliqué.

Il a hoché la tête, satisfait. La porte s'est ouverte. Le premier policier a tendu à Berléand la corbeille avec mes affaires. Il l'a posée sur la table à côté de mon sac. Puis s'est essuyé les mains.

— Vous et Mme Collins n'avez pas voyagé ensemble, n'est-ce pas ?

— Non, elle est déjà à Paris.

— Je vois. Combien de temps avez-vous l'intention de rester en France ?

— Je ne sais pas. Deux ou trois nuits.

Il a regardé Lefebvre. Ce dernier a acquiescé et, se détachant du mur, s'est dirigé vers la porte. Berléand a suivi.

— Désolé pour le dérangement. Je vous souhaite un bon séjour à Paris.

5

TERESE COLLINS M'ATTENDAIT DANS LE HALL DE L'HÔTEL.

Elle m'a serré dans ses bras, mais sans effusion. Elle s'est laissée aller contre moi, mais toujours sobrement ; bref, elle ne s'est pas effondrée. Nos retrouvailles au bout de huit ans étaient pudiques. Toutefois, pendant que nous nous étreignions, j'ai fermé les yeux et cru sentir l'odeur de beurre de cacao.

J'ai repensé à l'île dans la mer des Caraïbes, mais surtout – pour être tout à fait honnête – à la seule chose qui nous reliait vraiment à cette époque : la frénésie du sexe. Ce corps à corps sauvage, désespéré, qui prouve, et ceci n'a rien à voir avec le sado-masochisme, à quel point souffrance, la souffrance psychique, et plaisir sont étroitement mêlés. On peut même affirmer qu'ils se nourrissent l'un de l'autre. Nous n'avions que faire de paroles, de sentiments, d'un semblant de réconfort ou de gestes d'affection, même discrets... comme si trop de douceur, de tendresse risquait de faire éclater la bulle qui nous protégeait temporairement.

Terese s'est écartée. Elle était toujours aussi renversante. L'âge se faisait sentir, mais certaines femmes – peut-être même la plupart, à une époque où le lifting est devenu aussi banal qu'une manucure – embellissent en vieillissant.

— Alors, qu'est-ce qui ne va pas ? ai-je demandé.

— C'est ton préambule après toutes ces années ?

J'ai haussé les épaules.

— Moi, c'était « Viens à Paris », a ajouté Terese.

— Je travaille à restaurer le charme. En attendant de savoir ce qui ne va pas.

— Tu dois être épuisé.

— Ça va.

— Je nous ai réservé une chambre. Un duplex. Pour avoir l'option de dormir séparément.

Je n'ai rien dit.

Elle a souri presque imperceptiblement.

— Mon Dieu, que je suis contente de te voir !

Je ressentais la même chose. Ce n'était peut-être pas de l'amour, mais c'était fort, authentique et rare. Nous n'avions pas signé pour la vie, m'avait dit Ali. Avec Terese, ma foi, nous n'avions rien signé du tout, mais c'était un sentiment indéfinissable, qu'on pouvait ranger dans un tiroir pendant des années sans y penser, en sachant qu'il était là, et que c'était proba- blement sa raison d'être.

— Tu savais que je viendrais, ai-je affirmé.

— Oui. Et tu sais que j'aurais fait la même chose si c'était toi qui m'avais appelée.

En effet.

— Tu as une mine superbe.

— Allez, viens. On va grignoter un petit quelque chose.

Le portier a pris mon sac, non sans avoir coulé un regard admiratif en direction de Terese. La rue Dauphine est une rue étroite. Une camionnette blanche était garée en double file à côté d'un taxi, occupant presque toute la chaussée. Le chauffeur du taxi hurlait ce qui devait être des obscénités en français, à moins que ce ne fût une manière particulièrement agressive de demander son chemin.

Nous avons tourné à droite. Il était neuf heures du matin. À cette heure-ci, la ville de New York est déjà en pleine effervescence, mais les Parisiens, eux, flânaient nonchalamment comme s'ils venaient à peine de se réveiller. Nous sommes arrivés à la Seine, à la hauteur du Pont-Neuf. Au loin, on apercevait les tours de Notre-Dame. Terese a longé les étals verts des bouquinistes, réputés pour vendre des livres anciens, mais qui semblaient s'être reconvertis dans les souvenirs à trois sous. Sur l'autre rive se dressait une imposante forteresse avec sa magnifique toiture Mansart.

À l'approche de Notre-Dame, j'ai demandé :

— Ça te gêne si je prends la pose, bras tendu, un pied en arrière, et m'écrie : « Grandiose ! » ?

— Tu vas passer pour un touriste.

— Bien vu. Je devrais peut-être acheter un béret avec mon nom brodé dessus.

— Avec ça, tu serais sûr de te fondre dans la masse.

Terese avait gardé sa démarche altière, tête haute, épaules en arrière… un port de reine. Je me suis soudain rendu compte que c'était un attrait commun à toutes les femmes de ma vie. Je trouve ça très excitant, cette manière quasi féline qu'ont certaines femmes d'entrer dans une pièce, comme si elles étaient chez elles. La façon de marcher en dit long sur une femme.

Nous nous sommes arrêtés à la terrasse d'un café à Saint-Michel. Le ciel était gris, mais on devinait clairement que le soleil était en train de tenter une percée. Terese s'est assise et a longuement scruté mon visage.

— J'ai un truc coincé entre les dents ?

Elle a esquissé un sourire.

— Tu m'as manqué.

Ses paroles sont restées en suspens. Je ne savais plus qui me parlait, elle ou la ville. C'est comme ça, Paris. On a beaucoup écrit sur sa beauté, sur ses splendeurs, et ma foi, tout est vrai. Chaque édifice est une petite merveille d'architecture, un régal pour l'œil. Paris est comme une belle femme qui se sait belle, qui aime ça et qui n'a pas à se forcer pour le prouver.

Qui plus est, Paris vous donne l'impression de vous sentir – à défaut de terme plus approprié – vivant. Correction, Paris vous donne *envie* de vous sentir vivant. D'agir, d'être et d'en savourer chaque instant. On veut ressentir, tout simplement, et peu importe quoi. Toutes les sensations sont magnifiées. Paris vous donne envie de rire, de pleurer, de tomber amoureux, d'écrire un poème, de faire l'amour et de composer une symphonie.

Se penchant par-dessus la table, Terese m'a pris la main.

— Tu aurais pu appeler, ai-je dit. Pour me donner des nouvelles.

— Je sais.

60

— Je n'ai pas bougé. Mon bureau est toujours dans Park Avenue. Et je partage toujours l'appartement de Win au Dakota.

— Et tu as racheté la maison de tes parents à Livingston, a-t-elle ajouté.

Ce n'était pas une remarque en l'air. Terese était au courant pour la maison. Comme elle était au courant pour Ali. Elle me faisait comprendre que tout ce temps elle avait gardé un œil sur ma vie.

— Tu t'es évanouie dans la nature du jour au lendemain.

— Je sais.

— Je t'ai cherchée.

— Ça aussi, je le sais.

— Tu ne peux pas arrêter de dire « je sais » ?

— OK.

— Alors qu'est-ce qui t'est arrivé ?

Elle a retiré sa main. Son regard a pivoté vers la Seine. Un jeune couple est passé devant nous. Ils étaient en train de se disputer. La fille, outrée, a ramassé une canette de Coca-Cola écrasée et l'a balancée à la tête du garçon.

— Tu ne comprendrais pas, a dit Terese.

— C'est encore pire que « je sais ».

Son sourire était empreint d'une infinie tristesse.

— J'étais une épave. Je t'aurais entraîné dans ma dégringolade. Et je tenais trop à toi pour te faire ce coup-là.

J'essayais de comprendre, mais ce n'était pas facile.

— Sans vouloir te vexer, on dirait que tu cherches à te justifier.

— Pas du tout.

— Alors où étais-tu, Terese ?

— Je me cachais.

— De quoi ?

Elle a secoué la tête.

— Dans ce cas, qu'est-ce que je fais ici ? Et ne me dis pas que c'est parce que je t'ai manqué.

— Non. Enfin, je veux dire, tu m'as manqué. Tu n'imagines certainement pas à quel point. Mais tu as raison, ce n'est pas pour ça que je t'ai appelé.

— Alors ?

Un serveur a surgi, en tablier noir et chemise blanche. Terese a passé la commande pour nous deux dans un français fluide. Comme je ne parle pas un mot de cette langue, si ça se trouve, elle avait commandé des oreilles et une queue de cochon.

— Il y a une semaine, j'ai reçu un coup de fil de mon ex-mari.

J'ignorais totalement qu'elle avait été mariée.

— Cela faisait neuf ans que je n'avais pas parlé à Rick.

— Neuf ans, ai-je répété. C'est à peu près l'époque où on s'est rencontrés.

Elle m'a jeté un regard.

— Ne te laisse pas éblouir par mes prouesses mathématiques. C'est un de mes nombreux talents cachés. J'évite de trop me vanter.

— Tu te demandes si Rick et moi, on était toujours mariés quand nous sommes allés nous planquer dans cette île.

— Pas vraiment.

— Ce que tu peux être propre sur toi.

— Non, ai-je dit, songeant de nouveau à la frénésie du désespoir sur cette île. C'est faux.

— Ainsi que j'ai pu en juger ?

— Encore une fois, talents cachés… j'évite de me vanter.

— Tant mieux. Mais je te rassure tout de suite, Rick et moi n'étions plus ensemble quand on s'est connus.

— Et que voulait l'ex-mari Rick ?

— Il m'a dit qu'il était à Paris. Et que je devais le rejoindre de toute urgence.

— À Paris ?

— Non, chez Mickey en Floride. Évidemment, à Paris.

Elle a fermé les yeux.

— Excuse-moi. Ça m'a échappé.

— Mais non, je t'aime bien en teigne. Que t'a-t-il dit d'autre, ton ex ?

— Il m'a dit de descendre à l'hôtel d'Aubusson.

— Et ?

— C'est tout.

J'ai changé de position sur ma chaise.

— C'était ça, son coup de fil ? « Salut, Terese, c'est Rick, ton ex-mari à qui tu n'as pas parlé depuis dix ans, viens à Paris et descends à l'hôtel d'Aubusson. C'est urgent. »

— Quelque chose comme ça, oui.

— Tu ne lui as pas demandé pourquoi c'était si urgent ?

— Tu fais exprès d'être bête ou quoi ? Bien sûr que je le lui ai demandé.

— Et alors ?

— Il n'a pas voulu me le dire. Il fallait qu'il me voie en personne.

— Et tu as tout laissé tomber pour accourir ?

— Oui.

— Après tant d'années, comme ça, sans hésiter…
Je me suis interrompu.

— Une petite seconde. Tu ne m'as pas dit que tu te cachais ?

— Oui.

— De Rick aussi ?

— De tout le monde.

— Où ça ?

— En Angola.
En Angola ? J'ai laissé filer momentanément.

— Et comment Rick a-t-il fait pour te retrouver ?
Le serveur est arrivé avec deux tasses de café et ce qui ressemblait à des sandwichs au fromage et au jambon.

— On appelle ça des croque-monsieur, a dit Terese.
Je connaissais. Un jambon-fromage, quoi, avec un nom ronflant.

— Rick travaillait avec moi à CNN. C'est probablement le meilleur journaliste d'investigation au monde, mais il déteste l'antenne ; il préfère enquêter. Il a dû me pister, j'imagine.
Terese était plus pâle, bien sûr, que dans cette île noyée de soleil. Son regard bleu était voilé, mais on distinguait nettement un cercle d'or autour de chaque pupille. Personnellement, je préfère les brunes, mais ses boucles claires m'avaient conquis.

— OK, ai-je dit. Continue.

— J'ai fait ce qu'il m'a demandé. Je suis arrivée il y a quatre jours. Mais je n'ai pas eu la moindre nouvelle de lui.

— Tu l'as appelé ?

— Je n'ai pas son numéro. Rick a été très précis. Il m'a dit qu'il me contacterait à mon arrivée. Mais jusqu'ici, rien.

— C'est pour ça que tu m'as téléphoné ?

— Oui. Tu es doué pour retrouver les gens.

— Comment se fait-il alors que je ne t'aie pas retrouvée, toi ?

— Parce que tu n'as pas beaucoup cherché.

Ce qui n'était pas entièrement faux.

Elle s'est penchée en avant.

— J'étais là, rappelle-toi.

— Je n'ai pas oublié.

Elle n'a rien ajouté. Le fait est qu'elle m'avait aidé dans un moment où la vie d'un être cher était en jeu. Sans elle, j'aurais échoué. Il serait mort. Elle n'avait pas besoin de préciser que j'avais une dette envers elle. Je le savais.

— Tu n'es même pas sûre que ton ex a disparu.

Terese n'a pas répondu.

— Peut-être qu'il a voulu te rendre la monnaie de ta pièce. Ou te jouer un tour pendable. Si ça se trouve, ce n'était pas important. Rick a très bien pu changer d'avis.

Elle se bornait à me regarder en silence.

— Et s'il n'a pas disparu, je ne vois pas ce que je peux faire. OK, d'accord, je peux effectuer des recherches à partir de chez moi. Mais ici, nous sommes dans un pays étranger. Je n'en parle pas la langue. Je n'ai pas Win, Esperanza ni Big Cyndi pour m'aider.

— Je suis là, moi. Je parle français.

Je l'ai regardée. Elle avait les larmes aux yeux. J'ai secoué la tête.

— Qu'est-ce que tu me caches ?

Elle a fermé brièvement les yeux.

— Sa voix, a-t-elle dit.

— Eh bien ?

— J'étais en première année de fac quand je suis sortie avec Rick. Nous avons été mariés dix ans. Nous travaillions ensemble pratiquement tous les jours.

— Soit.

— Je sais tout de lui, chacune de ses humeurs, tu comprends ?

— À peu près.

— Nous sommes allés tous les deux sur des zones de combat. Nous avons découvert des salles de torture au Moyen-Orient. En Sierra Leone, on a vu des choses qui dépassent l'entendement. Rick a toujours su garder le recul nécessaire. Il était toujours calme, toujours maître de ses émotions. Il détestait le côté théâtral des infos à la télé. J'ai donc entendu sa voix dans toutes sortes de circonstances.

À nouveau, Terese a fermé les yeux.

— Mais là, au téléphone…

J'ai tendu la main vers elle, mais elle n'a pas réagi.

— C'était comment ?

— Sa voix tremblait. J'ai… J'ai eu l'impression qu'il pleurait. Il était paniqué, je te parle d'un homme que je n'ai jamais vu manifester la moindre peur. Il fallait, m'a-t-il dit, que je me prépare.

— Te préparer à quoi ?

Ses yeux ont fini par déborder. Elle a pressé l'arête de son nez avec ses doigts.

— Il devait m'apprendre quelque chose qui allait bouleverser toute ma vie.

Fronçant les sourcils, je me suis calé dans mon siège.

— C'est l'expression qu'il a employée : « bouleverser toute ta vie » ?

— Oui.

Terese n'était pas du genre à dramatiser. Je ne savais que penser.

— Et où il habite, Rick ?

— Aucune idée.

— Il pourrait habiter Paris ?

— C'est possible.

J'ai hoché la tête.

— Est-ce qu'il s'est remarié ?

— Je ne sais pas. Je t'ai dit qu'on ne s'était pas parlé depuis une éternité.

Ça n'allait pas être facile.

— Sais-tu s'il travaille toujours pour CNN ?

— Ça m'étonnerait.

— Peut-être pourrais-tu me faire une liste de parents et d'amis, histoire de commencer par quelque chose.

— OK.

Sa main tremblait quand elle a pris sa tasse de café pour la porter à ses lèvres.

— Terese ?

Elle gardait sa tasse en l'air, comme pour se protéger.

— Que pourrait bien t'annoncer ton ex-mari qui risquerait de bouleverser ta vie ?

Son regard s'est mis à vagabonder.

Des bus rouges à impériale longeaient la Seine avec leurs cargaisons de touristes. Sur chaque bus, il y avait une pub pour un grand magasin avec une jolie

67

femme coiffée d'une tour Eiffel. Ç'avait l'air ridicule et inconfortable. Le lourd couvre-chef était perché sur le sommet de son crâne, maintenu par un simple ruban. Le cou gracile du mannequin ployait comme sur le point de se rompre. Qui donc avait trouvé cette idée de génie pour une publicité de mode ?

La foule des passants grossissait. La fille qui avait balancé la canette de Coca-Cola était maintenant en train de bécoter sa cible. L'agent qui réglait la circulation a fait un signe à une camionnette blanche qui bloquait la chaussée. Je me suis tourné vers Terese, attendant sa réponse. Elle a posé sa tasse.

— Je ne vois pas.

Mais sa voix s'était enrouée. Un signe, quand on joue aux cartes. Elle ne mentait pas. Ça, j'en étais certain. Mais elle ne me disait pas tout.

— Aucune chance qu'il veuille simplement se venger ?

— Aucune.

Elle a regardé ailleurs, cherchant à se ressaisir.

C'était le moment de se jeter à l'eau.

— Qu'est-ce qui t'est arrivé, Terese ?

Elle savait de quoi je parlais. Son regard me fuyait, mais un petit sourire jouait sur ses lèvres.

— Toi non plus, tu ne m'as jamais dit, a-t-elle répondu.

— C'était la règle tacite sur notre île.

— Oui.

— Mais nous ne sommes plus dans l'île, ai-je ajouté.

Silence. Elle avait raison. Je ne lui avais pas dit ce qui m'avait conduit dans cette île, pourquoi j'avais sombré. Alors c'était peut-être à moi de commencer.

68

— J'étais censé protéger quelqu'un. Je me suis planté. Elle est morte à cause de moi. Et, pour ne rien arranger, j'ai très mal réagi.

La violence, l'écho qui ne meurt jamais.

— Tu as dit « elle » ?

— Oui.

— Tu es allé sur sa tombe, a acquiescé Terese. Je m'en souviens.

C'était son tour. Je lui ai laissé le temps de reprendre ses esprits. Son secret… Win m'avait dit que c'était très grave. Tout à coup, je me sentais nerveux. Je regardais à droite et à gauche quand soudain quelque chose a capté mon attention.

La camionnette blanche.

À force, on s'habitue à vivre comme ça. Perpétuellement sur ses gardes. On surveille les alentours, on remarque des détails, on les aligne bout à bout. C'était la troisième fois que je la remarquais, cette camionnette. Elle était garée devant l'hôtel quand nous en étions sortis. Qui plus est, la dernière fois que je l'avais vue, l'agent de circulation lui avait demandé de dégager.

Pourtant, elle était toujours là.

J'ai pivoté vers Terese. Voyant mon expression, elle a demandé :

— Qu'y a-t-il ?

— La camionnette blanche, j'ai l'impression qu'elle nous suit.

Inutile d'ajouter : « Ne te retourne pas. » Terese n'était pas née de la dernière pluie.

J'ai réfléchi un instant. J'espérais me tromper, mais avec un peu de chance le mystère allait se résoudre dans une poignée de secondes. L'ex-mari était là, qui nous espionnait depuis la camionnette. J'allais m'approcher, ouvrir la portière, l'arracher de son siège.

Me levant, j'ai scruté la vitre côté conducteur. Pas la peine de faire semblant, si j'avais raison. Il y avait un reflet, mais j'ai réussi à distinguer le visage mal rasé et surtout, surtout, le cure-dent.

C'était Lefebvre, l'officier de police de l'aéroport.

Il n'a pas cherché à se dissimuler. La portière s'est ouverte, et il est descendu. Son coéquipier plus âgé, le capitaine Berléand, a émergé de l'autre côté. Il a remonté ses lunettes et souri d'un air presque contrit.

Je me suis senti stupide. Des fonctionnaires en civil à l'aéroport. Cela aurait dû me mettre la puce à l'oreille. Des agents de la police de l'air n'auraient pas été en civil. Et cet interrogatoire déplacé ? J'aurais dû me douter de quelque chose.

Les deux hommes ont glissé la main dans leurs poches. J'ai cru qu'ils allaient sortir leurs armes, mais non, c'étaient des brassards avec le mot POLICE dessus. Ils les ont enfilés autour de leurs biceps. J'ai tourné la tête et aperçu des flics en uniforme qui se dirigeaient vers nous.

Je n'ai pas bougé. J'ai gardé les mains sur les côtés, bien en vue. J'ignorais ce qui se passait, mais ce n'était pas le moment de faire des mouvements brusques.

J'ai suivi Berléand des yeux. Il s'est approché de notre table, a regardé Terese et dit :

— Voulez-vous nous suivre, s'il vous plaît ?

— De quoi s'agit-il ? ai-je demandé.

— Nous en parlerons dans mon bureau.

— Sommes-nous en état d'arrestation ?

— Non.

— Dans ce cas, nous n'irons nulle part tant que vous ne nous aurez pas notifié le motif de cette interpellation.

Berléand a souri et regardé Lefebvre, qui a souri derrière son cure-dent. J'ai dit :

— Qu'est-ce qu'il y a ?

— Vous vous croyez en Amérique, monsieur Bolitar ?

— Non, mais je crois que la France est une démocratie moderne avec des droits inaliénables. Je me trompe ?

— L'avertissement d'usage n'existe pas en France. On n'a pas besoin de charges pour vous embarquer. En fait, je peux vous garder au frais pendant quarante-huit heures, si tel est mon bon plaisir.

Se rapprochant, Berléand a de nouveau remonté ses lunettes, s'est essuyé les mains sur son pantalon.

— Je vous le demande encore une fois, voulez-vous nous suivre ?

— Avec joie.

6

TERESE ET MOI AVONS ÉTÉ SÉPARÉS DANS LA RUE.
Lefebvre l'a escortée vers la camionnette. J'ai
voulu protester, mais Berléand m'a lancé un regard
pour me recommander d'économiser ma salive. Il
m'a conduit jusqu'à une voiture de police et a pris
place à côté de moi sur la banquette arrière.

— C'est loin ? ai-je demandé.

Il a consulté sa montre.

— À une trentaine de secondes d'ici.

À peine. J'avais déjà remarqué ce bâtiment : la
forteresse en pierre de taille sur la rive d'en face. La
toiture à la Mansart était en ardoises grises, tout
comme les tours coniques qui flanquaient l'édifice.
On aurait pu facilement y aller à pied. J'ai plissé les
yeux pour mieux voir.

— Vous reconnaissez ? a dit Berléand.

Pas étonnant que j'aie été frappé par son architecture. Deux gardiens en armes se sont écartés pour
nous laisser franchir le porche majestueux qui nous a
avalés telle une bouche géante. De l'autre côté, il y
avait une vaste cour intérieure. Une forteresse, oui,

c'était le terme qui convenait. On se sentait un peu comme un prisonnier au dix-huitième siècle.

— Alors ?

Je reconnaissais, surtout grâce à l'œuvre de Georges Simenon et aussi parce que, pour tous les représentants de la loi, c'était un lieu mythique.

Je venais d'arriver au 36, quai des Orfèvres, le fameux siège de la police judiciaire. L'équivalent de Scotland Yard. Ou de Quantico.

— Eh bieeeeen, ai-je répondu en étirant la voyelle, je sens que c'est du lourd.

Berléand a levé les paumes vers le ciel.

— Ici on ne traite pas les infractions au code de la route.

— Chez vous, même la police est logée dans un palais, ai-je dit.

— Attendez de voir l'intérieur.

Berléand, je l'avais remarqué, maniait facilement le sarcasme. Le contraste entre la façade et ce qu'il y avait derrière était saisissant. L'extérieur avait été bâti pour durer des siècles et des siècles ; l'intérieur avait le charme et l'originalité des toilettes d'une station-service. Les murs étaient blanc cassé, ou alors ils avaient été blancs, mais avaient jauni avec les années. Aucun tableau, aucun ornement, mais assez d'éraflures pour se demander si on n'avait pas marché dessus avec des souliers à clous.

Le sol était tapissé d'un lino qu'on aurait jugé démodé dans un pavillon de banlieue en 1957.

Visiblement, il n'y avait pas d'ascenseur. Nous avons gravi un large escalier ; la montée m'a paru interminable.

— Par ici.

73

Les câbles électriques qui sillonnaient le plafond sortaient tout droit d'une brochure de prévention contre les risques d'incendie. J'ai suivi Berléand le long d'un couloir. J'ai vu un four à micro-ondes posé à même le sol, des imprimantes, des ordinateurs.

— Vous déménagez ou quoi ?

— Non.

Il m'a conduit jusqu'à une cellule qui devait faire deux mètres sur deux. Une cellule unique où une vitre remplaçait les barreaux. Avec deux bancs fixés au mur à angle droit. Les matelas minces et bleus rappelaient les tapis de sol dans le gymnase de mon collège. Une couverture élimée couleur rouille, genre rebut de compagnie aérienne bon marché, était pliée sur le banc.

Berléand a esquissé un grand geste, tel le maître d'hôtel à l'entrée de chez Maxim's.

— Où est Terese ?

Il a haussé les épaules.

— Je veux un avocat.

— Et moi je veux prendre un bain moussant avec Sharon Stone.

— Vous êtes en train de me dire que je n'ai pas droit à un avocat durant l'interrogatoire ?

— C'est cela même. Vous pouvez en consulter un juste avant, mais il ne pourra pas assister à l'interrogatoire. Et, pour ne rien vous cacher, cela attirera les soupçons sur vous. Et aura tendance à m'énerver. Alors je vous le déconseille. Entre-temps, faites comme chez vous.

Il m'a laissé seul. J'ai essayé de réfléchir à froid. Le tapis de sol était tout collant, et je ne tenais pas à savoir pourquoi. Il régnait là-dedans une odeur fétide, mélange de sueur, de peur et, hum, d'autres fluides corporels. La puanteur s'incrustait dans mes narines. Une heure est passée. J'ai entendu le micro-ondes. Un gardien m'a apporté à manger. Une autre heure s'est écoulée.

Quand Berléand est revenu, j'étais adossé à l'endroit plus ou moins propre que j'avais repéré sur la vitre.

— J'espère que vous êtes bien installé.

— Le menu, ai-je rétorqué. Je m'attendais à mieux, vu que nous sommes à Paris et tout.

— J'en parlerai personnellement au chef.

Berléand a déverrouillé la porte vitrée. Je pensais qu'il m'escorterait vers une salle d'interrogatoire, au lieu de quoi nous nous sommes arrêtés devant une porte avec un petit écriteau : « GROUPE BERLÉAND ». Je l'ai regardé.

— C'est votre prénom, Groupe ?

— Vous vous croyez drôle ?

Effectivement, cela devait être un groupe, à en juger par les six bureaux entassés dans la pièce qui, même avec un seul bureau, n'aurait pas mérité le qualificatif de spacieuse. Le plafond en pente m'a fait penser qu'on était au dernier étage, sous les combles mansardés. D'ailleurs, j'ai dû me baisser pour entrer.

Quatre des six bureaux étaient occupés par des policiers en civil qui devaient faire partie du groupe Berléand. Les ordinateurs étaient vieux, de ceux qui prennent la moitié de la place sur un bureau. Des photos de famille, des fanions de clubs de sport, une affiche de pub Coca-Cola, un calendrier avec des pin-up : on se serait cru dans l'arrière-boutique d'un garage à Hoboken, New Jersey.

— Groupe Berléand, ai-je dit. Alors c'est vous, le chef ?

— Je suis capitaine de la brigade criminelle, et ceci est mon équipe. Asseyez-vous.

— Quoi, ici ?

— Ben oui. C'est le bureau de Lefebvre. Prenez sa chaise.

— Pas de salle d'interrogatoire ?

— On n'est pas en Amérique. Les interrogatoires ont lieu dans la pièce commune.

Les autres officiers ne nous prêtaient aucune attention. Deux d'entre eux bavardaient en buvant du café. Un troisième tapait sur son clavier d'ordinateur. Je me suis assis. Berléand avait une boîte de lingettes sur son bureau. Il en a sorti une et s'est de nouveau frotté les mains.

— Parlez-moi de votre relation avec Terese Collins.

— Pourquoi ?

— Parce que j'aime bien être au courant des derniers potins.

Une note métallique perçait à travers son humour.

— Parlez-moi de votre relation.

— Je ne l'avais pas revue depuis huit ans.

— Et pourtant on vous a trouvés tous les deux ensemble. Pourquoi ?

— Elle m'a téléphoné pour m'inviter à venir passer quelques jours dans votre belle capitale.

— Et vous avez tout lâché pour la rejoindre ?

Ma réponse a été un simple haussement de sourcils.

Berléand a souri.

— Les Français et leurs clichés, hein ?

76

— Vous m'inquiétez, Berléand.

— Il s'agissait donc d'un rendez-vous galant ?

— Non.

— Alors ?

— J'ignorais pourquoi elle voulait que je vienne. J'ai juste senti qu'elle avait des ennuis.

— Et vous avez décidé de lui venir en aide ?

— Oui.

— Saviez-vous quel genre d'aide elle attendait de vous ?

— Avant mon arrivée ici ? Non.

— Et maintenant ?

— Maintenant je sais.

— Ça ne vous ennuie pas de m'en parler ?

— Est-ce que j'ai le choix ? ai-je demandé.

— Pas vraiment, non.

— Son ex-mari a disparu. Il l'avait contactée sous prétexte d'avoir quelque chose d'urgent à lui dire, puis il s'est volatilisé.

Berléand a eu l'air surpris, soit par ma réponse, soit par le fait que je me montre aussi coopératif. J'avais ma petite idée là-dessus.

— Mme Collins vous aurait donc appelé pour l'aider à le retrouver, c'est ça ?

— Exactement.

— Et pourquoi vous ?

— Elle pense que je suis doué pour ces choses-là.

— Ne m'aviez-vous pas dit que vous étiez agent ? Que vous représentiez des gens du spectacle ? Quel rapport avec la recherche de personnes disparues ?

— J'exerce une activité à part, qui m'amène à faire de drôles de choses pour mes clients.

— Je vois.

Lefebvre est entré, le cure-dent au bec. Il s'est posté à ma droite et, caressant sa pilosité faciale, m'a toisé sans ciller. Mesdames et messieurs, je vous présente le méchant flic. J'ai jeté un coup d'œil à Berléand, l'air de dire : « Est-ce vraiment nécessaire ? » Il a haussé les épaules.

— Vous avez de l'affection pour Mme Collins, n'est-ce pas ?

— Oui.

Lefebvre, fidèle jusqu'au bout à son personnage, a retiré lentement, sans me quitter des yeux, le cure-dent de sa bouche.

— Mon cul !

— Je vous demande pardon ?

— Ce que vous racontez, a-t-il éructé en anglais avec un fort accent français. Mon cul !

— Pourquoi, vous souffrez du syndrome céphalorectal ?

Berléand a ouvert de grands yeux.

— La tête dans le cul, ai-je expliqué. Puisque vous évoquez le sujet.

Berléand a eu l'air mortifié. Il y avait de quoi.

— Vous aimez Terese Collins ? a-t-il demandé.

J'ai choisi de rester au plus près de la vérité.

— Je n'en sais rien.

— Mais vous êtes proches ?

— Je ne l'avais pas vue depuis des années.

— Ça ne change rien, si ?

— Non, ai-je répondu. Probablement pas.

— Connaissez-vous Rick Collins ?

Curieusement, en entendant la question, j'ai trouvé bizarre que Terese ait pris son nom. Mais bon, ils s'étaient connus à la fac. C'était normal, je présume.

— Non.

— Vous ne l'avez jamais rencontré ?

— Jamais.

— Que pouvez-vous me dire à son sujet ?

— Rien du tout.

Lefebvre a posé la main sur mon épaule et appuyé très légèrement.

— Mon cul.

J'ai levé les yeux sur lui.

— S'il vous plaît, dites-moi que ce n'est pas le même cure-dent qu'à l'aéroport. Si c'était le cas, on aurait un sérieux problème d'hygiène.

— Mme Collins dit vrai ? a questionné Berléand.

Je me suis tourné vers lui.

— À propos de quoi ?

— De votre don pour retrouver les personnes disparues ?

J'ai haussé les épaules.

— Je pense savoir où se trouve Rick Collins.

Berléand a regardé Lefebvre. Qui s'est redressé d'un cran.

— Ah oui ? Et où ça ?

— À la morgue, ai-je dit. Il a été assassiné.

7

BERLÉAND M'A DEMANDÉ DE LE SUIVRE hors de la pièce commune. Nous avons pris à droite.

— Où allons-nous ? ai-je demandé.

Il s'est essuyé les mains sur son pantalon.

— Suivez-moi.

Nous avons enfilé un couloir qui débouchait sur un puits de lumière, une plongée de quatre étages recouverte d'un grillage.

— Pourquoi le grillage ? ai-je dit.

— Il y a deux ans, nous avons arrêté quelqu'un qu'on soupçonnait d'activités terroristes. Une femme, soit dit en passant. Alors qu'on la convoyait le long de ce couloir, elle a empoigné un de nos agents et a tenté de se jeter avec lui par-dessus la balustrade.

J'ai regardé en bas. Cela faisait une sacrée chute.

— Ils sont morts ?

— Non, un autre agent les a rattrapés par les chevilles. Depuis, on a mis le grillage.

Il a gravi un petit escalier qui semblait mener au grenier.

— Attention à la tête.

— Soupçonnée d'activités terroristes ? ai-je repris.

— Oui.

— Parce que vous vous occupez de terrorisme aussi ?

— Terrorisme, homicides… la frontière n'est plus très claire. On fait un peu de tout.

Il a pénétré dans le grenier. Cette fois, j'ai dû me plier en deux. Il y avait là des habits qui séchaient sur un fil.

— Vous faites votre lessive ici ?

— Non, ce sont les affaires des victimes.

— Vous me faites marcher, hein ?

— Pas du tout.

Je me suis arrêté devant une chemise bleue déchirée et tachée de sang.

— C'était à Rick Collins, ça ?

— Venez avec moi.

Il a ouvert une fenêtre qui donnait sur le toit et s'est retourné pour voir si je le suivais.

— Vous me faites marcher, ai-je répété.

— L'une des plus belles vues sur Paris.

— Depuis le toit du 36, quai des Orfèvres ?

J'ai posé le pied sur les ardoises et… force a été de lui donner raison. La vue était à couper le souffle. Berléand a allumé une cigarette, tirant sur elle à tel point que je m'attendais à ce qu'elle se transforme instantanément et intégralement en cendre, et a exhalé une longue volute de fumée par le nez.

— Ça vous arrive souvent de mener vos interrogatoires ici ?

— À vrai dire, c'est une première.

— Vous pourriez menacer votre suspect de le pousser dans le vide.

Il a haussé les épaules.

— Ce n'est pas mon genre.

— Alors qu'est-ce qu'on fait là ?

— On n'a pas le droit de fumer à l'intérieur, et il fallait absolument que j'en grille une.

Il a aspiré une nouvelle bouffée.

— Avant, ça ne me gênait pas. D'aller fumer dehors. Je descendais et montais au pas de course, histoire de faire de l'exercice. Mais je m'essoufflais vite à cause de la cigarette.

— Ça s'annule réciproquement, ai-je dit.

— Exact.

— Vous auriez pu envisager d'arrêter.

— Mais dans ce cas, je n'aurais plus aucune raison de courir dans les escaliers, et du coup je ne ferais plus d'exercice. Vous me suivez ?

— Je fais de mon mieux, Berléand.

Il s'est assis, le regard perdu au loin, et m'a fait signe de le rejoindre. C'est ainsi que je me suis retrouvé sur le toit du siège d'une des plus célèbres polices du monde, à admirer une vue renversante de Notre-Dame.

— Regardez par là.

Il a pointé le doigt par-dessus son épaule droite. Je me suis retourné et je l'ai vue… la tour Eiffel. Oui, je sais, ça fait touriste d'être impressionné par la tour Eiffel, mais, pendant un moment, j'ai juste regardé en silence.

— Époustouflant, hein ?

— La prochaine fois que je me fais arrêter, j'apporte un appareil photo.

Il a ri.

— Vous maîtrisez bien l'anglais, ai-je remarqué.

— On nous l'enseigne dès le collège. J'ai aussi passé un semestre à Amherst dans ma jeunesse et j'ai travaillé deux ans dans le cadre d'un programme d'échange avec Quantico. Oh, et j'ai la série complète des *Simpson* en DVD version originale.

— Ça doit le faire.

Il a tiré une taffe.

— Comment a-t-il été assassiné ? ai-je demandé.

— Ne devrais-je pas répondre : « Tiens, tiens, et comment savez-vous qu'il a été assassiné ? »

J'ai haussé les épaules.

— Vous avez dit vous-même que vous ne traitiez pas les PV de stationnement ici.

— Que pouvez-vous me dire au sujet de Rick Collins ?

— Rien.

— Et au sujet de Terese Collins ?

— Que voulez-vous savoir ?

— C'est une belle femme, a-t-il dit.

— C'est ça qui vous intéresse ?

— Je me suis renseigné. Et bien sûr, nous recevons CNN par le câble nous aussi. Je me souviens d'elle.

— Et ?

— Il y a une dizaine d'années, elle était au sommet. Or voilà qu'elle démissionne du jour au lendemain, et on ne trouve plus aucune mention d'elle sur Google. J'ai vérifié. Aucune trace professionnelle. Ni de domicile, rien.

J'ai gardé le silence.

— Où était-elle passée ?

83

— Demandez-le-lui.

— Pour l'instant, c'est à vous que je le demande.

— Je vous l'ai déjà dit. Je ne l'avais pas revue depuis huit ans.

— Et vous n'avez aucune idée de l'endroit où elle se trouvait ?

— Je n'en avais aucune.

Il a souri et brandi son index.

— Quoi ?

— Ma question était au présent. Et vous avez répondu au passé. Autrement dit, aujourd'hui vous savez où elle était.

— Votre connaissance de l'anglais, ai-je rétorqué. C'est moi qui en fais les frais.

— Alors ?

— En Angola. Du moins, c'est ce qu'elle m'a dit.

Il a hoché la tête. Une sirène de police a retenti. En France, les sirènes sont différentes des nôtres, plus insistantes, insupportables… Alarme de voiture bon marché qu'on aurait croisée avec le buzzer d'*Une famille en or*. Elle a troué le silence entre nous, et nous avons attendu qu'elle s'éloigne.

— Vous avez bien dû donner quelques coups de fil, ai-je déclaré.

— Quelques-uns, oui.

— Et ?

Il se taisait.

— Vous savez que je ne l'ai pas tué. Je n'étais même pas en France.

— En effet.

— Mais… ?

— J'ai un autre scénario à vous proposer.

— Allez-y.

84

— Terese Collins a assassiné son ex-mari. Il lui fallait quelqu'un pour l'aider à se débarrasser du corps… quelqu'un de confiance. Alors elle a fait appel à vous.

J'ai froncé les sourcils.

— Et quand j'ai décroché, elle m'a annoncé : « Je viens d'assassiner mon ex-mari à Paris, peux-tu venir m'aider à faire disparaître son cadavre, s'il te plaît » ?

— Eh bien, peut-être qu'elle vous a juste demandé de la rejoindre. Et qu'elle vous a tout avoué à votre arrivée ici.

J'ai souri. Cela avait assez duré.

— Vous savez très bien que ce n'est pas le cas.

— Et comment le saurais-je ?

— Vous m'avez mis sur écoute.

Berléand évitait de me regarder. Il continuait à fumer en contemplant les toits de Paris.

— Quand vous m'avez arrêté à l'aéroport, vous avez planqué un micro quelque part. Dans mes chaussures. Ou, plus vraisemblablement, dans mon téléphone portable.

C'était la seule explication plausible. Ils avaient découvert le corps, consulté le portable de Rick Collins et, apprenant que son ex-femme se trouvait à Paris, avaient mis son téléphone sur écoute. Ils avaient su qu'elle m'avait appelé et m'avaient retenu à l'aéroport le temps d'installer leur mouchard et de commencer la surveillance.

C'est pour ça que j'avais joué franc-jeu avec Berléand : il connaissait déjà les réponses. De cette manière j'espérais gagner sa confiance.

— Votre téléphone portable, a-t-il acquiescé.

Nous avons remplacé la batterie par un appareil contenant la même charge. C'est de la haute technologie, le dernier-né de la gamme.

— Donc vous savez que Terese s'inquiète de la disparition de son mari.

Il a incliné la tête d'avant en arrière.

— Nous savons que c'est ce qu'elle vous a dit.

— Allons, Berléand. Vous l'avez entendue. Elle était dans tous ses états.

— Elle en donnait l'impression, a-t-il concédé.

— Alors ?

Il a écrasé la cigarette.

— On a aussi entendu qu'elle ne disait pas tout. Elle vous a menti, a déclaré Berléand. Nous le savons tous les deux. Je comptais sur vous pour lui tirer les vers du nez, mais vous avez repéré notre camionnette.

Il a réfléchi un instant.

— Et vous avez compris que vous étiez sur écoute.

— Nous sommes donc très malins l'un et l'autre.

— Ou pas aussi malins que nous le croyons.

J'ai demandé :

— Avez-vous prévenu les proches de Rick Collins ?

— C'est ce qu'on essaie de faire.

J'ai hésité, puis décidé que la subtilité n'était plus de mise.

— Qui sont ses proches ?

— Sa femme.

— Vous avez son nom ?

— N'insistez pas, s'il vous plaît.

Berléand a sorti une autre cigarette, l'a collée dans

sa bouche, l'a laissée pendre tandis qu'il l'allumait d'un geste devenu réflexe.

— On a trouvé du sang sur la scène de crime. Beaucoup de sang. Celui de la victime, essentiellement. Mais les analyses préliminaires ont révélé la présence de sang d'au moins une autre personne. Nous avons donc fait un prélèvement sanguin sur Terese Collins, et nous allons effectuer les tests ADN en bonne et due forme.

— Ce n'est pas elle, Berléand.

Il n'a pas bronché.

— Il y a une autre chose que vous ne m'avez pas dite.

— Il y a beaucoup de choses que je ne vous ai pas dites. Malheureusement, vous ne faites pas partie du groupe Berléand.

— On ne pourrait pas me mandater pour une mission temporaire ?

À nouveau la mine mortifiée. Puis :

— Ça ne peut pas être une coïncidence. Qu'il se fasse assassiner juste après l'arrivée de son ex-femme.

— Vous avez entendu Terese. Son ex avait l'air paniqué. À tous les coups, il s'était fourré dans le pétrin... C'est pour ça qu'il l'avait appelée.

Nous avons été interrompus par le carillon de son téléphone portable. Berléand l'a ouvert, l'a porté à son oreille. Ça devait être un sacré joueur de poker, mon nouvel ami Berléand, mais j'ai surpris une ombre sur son visage. Il a aboyé quelque chose, visiblement perplexe ou contrarié. Après quoi, il s'est tu. Au bout d'un moment, il a rabattu le clapet d'un coup sec, écrasé sa cigarette et s'est levé.

— Un problème ?

— Jetez un dernier coup d'œil.

Berléand a épousseté son pantalon avec ses deux mains.

— On ne reçoit pas beaucoup de touristes par ici.

J'ai obtempéré. Certains peuvent trouver ça étrange, un QG de police avec une vue spectaculaire, mais j'ai décidé de profiter de l'instant, malgré l'affaire macabre qui m'avait mené jusqu'ici.

— Où allons-nous ? ai-je demandé.

— Le labo a reçu les premiers résultats du test ADN.

— Déjà ?

Haussement d'épaules théâtral.

— Chez nous, en France, on n'est pas doué que pour le vin, la gastronomie et la mode.

— Dommage. Alors ça dit quoi ?

— Je pense, a-t-il répliqué en se courbant pour rentrer dans le bâtiment par la fenêtre, que nous devrions aller parler à Terese Collins.

8

NOUS L'AVONS TROUVÉE DANS LA CELLULE que j'avais occupée une demi-heure plus tôt.

Ses yeux étaient rouges et gonflés. Quand Berléand a déverrouillé la porte, tout semblant de self-control l'a abandonnée, et elle s'est effondrée contre moi. Je l'ai serrée dans mes bras, la laissant sangloter sur ma poitrine. Berléand a assisté, muet, à la scène. J'ai croisé son regard et eu droit au même haussement d'épaules éloquent.

— Nous allons vous relâcher tous les deux si vous acceptez de nous remettre vos passeports.

Terese s'est écartée, m'a regardé. Nous avons hoché la tête de concert.

— J'ai quelques autres petites questions à vous poser avant que vous ne partiez. Ça ira ?

— J'imagine que vous me soupçonnez, a dit Terese. Son ex-femme dans la même ville après tant d'années, les coups de fil. Peu importe… je tiens à ce que vous épingliez celui qui a tué Rick. Demandez-moi ce que vous voulez.

— J'apprécie votre franchise et votre coopération.

Il paraissait moins sûr de lui tout à coup, presque

89

timide. L'appel qu'il avait reçu sur le toit l'avait désarçonné. Je me demandais bien ce que c'était.

— Vous étiez au courant que votre ex-époux s'était remarié ?

Terese a secoué la tête.

— Non, absolument pas. Quand ?

— Quand quoi ?

— Quand s'est-il remarié ?

— Aucune idée.

— Puis-je savoir le nom de sa femme ?

— Karen Tower.

Ses lèvres ont tressailli.

— Vous la connaissez ?

— Oh oui.

Berléand a hoché la tête et s'est frotté les mains. Je m'attendais à ce qu'il demande d'où elle connaissait Karen Tower, mais il n'a pas insisté.

— Nous avons reçu les premiers résultats des tests sanguins.

— Déjà ? s'est étonnée Terese. On m'a fait la prise de sang il y a une heure à peine.

— Il ne s'agit pas du vôtre, non, ça prendra un peu plus de temps. Je vous parle du sang prélevé sur la scène de crime.

— Ah...

— C'est assez curieux.

Nous retenions notre souffle. Terese a dégluti comme si elle se préparait à recevoir un choc.

— L'essentiel du sang – pratiquement la totalité des prélèvements – appartenait à la victime, Rick Collins.

Berléand s'exprimait d'une voix mesurée, la voix de quelqu'un qui marche sur des œufs.

— Ce qui n'est pas franchement une surprise. Nous nous taisions toujours.

— Mais il y avait une autre tache de sang sur la moquette, pas loin du corps. Nous ne savons pas avec certitude comment elle s'est trouvée là. Notre hypothèse de départ était aussi la plus évidente : il y a eu lutte. Rick Collins a résisté et blessé son agresseur.

— Et maintenant ? ai-je demandé.

— Pour commencer, nous avons découvert des cheveux avec le sang. De longs cheveux blonds. Des cheveux de femme.

— L'assassin peut être une femme.

— Tout à fait.

Il s'est interrompu.

— Mais ?

— Il semble impossible que ce sang soit celui de l'assassin.

— Pourquoi ?

— Parce que, d'après les tests ADN, le sang et les cheveux blonds appartiennent à la fille de Rick Collins.

Terese a poussé un gémissement. Ses jambes se sont dérobées. J'ai tout juste eu le temps de la rattraper avant qu'elle ne s'écroule. J'ai interrogé Berléand du regard. Il n'avait pas l'air surpris. Il la scrutait, jaugeant sa réaction.

— Vous n'avez pas d'enfants, n'est-ce pas, madame Collins ?

Toute trace de couleur avait déserté son visage.

— Donnez-nous une seconde, voulez-vous ? ai-je dit.

— Laisse, ça ira.

Se redressant, Terese a fait face à Berléand.

— Je n'ai pas d'enfants. Mais vous le savez déjà, non ?

Il n'a pas répondu.

— Salaud, lui a-t-elle lancé.

J'aurais bien voulu savoir ce qui se passait, mais le mieux était sans doute de la fermer et d'écouter.

— Nous n'avons pas encore réussi à joindre Karen Tower, a dit Berléand. J'imagine que c'est elle, la mère de cette fille, qu'en pensez-vous ?

— Sûrement, a lâché Terese.

— Et bien entendu, vous ignoriez son existence ?

— C'est exact.

— À quand remonte votre divorce avec M. Collins ?

— Neuf ans.

J'en avais assez.

— C'est quoi, cette histoire, nom d'un chien ?

Berléand m'a ignoré.

— Donc même si votre ex-époux s'est remarié presque immédiatement, sa fille doit avoir huit ans tout au plus, n'est-ce pas ?

Un silence de mort régnait dans la pièce.

— Nous savons donc, a repris Berléand, que la petite fille de Rick se trouvait sur la scène de crime et qu'elle a été blessée. Où est-elle maintenant, à votre avis ?

Nous sommes rentrés à l'hôtel à pied.

Nous avons traversé le Pont-Neuf. L'eau était d'un vert trouble. Les cloches d'une église sonnaient. Les gens s'arrêtaient au milieu du pont pour prendre des photos. Un homme m'a demandé de le photographier avec sa petite amie. Ils se sont blottis l'un contre l'autre ; j'ai compté jusqu'à trois et appuyé sur le bouton. Est-ce que je voulais bien en prendre une autre ? J'ai de nouveau compté jusqu'à trois ; ils m'ont remercié et ont poursuivi leur chemin.

Terese n'avait pas dit un mot.

— Tu as faim ? ai-je demandé.

— Il faut qu'on parle.

— OK.

Elle n'a pas ralenti l'allure jusqu'à la rue Dauphine, jusqu'à ce qu'on pénètre dans le hall de l'hôtel. Le réceptionniste nous a salués chaleureusement, mais elle est passée en coup de vent devant son comptoir avec un bref sourire.

Une fois les portes de l'ascenseur refermées, elle s'est tournée vers moi.

— Tu voulais connaître mon secret… ce qui m'a amenée dans cette île, pourquoi j'ai fui pendant toutes ces années.

— Seulement si tu as envie de m'en parler, ai-je répondu d'un ton que moi-même j'ai trouvé paternaliste. Si jamais je peux t'aider.

— Tu ne peux pas, non. Mais il faut que tu saches.

Nous sommes sortis de l'ascenseur au quatrième. Elle a ouvert la porte de la chambre, s'est effacée pour me laisser passer. La chambre aux dimensions standard était petite d'après les normes américaines, avec un escalier en colimaçon qui devait mener à la mezzanine. La pièce offrait une parfaite imitation d'une demeure parisienne du seizième siècle, avec en prime un écran plat et un lecteur DVD intégré.

Terese est allée à la fenêtre, pour s'éloigner le plus possible de moi.

— Promets-moi une chose d'abord.

— Laquelle ?

— Ne pas chercher à me consoler.

— Je ne comprends pas.

— Je te connais, a-t-elle dit. Quand tu vas entendre mon histoire, tu vas vouloir me prendre dans tes bras, me réconforter parce que tu es comme ça. Alors ne fais rien. Quoi que tu tentes, ça tombera à côté.

— OK.

— Promets-le-moi.

— Je te le promets.

Elle s'est enfoncée encore plus dans le coin. Tant pis pour après… c'était maintenant que j'avais envie de la prendre dans mes bras.

— Tu n'es pas obligée, ai-je hasardé.

— Si. C'est juste que je ne sais pas par où commencer.

Je n'ai rien dit.

— J'ai rencontré Rick en première année de fac à Wesleyan. Je venais de Shady Hills dans l'Indiana et j'étais un cliché ambulant : la star de la promo qui sort avec un footballeur, la gentille fille à qui tout sourit. J'étais le genre de jolie poupée bûcheuse qui s'angoisse pour ses résultats, qui termine le contrôle en avance et tue le temps en collant des gommettes dans son cahier… tu te rappelles, ces rondelles blanches comme des pastilles à la menthe ?

J'ai souri malgré moi.

— Oui.

— J'étais aussi la jolie fille qui voulait qu'on creuse sous la surface pour découvrir qu'elle était plus que ça. Mais la seule raison pour laquelle on avait envie de creuser, c'est parce que j'étais jolie. Tu vois le tableau.

Je voyais très bien. Ce que d'aucuns taxeraient de prétention n'était que de l'honnêteté. Comme la ville où nous nous trouvions, Terese était consciente de sa beauté et ne cherchait pas à faire semblant du contraire.

— Je me suis donc teinte en brune pour avoir l'air plus intello et je me suis inscrite dans ce petit établissement progressiste du Nord-Est. Comme beaucoup de filles, j'ai débarqué avec ma ceinture de chasteté bouclée à double tour ; la seule clé, je l'avais confiée à mon footballeur. Lui et moi, on était différents... on ne craignait pas l'éloignement.

J'avais connu la même chose à Duke.

— Combien de temps crois-tu que ç'a duré ? m'a-t-elle demandé.

— Deux mois ?

— Plutôt un. J'ai rencontré Rick. Ç'a été le coup de foudre. Il était drôle, intelligent, bourré de charme... la grosse tête du campus. Tout y était, les cheveux bouclés, les yeux d'un bleu perçant, la barbe qui piquait quand je l'embrassais...

Sa voix s'est brisée.

— Je n'arrive pas à croire qu'il est mort. Tu vas trouver ça neuneu, mais Rick était quelqu'un d'exceptionnel. Un homme foncièrement bon qui avait foi dans la justice et l'humanité. Et on l'a tué.

J'ai gardé le silence.

— Je suis en train de noyer le poisson, a-t-elle ajouté.

— Rien ne presse.

— Si, j'ai envie qu'on en finisse. Si je m'arrête, je

vais m'effondrer, et tu ne tireras plus rien de moi. Berléand doit être déjà au courant. C'est pour ça qu'il m'a laissée partir. Bon, je vais abréger. Rick et moi, on a eu nos diplômes, on s'est mariés, on a travaillé comme reporters. Finalement, on a atterri à CNN, moi devant les caméras, Rick derrière. Ça, je te l'ai déjà raconté. À un moment donné, on a décidé de fonder une famille. Enfin, moi en tout cas. Rick était moins convaincu… ou peut-être qu'il pressentait comment ça allait se terminer.

D'une main légère, Terese a écarté le rideau pour regarder dehors. Je me suis rapproché d'elle imperceptiblement. Je ne sais pas pourquoi. C'était plus fort que moi.

— On avait un problème de fécondité. Ce qui est assez fréquent, semble-t-il. Mais quand on est en plein dedans, on a l'impression de ne croiser que des femmes enceintes. C'est aussi un problème qui a tendance à s'amplifier avec le temps. Toutes les femmes autour de moi étaient mères, des mères heureuses et épanouies, et ça leur venait le plus naturellement du monde. Je me suis mise à fuir mes amies. Notre couple a souffert. On ne faisait l'amour que pour procréer. À force, ça tourne à l'obsession. Je me rappelle, j'avais eu à traiter un sujet sur les mères célibataires à Harlem, des gamines de seize ans qui tombent enceintes pour un oui pour un non ; je les haïssais car, franchement, du point de vue cosmique c'était trop injuste !

Elle me tournait le dos. Je me suis assis au bord du lit. Je voulais voir son visage. De mon nouveau poste d'observation, j'en entrevoyais une partie, de la taille d'un croissant de lune.

— Je persiste à noyer le poisson, a-t-elle dit.

— Je suis là.

— Ou peut-être pas. Peut-être que c'est mieux, dit comme ça.

— OK.

— On a vu des tas de toubibs. On a tout essayé. C'était l'horreur. J'étais shootée aux hormones et Dieu sait quoi encore. Ça nous a pris trois ans, mais j'ai fini par concevoir… ce que tout le monde a appelé un miracle de la médecine. Au début, j'osais à peine bouger. La moindre douleur, le moindre coup, je pensais que c'était la fausse couche. Mais au bout d'un moment, j'ai adoré être enceinte. Ce n'est pas très féministe, hein ? Les bonnes femmes qui s'extasient sur leur grossesse, j'ai toujours trouvé ça agaçant, mais en fait je faisais pareil. Je rayonnais. Je n'ai pas eu de nausées. Ce devait être ma seule et unique grossesse – un miracle, ça n'arrive qu'une fois –, alors j'en ai profité. Le temps a passé, et un beau jour j'ai eu une fille de trois kilos quatre. Nous l'avons appelée Miriam, en souvenir de ma mère.

Mon sang s'est glacé. Je pressentais déjà la chute.

— Elle aurait dix-sept ans aujourd'hui.

La voix de Terese semblait venir de très loin.

Il y a des moments dans la vie où le silence se fait en vous, où tout tremble et se fige. Nous sommes restés quelques instants ainsi, Terese et moi, seuls au monde.

— Il ne se passe pas un jour depuis dix ans sans que j'essaie d'imaginer ce qu'elle serait maintenant. Dix-sept ans. Elle serait en terminale. Finies, les années de rébellion. Finie, la gaucherie de l'adolescence. Elle serait belle. On serait de nouveau amies. Elle préparerait son entrée à l'université.

Les larmes aux yeux, je me suis légèrement décalé vers la gauche. Terese, elle, avait les yeux secs. Je me suis soulevé du lit. Elle a tourné la tête d'un geste brusque. Pas de larmes, non. Pire. Un anéantissement absolu, qui rend les larmes impuissantes. Elle a levé la paume vers moi, comme si c'était une croix, et moi un vampire qu'elle cherchait à éloigner.

— C'était ma faute.

J'ai secoué la tête, mais elle a fermé les yeux, comme éblouie par une lumière trop vive. Me rappelant ma promesse, je me suis reculé et j'ai essayé de prendre un air neutre.

— Je n'étais pas censée travailler ce soir-là, mais à la dernière minute, ils ont eu besoin de quelqu'un pour présenter le vingt heures. J'étais chez moi. On habitait Londres, à l'époque. Rick se trouvait à Istanbul. Le vingt heures… je le voulais, ce créneau que tout le monde convoitait. Je ne pouvais pas laisser passer l'occasion. Même si Miriam dormait. La carrière, quoi. J'ai donc appelé une amie – la marraine de Miriam, en fait – pour lui demander si je pouvais la déposer chez elle pour quelques heures. Elle a dit pas de problème. J'ai réveillé Miriam et je l'ai collée sur la banquette arrière de la voiture. L'heure tournait ; j'aurais dû être au maquillage. Je conduisais trop vite. Les routes étaient glissantes. Nous étions presque arrivées, il restait peut-être quatre cents mètres à faire. Il paraît qu'un gros accident, on ne s'en souvient pas, surtout quand on perd connaissance. Mais moi, je me souviens de tout. Je me souviens d'avoir vu les phares. J'ai donné un coup de volant à gauche. J'aurais peut-être mieux fait de foncer droit devant. Je me serais tuée, et ma fille aurait survécu. Mais non, ç'a été un choc latéral. De son côté. Je me souviens même de son cri. Très bref, vite étouffé. C'est la dernière fois que j'ai entendu le son de sa voix. Je suis restée quinze jours dans le coma, mais Dieu, avec son sens de l'humour tordu, m'a laissée vivre. Miriam est morte sur le coup.

Rien.

Je n'osais pas bouger. La pièce était silencieuse, comme si les murs, les meubles mêmes retenaient leur souffle. Finalement, et presque malgré moi, j'ai fait un pas vers elle. Est-ce cela, le besoin de réconfort… ce sentiment égoïste auquel le consolateur aspire autant, sinon plus, que le consolé ?

— S'il te plaît, non.

Je me suis arrêté.

— Laisse-moi seule, a-t-elle dit. Juste un petit instant, OK ?

J'ai hoché la tête inutilement, elle ne me regardait pas.

— Bien sûr, ai-je répondu. Tout ce que tu voudras.

Elle n'a rien dit, mais sa demande avait été claire. Il ne me restait plus qu'à sortir de la chambre.

9

JE ME SUIS RETROUVÉ, COMPLÈTEMENT SONNÉ, rue Dauphine.

J'ai tourné au coin et, arrivé au carrefour de cinq rues, je me suis installé à la terrasse d'un café appelé Le Buci. D'habitude, j'aime bien observer les gens, mais là, impossible de me concentrer. Je pensais à Terese. Je comprenais mieux maintenant. Reconstruire sa vie pour… quoi faire, au juste ?

J'ai sorti mon portable et, histoire de me changer les idées, appelé le bureau. Big Cyndi a décroché dès la deuxième sonnerie.

— MB Reps.

M comme Myron. B comme Bolitar. Et Reps parce qu'on représente nos clients. Ce nom-là, je l'ai trouvé tout seul, et cependant j'ai réussi à ne pas m'en vanter. À l'époque où l'on représentait seulement des sportifs, l'agence s'appelait MB Sports. Aujourd'hui, c'est MB Reps. Je marquerai une pause, le temps de laisser retomber les applaudissements.

— Hmm, ai-je dit. La Madonna d'aujourd'hui, avec l'accent british et tout ?

— Gagné.

Big Cyndi était capable d'imiter quasiment n'importe qui, et n'importe quel accent. Oralement, s'entend, car quand on flirte avec un mètre quatre-vingt-quinze et cent cinquante kilos, il est difficile de se faire passer pour Marilyn en chair et en os.

— Esperanza est là ?

— Ne quittez pas.

Esperanza Diaz, plus connue sous son nom de catcheuse professionnelle Petite Pocahontas, était mon associée.

— Alors, a-t-elle demandé en décrochant, vous l'avez tirée ?

— Non.

— Dans ce cas, j'espère que vous avez de bonnes raisons de rester là-bas. Vous aviez plein de rendez-vous aujourd'hui.

— Oui, je sais. Désolé. Écoutez, j'aurais besoin d'un max d'infos sur Rick Collins.

— Qui c'est, celui-là ?

— L'ex de Terese.

— Ben, vous parlez d'un rendez-vous galant !

Je lui ai résumé la situation, et elle s'est tue. Je savais pourquoi. Esperanza s'inquiète pour moi. Win, c'est le roc. Esperanza, le cœur. Quand j'ai eu fini mes explications, elle a demandé :

— Donc, pour l'instant, Terese ne fait pas partie des suspects ?

— Ce n'est pas dit.

— Cela ressemble à un meurtre avec kidnapping, non ?

— Quelque chose comme ça.

— Mais alors, pourquoi vous en mêler, hein ? Ça n'a rien à voir avec elle.

— Bien sûr que si.

— Comment ?

— Rick Collins l'a appelée. Il a dit que c'était urgent, que ça allait bouleverser toute sa vie, et il est mort juste après.

— Et que comptez-vous faire exactement ? Traquer son assassin ? Laissez ça à votre flic français. Tirez-la ou tirez-vous.

— Je vous demande juste de fouiller un peu. Renseignez-vous sur sa deuxième femme et sa gamine, OK ?

— Puisque vous y tenez. Ça vous ennuie si j'en parle à Win ?

— Nan.

— Tirez-la ou tirez-vous. Elle est bonne, celle-là.

— Je verrais bien ça sur un autocollant, ai-je dit.

Nous avons raccroché. Et maintenant ? Esperanza avait raison. Ce n'était pas mes oignons. Si j'avais pu aider Terese de quelque manière que ce fût, là peut-être ç'aurait eu un sens. Mais, sauf à lui éviter des ennuis – lui éviter de plonger pour un meurtre qu'elle n'avait pas commis –, je ne voyais pas en quoi je pourrais lui être utile.

Du coin de l'œil, j'ai vu quelqu'un prendre place à la table d'à côté.

Me retournant, j'ai aperçu un homme au crâne rasé strié de cicatrices. Il avait la peau basanée et, quand il a souri, j'ai vu briller une dent en or assortie à la chaîne bling-bling qu'il portait autour du cou. Il était plutôt beau gosse, dans le genre mauvais garçon. Sa tenue vestimentaire se composait d'un pantalon de jogging noir et d'une chemisette grise qui s'ouvrait sur un marcel blanc.

— Regarde sous la table, m'a-t-il ordonné.

— Vous voulez me montrer votre petit oiseau ?

— Regarde… ou meurs.

Il n'avait pas l'accent français. C'était plus moelleux, plus raffiné ; on aurait presque dit un accent anglais ou peut-être espagnol, quasi aristocratique. Me renversant sur ma chaise, j'ai regardé. Il avait une arme, et il la pointait sur moi.

Les mains sur le bord de la table, je me suis forcé à respirer calmement. Mon regard a croisé le sien avant de balayer les alentours. J'ai repéré un individu avec des lunettes noires posté au coin de la rue, qui feignait très soigneusement de ne pas regarder dans notre direction.

— Écoute-moi ou je te tire dessus.

— Plutôt dessous, non ?

— Quoi ?

— Ben, quand on vise par en dessous… Enfin, peu importe.

— Tu vois le véhicule vert à l'angle de la rue ?

C'était un genre de minivan, pas loin du type aux lunettes noires qui faisait mine de ne pas nous regarder. Deux hommes étaient assis à l'avant. J'ai mémorisé la plaque d'immatriculation tout en réfléchissant à la stratégie à adopter.

— Je le vois, oui.

— Si tu veux rester en vie, suis mes instructions à la lettre. Nous allons nous lever lentement, et tu vas monter à l'arrière. Sans faire d'histoires…

C'est alors que je lui ai balancé la table au visage.

Dès l'instant où il s'était assis à côté de moi,

103

j'avais envisagé toutes les options possibles. À présent, tout était clair : il s'agissait d'un enlèvement. Si je montais dans le minivan, j'étais cuit. N'avez-vous pas entendu dire qu'en cas de disparition tout se joue dans les quarante-huit heures ? Ce qu'on ne nous dit pas – peut-être parce qu'on est censé le deviner –, c'est qu'à chaque seconde qui passe les chances de retrouver la victime diminuent à vue d'œil.

Ce serait le cas ici. Une fois dans ce véhicule, je n'aurais quasiment aucune chance de m'en tirer. À partir du moment où je me lèverais pour le suivre, le temps jouerait contre moi. Il ne s'attendait pas à une réaction aussi rapide. Il pensait que j'étais en train de l'écouter. Je ne représentais pas un danger. Il en était encore à débiter son laïus appris par cœur.

J'ai donc opté pour l'effet de surprise.

Il avait tourné la tête, juste une fraction de seconde, pour s'assurer que le véhicule était toujours là. Il ne m'en avait pas fallu plus. Mes mains avaient agrippé la table. Les muscles de mes jambes s'étaient raidis. La détente avait été fulgurante, comme celle d'un ressort.

Il s'est pris la table en pleine figure. En même temps, je me suis penché de côté, au cas où le coup partirait.

Aucun risque.

J'ai profité de l'élan pour bondir en avant. S'il n'y avait eu que le Balafré, l'étape suivante aurait été simple. L'assommer, le neutraliser, le mettre hors d'état de nuire. Seulement, il y avait au moins trois autres hommes avec lui. Peut-être qu'ils se disperseraient, mais il ne fallait pas trop y compter.

D'ailleurs, j'ai bien fait de ne pas compter là-dessus.

J'ai cherché le pistolet des yeux. Comme je m'y attendais, il l'avait lâché. J'ai atterri de tout mon poids sur mon adversaire. Il était toujours à moitié enseveli sous la table. Sa tête a heurté le bitume avec un bruit mat.

M'emparer de son arme.

Les gens s'enfuyaient en hurlant. J'ai roulé sur le flanc, attrapé le pistolet et, me relevant sur un genou, visé le type aux lunettes noires qui attendait à l'angle.

Lui aussi était armé.

— Ne bouge pas ! ai-je crié.

Il a levé son arme dans ma direction. Je n'ai pas hésité. Je lui ai tiré dans la poitrine.

Tout en appuyant sur la détente, j'ai roulé vers le mur. Le minivan vert fonçait sur moi. Il y a eu des coups de feu. Et cette fois il ne s'agissait pas d'armes de poing.

Une rafale de mitraillette a arrosé le mur.

Ça hurlait de partout.

Oh, mon Dieu, je n'avais pas songé à ça. Mes calculs ne concernaient que moi. J'avais affaire à une bande d'allumés qui n'auraient aucun scrupule à tirer dans le tas.

Le premier homme, le Balafré, que j'avais estourbi avec la table, commençait à remuer. Lunettes noires était à terre. Le sang a afflué à mes oreilles. J'entendais le bruit de ma propre respiration.

Ficher le camp d'ici.

— Couchez-vous ! ai-je crié.

Des fois, de drôles d'idées vous traversent la tête, même dans des moments de ce genre. Je me suis donc demandé comment on disait ça en français, s'ils étaient capables de le traduire ou si, ma foi, les rafales de mitraillette allaient les aider à me comprendre.

Courbé en deux, j'ai couru pour échapper au minivan vert. J'ai entendu un crissement de pneus, encore des coups de feu. J'ai tourné au coin sans ralentir l'allure. J'étais dans la rue Dauphine. L'hôtel n'était plus qu'à une centaine de mètres de moi.

Que faire ?

J'ai risqué un coup d'œil en arrière. Le minivan avait reculé pour négocier le virage. J'ai cherché des yeux un autre chemin, une ruelle pour essayer de les semer.

Il n'y avait rien. Ou peut-être que… ?

J'ai repéré un passage étroit de l'autre côté de la rue. J'ai hésité, sauf que, en traversant, je m'exposais encore davantage. Le minivan arrivait sur moi. J'ai vu le canon d'une arme pointer par la vitre.

Je n'avais rien derrière quoi m'abriter.

J'ai remis le turbo. Tête baissée, comme pour offrir une cible de moindre importance. Il y avait des gens dans la rue. Certains ont compris ce qui se passait et se sont égaillés. Les autres, je les ai bousculés au passage, les envoyant valdinguer.

— Couchez-vous ! ai-je crié – il fallait bien que je crie quelque chose.

Nouvelle rafale. J'ai littéralement senti une balle me passer au-dessus de la tête, l'air chaud me chatouiller les cheveux.

Soudain j'ai entendu une sirène.

Cette abominable sirène de la police française, brève et stridente ; jamais un son n'avait été aussi agréable à mes oreilles.

Le minivan a freiné. Je me suis aplati contre le mur. Il est reparti en marche arrière. Le pistolet à la main, j'hésitais à tirer. De toute façon, il était trop loin et il y avait trop de passants entre nous. J'avais assez semé la pagaille comme ça.

Je n'étais pas ravi de les laisser filer, mais je ne tenais pas à ce qu'ils canardent à tout va.

Le hayon du minivan s'est ouvert. J'ai vu un homme sauter à terre. Le Balafré était debout à présent. Il avait le visage en sang. Lui avais-je cassé le nez ? Deux nez cassés en deux jours. Un bon rendement, à condition qu'on vous paie pour.

Le Balafré avait besoin d'aide. Il regardait dans ma direction, mais je devais être trop loin pour qu'il me voie. J'ai résisté à la tentation de lui adresser un petit signe de la main. Les sirènes se rapprochaient. Je me suis retourné : deux voitures de police arrivaient vers moi.

Les flics ont bondi et braqué leurs armes sur moi. Médusé, j'allais leur expliquer que le méchant, ce n'était pas moi, quand tout à coup j'ai pigé. J'avais un flingue à la main. J'avais tiré sur un homme.

Ils ont hurlé quelque chose, une sommation sans doute. Lâchant le pistolet, j'ai levé les mains et mis un genou à terre. Ils se sont rués sur moi.

J'ai regardé le minivan. J'aurais voulu le montrer aux flics, leur dire de le poursuivre, mais tout geste brusque de ma part risquait d'être interprété de travers. Ils me criaient des ordres et, vu que je n'en comprenais pas un traître mot, je n'ai pas moufté.

Subitement j'ai vu quelque chose qui m'a donné envie de ramasser mon arme.

La portière du minivan était ouverte. Le Balafré

s'est engouffré dedans. Son comparse l'a suivi et a entrepris de refermer la portière tandis que le véhicule démarrait. De l'endroit où j'étais, j'ai pu jeter un œil – l'espace d'une demi-seconde peut-être – à l'intérieur.

J'étais loin, à soixante-dix ou quatre-vingts mètres de distance, j'ai donc pu me tromper. Mon imagination a pu me jouer un tour.

Pris de panique, je n'ai pas pu m'en empêcher… j'ai voulu me relever. Dans mon affolement, j'étais prêt à me saisir du pistolet et à tirer dans les pneus. Mais les flics se sont jetés sur moi. J'ignore combien ils étaient. Cinq ou six. Ils m'ont fait tomber sur le trottoir.

Je me suis débattu. Quelque chose de dur, l'extrémité d'une matraque sûrement, s'est planté dans mon rein. Je n'ai pas cédé.

— Le minivan vert ! ai-je crié.

Ils étaient trop nombreux. J'ai senti qu'on me tordait les bras dans le dos.

— S'il vous plaît…

Une note de terreur incontrôlée perçait dans ma voix ; j'ai essayé de me calmer.

— Il faut les arrêter !

Mes paroles n'ont eu aucun effet. Le minivan a disparu.

Fermant les yeux, j'ai fait resurgir l'image entraperçue une fraction de seconde. Car ce que j'avais vu à l'arrière du minivan – ou ce que j'avais cru voir – juste avant que le hayon ne se referme, c'était une fille aux longs cheveux blonds.

10

DEUX HEURES PLUS TARD, J'ÉTAIS DE RETOUR dans ma cellule malodorante, 36, quai des Orfèvres.

La police m'a pressé de questions.

Je m'en suis tenu aux faits et les ai suppliés d'aller chercher Berléand. D'une voix que j'essayais de rendre ferme, je leur ai demandé d'aller voir Terese Collins à l'hôtel – je craignais que les gens qui s'en étaient pris à moi ne s'intéressent également à elle –, mais surtout j'ai répété le numéro de la plaque minéralogique en disant qu'il y avait peut-être une victime de kidnapping dans ce véhicule.

Au début, ils m'ont gardé dehors, dans la rue, ce que j'ai trouvé bizarre, mais quelque part logique. J'ai été menotté et flanqué de deux agents qui me tenaient chacun par un coude. Ils voulaient que je leur montre ce qui s'était passé. Ils m'ont escorté jusqu'au Buci. La table était toujours renversée. Il y avait une traînée de sang dessus. J'ai expliqué ce que j'avais fait. Aucun témoin n'avait remarqué, évidemment, que le Balafré était armé ; ils n'avaient vu que ma contre-attaque. L'homme sur qui j'avais tiré avait été emmené en ambulance. Restait à espérer qu'il était en vie.

— S'il vous plaît, ai-je dit pour la centième fois. Le capitaine Berléand pourra tout vous expliquer.

À en juger par leur attitude, les flics avaient l'air de mettre en doute ce que je racontais, et aussi de s'ennuyer ferme. Mais avec le temps j'avais appris à ne pas me fier aux apparences. Les flics sont toujours sceptiques : c'est une façon d'obtenir davantage d'infos. Ils font mine de ne pas vous croire pour vous pousser à parler, à vous justifier, à vous prendre les pieds dans le tapis.

— Il faut retrouver ce véhicule, répétais-je, récitant le numéro d'immatriculation à la manière d'un mantra.

J'ai pointé le doigt sur la rue Dauphine.

— Mon amie est à l'Aubusson.

J'ai redonné le nom de Terese et le numéro de sa chambre.

À tout cela, les flics hochaient la tête et répliquaient par des questions qui n'avaient rien à voir avec mes déclarations. Je répondais, mais ils continuaient à me dévisager comme s'ils estimaient que tout ce qui sortait de ma bouche était de l'affabulation pure.

Pour finir, ils m'ont bouclé dans cette cellule. Ils n'avaient pas dû la nettoyer depuis mon dernier passage. Ou même depuis la mort du général de Gaulle. Je m'inquiétais pour Terese. Et aussi un peu pour votre serviteur. J'avais tiré sur un homme, et ce dans un pays étranger. C'était facile à prouver. Ce qui l'était moins, c'était ma version des faits.

Avais-je été obligé de tirer sur ce type ?

110

Aucun doute possible. Il avait sorti son flingue.

Aurait-il tiré sur moi ?

En général, on n'attend pas pour savoir. J'avais donc tiré le premier. Comment considère-t-on la chose ici, en France ?

Y avait-il eu d'autres victimes ? J'avais aperçu plus d'une ambulance. Imaginez qu'un innocent ait été fauché par une rafale de mitraillette. À qui la faute ? À moi, tiens. Et si j'avais suivi le Balafré sans rechigner ? À l'heure qu'il était, je serais avec la fille blonde. Parlons-en, de la peur. À quoi avait-elle pensé, qu'avait-elle éprouvé à l'arrière de ce minivan, blessée probablement puisque son sang s'était mêlé à celui de son père ?

Avait-elle assisté au meurtre de son père ?

Oh eh, du calme, ne nous emballons pas.

— La prochaine fois, je vous suggère d'engager un guide. Trop de touristes veulent explorer Paris par leurs propres moyens et finissent par s'attirer des ennuis.

C'était Berléand.

— J'ai vu une fille blonde à l'arrière du minivan, ai-je soufflé.

— C'est ce qu'on m'a dit.

— Et j'ai laissé Terese à l'hôtel.

— Elle est sortie environ cinq minutes après vous.

J'attendais derrière la vitre qu'il m'ouvre. Il n'a pas bougé. J'ai repensé à ce qu'il venait de dire.

— Vous nous faites surveiller ?

— Je n'ai pas assez d'effectifs pour vous prendre tous les deux en filature. Mais dites-moi, que pensez-vous de son histoire d'accident de voiture ?

— Comment… ?

Tout s'éclaircissait.

— Vous avez planqué des micros dans la chambre ?

Berléand a hoché la tête. Puis :

— On n'est toujours pas passé à l'acte, hein ?

— Très drôle.

— Ou pathétique, a-t-il reparti. Alors, que pensez-vous de son histoire ?

— Comment, ce que j'en pense ? C'est terrible.

— Vous l'avez crue ?

— Bien sûr. Qui irait inventer une chose pareille ?

Un muscle de son visage a tressailli.

— Vous êtes en train de me dire que ce n'est pas vrai ?

— Non, apparemment ça se tient. Miriam Collins, sept ans, est morte dans un accident à la sortie de l'A40 à Londres. Terese a été grièvement blessée. J'ai demandé à ce qu'on nous envoie son dossier pour vérification.

— Pourquoi ? C'était il y a dix ans. Ça n'a rien à voir.

Il n'a pas répondu. Il a juste remonté les lunettes sur son nez. Je me sentais un peu comme en vitrine, dans cette cellule de garde à vue.

— Je suppose que vos collègues de la scène de crime vous ont mis au courant de ce qui s'est passé, ai-je dit.

— Oui.

— Il faut que vous retrouviez ce minivan vert.

— C'est fait.

Je me suis rapproché de la porte en plexi.

— C'était un véhicule de location, a ajouté Berléand. Ils l'ont abandonné à l'aéroport de Roissy.

— Payé avec une carte de crédit ?

— Sous un faux nom, oui.

— Il faut stopper tous les vols en partance.

— Dans le plus grand aéroport du pays ?

Berléand a froncé les sourcils.

— Vous en avez d'autres ?

— Je disais juste…

Un autre flic est arrivé, lui a remis un papier.

Berléand l'a examiné.

— Qu'est-ce que c'est ?

— Le menu du dîner. Nous avons changé de traiteur.

Sa maigre plaisanterie est tombée à plat.

— Vous pensez bien que ce n'est pas une coïncidence. Je l'ai vue, la fille blonde à l'arrière du minivan.

Il était en train de lire son papier.

— Vous l'avez déjà dit.

— C'était peut-être la fille de Collins.

— Ça m'étonnerait, a répondu Berléand.

J'attendais.

— Nous avons joint sa femme, Karen Tower. Elle va bien. Elle ne savait même pas qu'il était à Paris.

— Elle le croyait où ?

— Je n'ai pas encore tous les détails. Ils habitent Londres. C'est Scotland Yard qui s'est chargé de lui annoncer la nouvelle. Apparemment, leur couple battait de l'aile.

— Et leur fille ?

— Justement, c'est là le *hic*, a dit Berléand. Ils n'ont pas de fille mais un fils, de quatre ans. Il est à la maison, sain et sauf, avec sa mère.

J'ai essayé de digérer cette information.

— D'après les tests ADN, le sang appartenait à la fille de Rick Collins…, ai-je commencé.

— En effet.

— Aucun doute possible là-dessus ?

— Aucun.

— Et les cheveux blonds allaient de pair avec le sang ?

— Oui.

— Donc, Rick Collins a une fille avec de longs cheveux blonds, ai-je dit, réfléchissant tout haut.

Il ne me fallait pas longtemps pour imaginer un nouveau scénario. Peut-être parce que j'étais en France, pays censé avoir élevé la maîtresse au rang d'institution officielle. Même un ancien Président avait sacrifié à la tradition !

— Une seconde famille, ai-je déclaré.

Évidemment, il n'y avait pas que les Français. Il y avait eu cet homme politique new-yorkais arrêté pour conduite en état d'ébriété alors qu'il se rendait dans sa seconde famille. Des tas d'hommes font des enfants à leurs maîtresses. Ajoutez à cela les problèmes de couple de Rick Collins, mentionnés par Berléand, et le tableau devenait clair. Bien sûr, il restait encore des zones d'ombre – entre autres, pourquoi Collins avait appelé Terese, sa première femme, pour lui donner rendez-vous à Paris ? –, mais chaque chose en son temps.

J'ai entrepris d'exposer ma théorie à Berléand, mais comme visiblement il n'était pas convaincu, je n'ai pas insisté.

— Il y a quelque chose qui m'échappe, mais quoi ? ai-je demandé.

Son portable s'est mis à triller. Berléand a répondu

en français, me laissant une fois de plus dans le noir le plus total. Il allait falloir que je m'inscrive chez Berlitz à mon retour. Sa conversation terminée, il a promptement déverrouillé la porte et m'a fait signe de sortir. D'un pas précipité, il s'est engouffré dans le couloir.

— Berléand ?

— Venez, j'ai quelque chose à vous montrer.

Nous avons regagné le bureau du groupe. Lefebvre était là. Il m'a regardé comme si on m'avait ramassé dans une décharge. Il était en train de brancher un nouvel écran d'ordinateur, plat et large d'une trentaine de pouces.

— Qu'est-ce qui se passe ? ai-je demandé.

Berléand s'est assis devant le clavier. Lefebvre s'est écarté. Il y avait deux autres flics dans la pièce. Eux aussi se sont reculés vers le mur. Berléand a regardé l'écran, le clavier, et a froncé les sourcils. Puis il a pris une lingette pour essuyer le clavier.

Lefebvre a fait une remarque ; on aurait dit qu'il se plaignait.

Berléand a riposté sèchement en désignant le clavier. Il a fini de le nettoyer et s'est mis à taper.

— Cette fille blonde dans le minivan, a-t-il dit en s'adressant à moi. Quel âge avait-elle, d'après vous ?

— Aucune idée.

— Réfléchissez.

J'ai essayé, avant de secouer la tête.

— Tout ce que j'ai vu, ce sont de longs cheveux blonds.

— Asseyez-vous.

J'ai tiré une chaise. Il a ouvert un mail et téléchargé un fichier.

— On attend d'autres images, mais ce plan fixe est ce que nous avons de plus lisible.

— De quoi ?

— La caméra de surveillance du parking de Roissy-Charles-de-Gaulle.

Une photo en couleurs s'est affichée à l'écran. Je m'attendais à une image granuleuse en noir et blanc, mais la résolution était relativement bonne. Des voitures à perte de vue – normal, c'était un parking –, mais aussi des gens.

Berléand a pointé le doigt en haut à droite.

— Ce sont eux ?

La caméra était malheureusement trop loin pour distinguer les détails. Il y avait trois hommes. L'un d'eux avait le visage couvert d'un linge blanc, une chemise peut-être, pour éponger le sang. Le Balafré…

J'ai hoché la tête.

La fille blonde était là aussi. Je comprenais maintenant le sens de sa question. Sur cette prise de vue, où elle apparaissait de dos, on ne pouvait deviner son âge avec certitude, mais elle n'avait certainement pas sept ans, ni même dix ou douze, à moins d'être exceptionnellement grande. Elle avait une taille d'adulte. Elle était habillée comme une ado, mais de nos jours, cela ne signifie pas grand-chose.

La blonde marchait entre les deux hommes valides. Le Balafré leur emboîtait le pas.

— Ce sont eux, ai-je opiné.

Puis :

— Quel âge elle avait, la fille, d'après nos calculs ? Sept ou huit ans. Ça doit être les cheveux blonds. C'est ça qui m'a induit en erreur.

116

— Pas forcément.

J'ai regardé Berléand. Il a retiré ses lunettes, les a posées sur la table et s'est frotté le visage avec les deux mains. Brusquement, il a aboyé un ordre. Les autres, y compris Lefebvre, ont quitté la pièce, nous laissant seuls.

— Mais de quoi diable s'agit-il ? ai-je demandé.

Il s'est tourné vers moi.

— Vous n'ignorez pas que personne, à la terrasse du café, n'a vu cet homme vous menacer avec son arme ?

— Évidemment. Il l'avait cachée sous la table.

— N'importe qui d'autre aurait obéi et l'aurait suivi sans faire d'histoires. Personne n'aurait eu l'idée de lui balancer une table à la figure, de se saisir de son arme et de tirer sur son complice en plein milieu d'un carrefour.

J'ai attendu la suite. Comme elle ne venait pas, j'ai ajouté :

— Que voulez-vous que je vous dise ? C'est moi qui ai fichu le bordel.

— L'homme sur lequel vous avez tiré… il n'était pas armé.

— Si, il l'était. Ses comparses ont récupéré son flingue en prenant la fuite. Vous le savez, Berléand. Vous savez que je n'invente rien.

Une minute s'est écoulée. Berléand avait les yeux fixés sur l'écran.

— Qu'est-ce qu'on attend ?

— La vidéo qu'on doit nous faire parvenir.

— De ?

— La fille blonde.

— Pour quoi faire ?

117

Il n'a pas répondu. Cinq minutes durant, je l'ai bombardé de questions. Il a fait la sourde oreille. Finalement, l'ordinateur a bipé, et une très courte vidéo du parking est arrivée dans sa boîte e-mail. Il a cliqué sur lecture et s'est calé dans son siège.

La fille nous apparaissait clairement à présent. C'était une adolescente, dans les seize, dix-sept ans. Elle avait de longs cheveux blonds. La distance était toujours trop grande pour pouvoir distinguer ses traits, mais il y avait quelque chose de familier dans ce port altier, dans cette façon de marcher, tête haute, épaules en arrière…

— Nous avons reçu les premiers résultats des tests ADN concernant le sang et les cheveux, a dit Berléand.

La température dans la pièce avait chuté de dix degrés. J'ai détaché les yeux de l'écran.

— C'est aussi sa fille.

D'un geste de la main, Berléand désignait la blonde.

— La fille de Terese Collins.

11

IL M'A FALLU UN MOMENT POUR RECOUVRER MA VOIX.

— Vous avez dit « les premiers résultats » ?

Berléand a hoché la tête.

— L'examen définitif prendra encore quelques heures.

— Donc le labo a pu se tromper.

— Ça m'étonnerait.

— Mais c'est déjà arrivé, non ?

— En effet. Un jour, on a interpellé un homme sur la foi d'un rapport préliminaire comme celui-ci. Or il se trouve que c'était son frère, le coupable. J'ai aussi entendu parler d'une action en recherche de paternité où une femme poursuivait son amant pour l'obliger à reconnaître son enfant. Il affirmait que l'enfant n'était pas de lui. Les tests préliminaires donnaient raison à la plaignante, mais en y regardant de plus près, le labo a découvert que le père de l'enfant était celui du petit ami.

J'ai réfléchi à ce qu'il venait de dire.

— Terese Collins a-t-elle des sœurs ? s'est enquis Berléand.

— Je n'en sais rien.

Il a esquissé une moue.

— Quoi ? ai-je dit.

— Vous avez une drôle de relation tous les deux.

Je n'ai pas relevé la pique.

— Qu'est-ce qu'on fait, alors ?

— Il faut que vous appeliez Terese Collins pour qu'on puisse l'interroger plus en détail.

— Pourquoi ne l'appelez-vous pas vous-même ?

— On a essayé. Elle ne répond pas.

Il m'a rendu mon téléphone portable. Je l'ai rallumé. Un appel en absence. Je ne me suis pas précipité pour connaître l'expéditeur. Il y avait aussi un mail genre spam qui disait : *Quand Peggy Lee chantait : « Ce n'est que ça ? », ne parlait-elle pas de Popaul ? Votre petit oiseau a besoin de Viagra au 86BR22.com*

Berléand lisait par-dessus mon épaule.

— Qu'est-ce que ça veut dire ?

— Une de mes ex a dû baver sur moi.

— Cette façon de vous déprécier, a-t-il dit. C'est tout à fait charmant.

J'ai composé le numéro de Terese. Ç'a sonné pendant un moment, avant de basculer sur la boîte vocale. J'ai laissé un message.

— Et maintenant ?

— Avez-vous entendu parler de géolocalisation via le téléphone portable ? a demandé Berléand.

— Oui.

— Vous savez donc que, tant que le téléphone reste allumé, même si le sujet ne l'utilise pas, nous pouvons trianguler la zone où il se trouve et ainsi déterminer ses coordonnées.

— Oui.

— Nous n'avions pas besoin de suivre Mme Collins. Puisque nous disposons de la technologie *ad hoc*. Sauf que, il y a une heure, elle a éteint son portable.

— Peut-être qu'elle n'avait plus de batterie.

Berléand a froncé les sourcils.

— Ou peut-être qu'elle avait besoin de souffler. Vous pouvez imaginer à quel point ç'a été dur pour elle de me parler de son accident de voiture.

— Alors quoi, elle aurait coupé son téléphone pour faire un break ?

— Par exemple.

— Au lieu de le mettre simplement sur vibreur, Mme Collins a pris la peine de l'éteindre ?

— Vous n'êtes pas convaincu ?

— Allons. Nous pouvons consulter son journal d'appels… les appels entrants et sortants. Il y a une heure, Mme Collins a reçu son seul et unique appel de la journée.

— De la part de qui ?

— Je ne sais pas. On a été renvoyés sur un numéro quelque part en Hongrie, puis sur un site web, après quoi on a perdu sa trace. Le coup de fil a duré deux minutes. Ensuite, elle a éteint son portable. À ce moment-là, elle se trouvait au musée Rodin. Maintenant, nous ne savons plus où elle est.

Je n'ai rien dit.

— Auriez-vous une idée ?

— Au sujet de Rodin ? J'adore son *Penseur*.

— Vous me tuez, Myron. Sincèrement.

— Vous allez me garder ici ?

— J'ai votre passeport. Vous pouvez partir, mais, s'il vous plaît, restez à votre hôtel.

— Pour que vous puissiez écouter à votre aise.

— Si vous le dites, a rétorqué Berléand. Avec un peu de chance, je finirai bien par glaner quelques indices.

La procédure de sortie a pris une bonne vingtaine de minutes. J'ai longé le quai en direction du Pont-Neuf. Combien de temps me faudrait-il ? Bien sûr, Berléand pouvait me faire suivre, mais j'ai décidé que c'était peu probable.

Devant moi, il y avait une voiture immatriculée 97 CS 33.

Le code était on ne peut plus simple. Le spam disait : 86 BR 22. Il suffisait d'ajouter un partout. Huit devenait neuf. B devenait C. Tandis que je m'approchais, un bout de papier est tombé par la vitre du conducteur. Enroulé autour d'une pièce de monnaie pour ne pas s'envoler.

J'ai poussé un soupir. D'abord ce code rudimentaire, maintenant ceci. James Bond serait-il tombé aussi bas ?

J'ai ramassé le billet.

1, RUE DU PONT-NEUF, CINQUIÈME ÉTAGE. JETTE TÉLÉPHONE À L'ARRIÈRE DE LA VOITURE.

Je me suis exécuté. La voiture a démarré, le portable allumé en remorque. Qu'ils le suivent à la trace. J'ai tourné à droite. C'était l'immeuble Kenzo, celui avec la verrière au dernier étage. Au rez-de-chaussée se trouvait le magasin proprement dit, et je me suis senti désespérément ringard rien qu'en poussant la porte. J'ai pénétré dans l'ascenseur en verre et constaté qu'au cinquième étage il y avait un restaurant nommé Kong.

Là-haut, une hôtesse moulée dans une tenue noire m'a accueilli. Elle devait faire plus d'un mètre quatre-vingts et était à peu près aussi grosse qu'un fil électrique.

— Monsieur Bolitar ?

— Oui.

— Par ici, je vous prie.

Elle m'a précédé dans un escalier vert fluorescent qui conduisait sous la verrière. J'aurais qualifié le décor d'ultrahype, mais c'était mieux que cela… de l'ultrahype postmoderne. Un royaume de geishas futuristes. Il y avait des écrans plasmas avec de jolies Asiatiques qui clignaient de l'œil sur votre passage. Les sièges étaient en plastique transparent, décorés de visages de femmes aux coiffures insolites. Des visages luminescents qui créaient une ambiance irréelle.

Au-dessus de ma tête se trouvait la tapisserie géante d'une geisha. Les clients étaient habillés, ma foi, comme l'hôtesse… en noir, et tendance. Mais le plus remarquable, ce qui faisait la magie du lieu, c'était la vue sur la Seine, presque aussi spectaculaire que celle de la brigade criminelle. Et devant moi, à la table centrale, la mieux placée pour admirer le pano-rama, était assis Win.

— Je t'ai commandé du foie gras, a-t-il annoncé.

— Quelqu'un va percer notre vieille ruse, un de ces quatre.

— Pour l'instant, ce n'est pas le cas.

Je me suis assis en face de lui.

— Cet endroit me dit quelque chose.

— Il apparaît dans un film français avec François

Cluzet et Kristin Scott Thomas. Ils étaient assis précisément à cette table.

— Kristin Scott Thomas dans un film français ?

— Elle habite ici depuis des années et parle couramment la langue.

Allez savoir comment Win savait ces choses-là.

— Bref, a-t-il repris, c'est peut-être pour ça que ce restaurant te donne – pour rester dans le ton – une impression de déjà vu [1].

J'ai secoué la tête.

— Je ne regarde pas les films français.

— Ou alors, a dit Win avec un grand soupir, tu as vu Sarah Jessica Parker manger ici dans le dernier épisode de *Sex and the City*.

— Bingo.

Le foie gras est arrivé. Affamé, je me suis jeté dessus. Je sais bien que les défenseurs des droits des animaux me crucifieraient, mais je n'y peux rien. J'adore le foie gras. Win avait déjà fait verser le vin. J'en ai bu une gorgée. Je ne suis pas un expert, mais on aurait dit qu'un dieu avait personnellement pressé le raisin.

— Je suppose que maintenant tu connais le secret de Terese, a dit Win.

J'ai acquiescé.

— Je t'avais dit que c'était du lourd.

— Et comment le sais-tu, toi ?

— Il suffisait de chercher un peu.

— Je reformule. *Pourquoi* le sais-tu ?

— Il y a neuf ans, tu es parti avec elle.

1. Expression passée telle quelle du français à l'anglais. *(N.d.T.)*

124

— Et alors ?

— Sans même me prévenir.

— Et alors ?

— Comme tu étais très mal, j'ai mené ma petite enquête.

— Ça ne te regardait pas.

— Peut-être.

Nous avons continué à manger en silence.

— Quand es-tu arrivé ? ai-je demandé finalement.

— Esperanza m'a appelé après t'avoir eu au téléphone. J'ai fait faire demi-tour à l'avion et mis le cap sur Paris. Quand j'ai débarqué à ton hôtel, tu venais de te faire arrêter. J'ai téléphoné à droite et à gauche.

— Où est Terese ?

À tous les coups, c'était Win qui l'avait appelée pour lui éviter d'être interrogée.

— On la retrouvera bientôt, va. Explique-moi.

Je l'ai mis au courant de la situation. Il a écouté sans mot dire, en joignant le bout de ses doigts. C'est une manie qu'il a, de tapoter dans ses mains, les doigts écartés. Moi, à sa place, j'aurais l'air ridicule. Mais chez lui, avec ses ongles manucurés, ça passe. Lorsque j'ai eu terminé, Win a fait :

— Ben, mon cochon !

— Bien résumé.

— Que sais-tu au juste de son accident de voiture ?

— Ce que je viens de te raconter à l'instant.

— Terese n'a jamais vu le corps, a déclaré Win. Curieux, tu ne trouves pas ?

— Elle est restée inconsciente pendant deux semaines. On ne peut pas garder un cadavre aussi longtemps sans le mettre en terre.

— N'empêche.

Il a tapoté dans ses doigts.

— Feu son ex lui a bien dit que ses révélations allaient bouleverser sa vie, non ?

J'y avais pensé aussi. Terese m'avait dit que sa voix était méconnaissable, qu'il paniquait.

— Il doit y avoir une autre explication. Je te l'ai dit, on n'a pas encore les résultats définitifs.

— Tu sais, bien sûr, que les flics t'ont relâché afin que tu les conduises à Terese.

— Je sais.

— Mais ça ne va pas se passer comme ça.

— Je le sais aussi.

— Qu'est-ce qu'on fait ? a demandé Win.

À ma grande surprise.

— Tu n'essaies pas de me dissuader de l'aider ?

— Ça servirait à quelque chose ?

— Probablement pas.

— Dans ce cas, allons-y, ça pourrait être amusant, a conclu Win. Et puis, il existe une autre raison, et pas des moindres, pour poursuivre cette quête.

— Laquelle ?

— Je te dirai plus tard. Alors, par où commence-t-on, bwana ?

— Je me le demande. J'aimerais interroger la femme de Rick Collins – elle habite Londres –, mais Berléand a gardé mon passeport.

Le téléphone portable de Win s'est mis à gazouiller. Il a répondu :

— Articule.

Ce qu'il peut m'énerver avec ce préambule.

— Va pour Londres, a-t-il déclaré en raccrochant.

— Mais je viens de te dire…

Il s'est levé.

— Il y a un passage au sous-sol de ce bâtiment, qui le relie à l'immeuble de la Samaritaine. J'ai une voiture qui attend. Mon avion est dans un aérodrome du côté de Versailles. Terese est déjà là-bas. J'ai des papiers pour vous deux. Dépêche-toi, s'il te plaît.

— Pourquoi, que se passe-t-il ?

— La raison de poursuivre cette quête. L'homme sur lequel tu as tiré vient de mourir. La police cherche à t'épingler pour meurtre. À nous de prendre les devants si on veut te blanchir.

12

QUAND J'AI PARLÉ À TERESE DES TESTS ADN, je m'attendais à une réaction différente de sa part.

Nous étions installés, elle et moi, dans la partie salon de l'avion de Win, un Boeing Business Jet qu'il avait récemment acheté à un chanteur de rap. Les sièges étaient en cuir et surdimensionnés. Il y avait un écran géant, un canapé, une moquette velours, de belles boiseries. Le jet était également équipé d'une salle à manger et d'une chambre à coucher à l'arrière.

Au cas où cela vous aurait échappé, Win est plein aux as.

Il a gagné son argent à l'ancienne mode, par héritage. Sa famille possède Lock-Horne Investments, qui reste aujourd'hui encore l'une des sociétés phares de Wall Street, et depuis que Win est aux affaires, ses milliards ont fait des petits.

L'« hôtesse de l'air » – il faut que j'ajoute les guillemets car je doute qu'elle ait été véritablement formée à la sécurité – était une jeune Asiatique, ravissante et, connaissant Win, probablement très souple. Sur son badge, on lisait : « Moa ». Son accoutrement ressemblait à une pub Pan Am de 1968 : tailleur ajusté, chemisier bouffant et, bien sûr, la toque.

Au moment d'embarquer, Win m'a glissé :

— Cette toque…

— Oui, ça lui donne du piquant.

— J'aime bien qu'elle la porte en permanence.

— Je t'en prie, ai-je rétorqué, épargne-moi les détails.

Win a eu un large sourire.

— Elle s'appelle Moa.

— J'ai vu son badge.

— Comme dans : « Il ne s'agit pas que de toi, Myron, il s'agit aussi de Moa. » Ou encore : « J'aime bien me livrer à des plaisirs charnels seul avec Moa. »

Je l'ai regardé d'un œil torve.

— Je vais rester avec Moa à l'arrière et vous laisser tranquilles, Terese et toi.

— À l'arrière comme dans « chambre à coucher » ?

Win m'a tapé dans le dos.

— Mets-toi à l'aise, Myron. Comme je suis à l'aise avec Moa.

— Arrête, s'il te plaît.

Je suis monté à bord derrière lui. Terese était là. Quand je lui ai parlé du guet-apens et de la fusillade qui avait suivi, elle s'est visiblement alarmée. Mais, quand j'ai enchaîné sur les résultats des tests ADN – en insistant *ad nauseam* sur les mots « préliminaires » et « incomplets » –, elle m'a sidéré.

Elle a à peine réagi.

— Tu dis que d'après les tests sanguins, je pourrais être sa mère ?

En fait, les analyses *prouvaient* qu'elle était sa

mère, mais il valait peut-être mieux y aller en douceur. Je me suis donc borné à répondre :

— Oui.

On aurait dit qu'elle n'était pas concernée. Terese a plissé les yeux, comme si elle avait des problèmes d'audition. Ses paupières ont frémi presque imperceptiblement. Mais c'était tout.

— Comment est-ce possible ?

J'ai haussé les épaules en silence.

Ne sous-estimez jamais la puissance du déni. Comme si de rien n'était, Terese est passée en mode interview et m'a soumis à un interrogatoire en règle. Je lui ai dit tout ce que je savais. Son souffle s'est accéléré. Elle essayait de garder son calme ; l'effort était si grand que ses lèvres en tremblaient.

Mais il n'y avait pas de larmes.

J'avais envie de faire un geste vers elle, mais je ne m'en sentais pas le courage. Allez savoir pourquoi. Alors je suis resté assis sans broncher. Aucun de nous ne l'exprimait tout haut, comme si les mots risquaient de faire éclater la fragile bulle de l'espoir. Mais il était là, ce non-dit, gros comme une maison, et tous deux, nous feignions de ne pas le voir.

Par moments, les questions de Terese étaient lourdes de sous-entendus ; la colère perçait dans sa voix – contre Rick, son ex, et ce qu'il lui aurait caché, ou simplement pour s'interdire d'espérer. Finalement, elle s'est laissée aller en arrière et s'est mordillé la lèvre en clignant des yeux.

— Et où va-t-on maintenant ? a-t-elle demandé.

— À Londres. Je voudrais parler à la femme de Rick.

— Karen.

— Tu la connais ?

— Je l'ai connue, oui.

Elle a levé les yeux.

— Tu te rappelles, je devais déposer Miriam chez une amie quand j'ai eu cet accident de voiture ?

— Oui.

Une pause, puis :

— Cette amie, c'était Karen Tower ?

Elle a hoché la tête.

L'avion avait atteint sa vitesse de croisière. Le pilote l'a annoncé au micro. J'avais un million de questions à poser, mais Terese avait fermé les yeux. Alors je me suis tu.

— Myron ?

— Oui.

— On ne dit rien. Pas encore. Nous l'avons tous les deux sur le bout de la langue. Mais on ne le dit pas, OK ?

— OK.

Elle a rouvert les yeux et détourné la tête. Je comprenais. Elle était trop à vif pour ne serait-ce que soutenir mon regard. Comme sur un signal, Win a ouvert la porte de la chambre. Moa, l'hôtesse de l'air, portait sa toque et tout le reste. Win aussi était entièrement habillé. Il m'a fait signe de le rejoindre.

— J'aime cette toque.

— Tu l'as déjà dit.

— Elle fait un effet bœuf sur Moa.

Je l'ai regardé. Il m'a fait entrer dans la chambre et a fermé la porte. Les murs étaient imitation peau de tigre, et le dessus-de-lit était du simili-zèbre.

— On est branché sur son Elvis intérieur ?

131

— C'est le rappeur qui a fait la déco. Mais plus je la regarde, plus ça me plaît.

— Tu voulais quelque chose ?

Win a désigné un téléviseur.

— J'ai assisté à votre conversation d'ici.

J'ai jeté un œil. À l'écran, Terese était assise dans son fauteuil.

— C'est comme ça que j'ai su que c'était le moment d'intervenir.

Il a fourragé dans un tiroir.

— Tiens.

C'était un BlackBerry.

— Ton numéro est toujours en service... tu peux téléphoner dans le monde entier, mais tes appels seront indétectables. Si on cherche à te localiser, on atterrit quelque part dans le sud-ouest de la Hongrie. À propos, tu as un message du capitaine Berléand.

— Ça ne risque rien si je le rappelle ?

Win a froncé les sourcils.

— Qu'est-ce que tu ne comprends pas dans le mot « indétectable » ?

Berléand a répondu dès la première sonnerie.

— Mes collègues veulent vous coffrer.

— Un charmant garçon comme moi !

— C'est ce que je leur ai dit, mais ils doutent que le charme l'emporte sur une accusation d'homicide volontaire.

— Pourtant, le charme est une denrée rare.

Puis :

— Je vous l'ai dit, Berléand. C'était de la légitime défense.

— Certes. Et on a des enquêteurs, des avocats et

132

des tribunaux qui pourraient aboutir à la même conclusion.

— Je n'ai vraiment pas de temps à perdre.

— Vous ne voulez pas me dire où vous êtes ?

— Non.

— Personnellement, je trouve que le Kong est un attrape-touriste. La prochaine fois, je vous emmènerai dans un petit bistrot du côté de Saint-Michel qui sert exclusivement du foie gras. Vous allez adorer.

— La prochaine fois, ai-je répondu.

— Vous êtes toujours dans ma circonscription ?

— Non.

— Dommage. Puis-je vous demander une faveur ?

— Bien sûr, ai-je dit.

— Pouvez-vous visionner des photos sur votre nouveau portable ?

J'ai regardé Win, qui a hoché la tête.

— Je vous envoie une photo pendant que nous parlons. Dites-moi si vous reconnaissez cet individu.

J'ai tendu le téléphone à Win. Il a pressé la touche menu. J'ai longuement examiné la photo, mais en fait je l'avais reconnu tout de suite.

— Je pense que c'est lui.

— L'homme que vous avez assommé avec la table ?

— Oui.

— Vous en êtes sûr ?

— J'ai dit : « Je pense. »

— Regardez mieux.

J'ai obtempéré.

— Je suppose que c'est une vieille photo. Le type que j'ai estourbi aujourd'hui a facilement dix ans de plus. Il y a des différences… le crâne rasé, le nez n'est pas pareil. Mais dans l'ensemble, oui, c'est pratiquement sûr.

Silence.

— Berléand ?

— J'aimerais beaucoup que vous reveniez à Paris.

Le ton de sa voix ne me disait rien qui vaille.

— Désolé, ce n'est pas possible.

Nouveau silence.

— Qui est-ce ? ai-je demandé.

— C'est quelque chose que vous ne pouvez pas régler tout seul.

J'ai coulé un regard en direction de Win.

— J'ai quelqu'un pour m'aider.

— Ça ne suffira pas.

— Vous n'êtes pas le premier à nous sous-estimer.

— Je sais qui est avec vous. Je connais sa fortune et sa réputation. Mais ça ne suffira pas. Vous êtes peut-être doué pour retrouver des personnes disparues ou aider des sportifs en délicatesse avec la justice. Mais vous n'êtes pas équipé pour affronter ceci.

— Si j'étais moins coriace, ai-je répliqué, vous arriveriez presque à me faire peur.

— Si vous étiez moins braque, vous m'écouteriez. Soyez prudent, Myron. Et tenez-moi au courant.

Il a raccroché. Je me suis tourné vers Win.

— On ne pourrait pas réexpédier cette photo à quelqu'un de chez nous, quelqu'un qui saurait identifier ce gars-là ?

— J'ai un contact à Interpol.

Win était en train de regarder par-dessus mon

épaule. Je me suis retourné. Il avait les yeux fixés sur l'écran.

Terese était toujours là, mais sa résolution l'avait désertée. Elle sanglotait, pliée en deux. J'ai essayé de comprendre ce qu'elle disait entre les hoquets. Win a pris la télécommande pour monter le son. Elle semblait répéter les mêmes mots, encore et encore ; lorsqu'elle s'est laissée glisser du fauteuil, j'ai cru pouvoir les distinguer enfin.

— S'il vous plaît, implorait-elle quelque puissance invisible. S'il vous plaît, faites qu'elle soit en vie.

13

IL ÉTAIT TARD QUAND NOUS SOMMES ARRIVÉS à l'hôtel Claridge, au centre de Londres. Win avait loué la suite Davies au dernier étage. Elle se composait d'un vaste salon et de trois immenses chambres, toutes avec un grand lit à baldaquin, une baignoire en marbre délicieusement profonde et une pomme de douche de la taille d'une plaque d'égout. Nous avons ouvert les portes-fenêtres. La terrasse offrait une vue magnifique sur les toits de Londres, sauf que, question panoramas, j'en avais eu mon content. Terese est sortie, marchant comme un zombie. Son état oscillait entre l'hébétude et l'agitation. Elle était anéantie, bien sûr, mais il y avait aussi de l'espoir. Et, à mon sens, c'était l'espoir qui l'angoissait le plus.

— Tu rentres ? ai-je demandé.

— Donne-moi encore une minute.

Je ne suis pas très expert en langage corporel, mais chacun de ses muscles semblait contracté, recroquevillé dans une posture défensive. J'ai attendu devant la porte-fenêtre. Sa chambre était jaune tournesol et bleu. J'ai contemplé le lit à baldaquin. Le moment était peut-être mal choisi, mais j'avais envie de la prendre dans mes bras, de la déposer sur ce lit somptueux et de lui faire l'amour jusqu'au bout de la nuit.

OK, pas « peut-être ». Le moment *était* mal choisi. N'empêche.

Quand j'exprime ces choses-là tout haut, Win me traite de fillette.

Les yeux rivés sur son épaule nue, je me suis rappelé le jour où elle était venue dans le New Jersey, après notre escapade dans l'île. Elle était venue pour m'aider. Et elle avait souri, réellement souri, pour la première fois depuis notre rencontre. J'avais cru tomber amoureux d'elle à ce moment-là. En général, j'entame une relation, euh, comme une fille, en me projetant dans l'avenir. Mais ce coup-ci cela m'était tombé dessus, elle avait souri, et nous avions fait l'amour différemment cette nuit-là, un peu plus tendrement, et après j'avais embrassé son épaule nue, et elle avait pleuré, pour la première fois également. Souri et pleuré pour la première fois avec moi.

Quelques jours plus tard, elle était repartie.

Terese m'a regardé, et j'ai eu l'impression qu'elle lisait dans mes pensées. Finalement, nous avons regagné le salon aux voûtes en berceau et dont le parquet craquait sous nos pas. Un feu crépitait dans la cheminée. Win, Terese et moi avons pris place dans ce décor luxueux pour discuter froidement de la marche à suivre.

Terese s'est jetée à l'eau.

— Il faut trouver le moyen d'exhumer les restes de ma fille… à supposer qu'il y ait des restes.

Elle l'a annoncé comme ça, tout de go. Sans hésitation, sans larmes.

— On devrait faire appel à un avocat, ai-je suggéré.

— Je demanderai à mes collaborateurs de s'en occuper demain matin à la première heure, a proposé Win.

Lock-Horne Investments avait un bureau à Londres, dans Curzon Street.

— Il faudrait aussi se renseigner sur l'accident, ai-je dit. Essayer d'accéder au rapport de police, parler aux officiers chargés de l'enquête et tout le bazar.

Terese et Win ont acquiescé. La conversation s'est poursuivie sur le même mode, comme si on était dans une salle de réunion en train de lancer un nouveau produit plutôt que de se demander si la fille de Terese, « morte » dans un accident de la route, était en fait toujours en vie. C'était hallucinant, quand on y pense. Win a donné plusieurs coups de fil. Nous avons appris que Karen Tower, la femme de Rick Collins, habitait toujours à la même adresse à Londres. Terese et moi avons décidé d'aller la voir dans la matinée.

Pour finir, Terese a pris deux Valium, est allée dans sa chambre et a fermé la porte. Win a ouvert les portes d'un bahut. J'étais épuisé, compte tenu du décalage horaire et de la journée que je venais de vivre. Dire que j'avais atterri à Paris le matin même ! Mais je n'avais pas envie de bouger. J'aime bien ces moments tranquilles avec Win. Il avait un verre de cognac à la main. Moi, ce que je préfère, c'est une boisson chocolatée nommée Yoo-Hoo, mais ce soir-là je m'en suis tenu à l'Évian. Nous avons appelé le service de chambre pour commander quelque chose à grignoter.

J'aimais ce semblant de normalité.

Moa a passé la tête dans la pièce. Win a articulé un « non » silencieux, et son joli visage a disparu.

— Il est encore trop tôt pour Moa, a-t-il dit.

J'ai secoué la tête.

— C'est quoi au juste, ton problème avec Moa ?

— Elle m'a l'air bien jeune, ai-je répondu.

— Elle va avoir vingt ans.

Win a eu un petit rire.

— Tu en tires une tête, c'est un vrai régal, a-t-il ajouté.

— Je n'ai pas à porter de jugement.

— Tant mieux, car justement je voulais t'en causer.

— De quoi ?

— Toi et Mme Collins dans l'avion. Toi, mon cher ami, tu considères le sexe comme un acte qui requiert une composante affective. Pas moi. Pour toi, l'acte seul, même s'il te transporte au septième ciel, ne suffit pas. Moi, j'ai un autre point de vue.

— Un point de vue qui souvent nécessite plusieurs angles de champ.

— Elle est bonne, celle-là. Mais tu permets que je poursuive. Pour moi, deux êtres qui « font l'amour » – pour reprendre ton vocabulaire, même si « baiser », « sauter » ou « tringler » me convient parfaitement –, pour moi donc, cet acte sacré tient du miracle. Tout y est. En fait, je crois qu'il prend tout son sens, le meilleur – le plus pur, si tu préfères –, quand il se suffit à lui-même. Sans aucun résidu affectif pour venir le polluer. Tu comprends ?

— Mm-mm.

— C'est un choix. Voilà tout. Tu vois les choses à ta façon, et moi à la mienne. Il n'y en a pas une qui soit supérieure à l'autre.

Je l'ai regardé.

— C'est ça que tu voulais me dire ?

— Je t'ai observé, dans l'avion, parler à Terese.

— J'ai bien compris.

— Tu avais envie de la prendre dans tes bras, n'est-ce pas ? Après lui avoir assené la nouvelle. Tu aurais aimé la réconforter. La composante affective qu'on vient d'évoquer.

— J'ai du mal à suivre.

— Quand vous étiez seuls sur l'île, entre vous c'était torride. Et purement physique. Vous vous connaissiez à peine. Cependant, le séjour dans cette île t'a apaisé, t'a marqué, t'a guéri. Or, depuis que l'affect est entré en scène, même un acte aussi physiquement anodin que la prendre dans tes bras, tu n'en es plus capable.

Penchant la tête, Win a souri.

— Pourquoi ?

Il n'avait pas tort. Pourquoi n'avais-je rien fait ? Et surtout, pourquoi avais-je manqué de courage ?

— Parce que ça fait mal, ai-je rétorqué.

Il a pivoté sur lui-même comme si tout avait été dit. Beaucoup pensaient que la misogynie de Win lui servait de carapace protectrice, mais moi je n'y croyais pas. C'était trop bateau comme explication.

Il a consulté sa montre.

— Un dernier verre, puis je vais me coucher car – ah, là tu vas adorer – Moa aimer la bagatelle.

J'ai soupiré. Le téléphone de l'hôtel a sonné. Win a répondu.

— Tu es très fatigué ? m'a-t-il demandé en raccrochant.

— Pourquoi, qu'est-ce que c'est ?

— Le flic qui a enquêté sur l'accident de Terese est un certain Nigel Manderson, aujourd'hui retraité. Un de mes hommes m'informe qu'il est en train de se torcher dans un pub du côté de Coldharbour Lane, si ça te dit d'aller y faire un tour.

— OK, ai-je acquiescé, allons-y.

14

COLDHARBOUR LANE, DANS LE SUD DE LONDRES, relie
Camberwell à Brixton sur environ quinze cents
mètres. La limousine nous a déposés devant un bar
louche nommé Soleils et Colombes à la limite de
Camberwell. L'immeuble avait un troisième étage à
demi achevé, comme si quelqu'un en avait eu marre
et s'était dit : « Oh et puis zut, on n'a pas besoin de
tout cet espace. »

Nous avons marché avant de tourner dans la
première ruelle. Il y avait là une bonne vieille
boutique de mode hippie et un magasin d'alimenta-
tion bio encore ouvert.

— Ce quartier est réputé pour ses bandes et son
trafic de drogue, a annoncé Win comme s'il jouait les
guides touristiques. D'où son surnom de – tiens-toi
bien – Crackharbour Lane.

— Connu pour ses bandes et son trafic de drogue,
ai-je renchéri, sinon pour sa créativité en matière de
surnoms.

— Que demander aux bandes et aux trafiquants de
drogue ?

La ruelle était sombre et délabrée ; on croyait voir

Billy Sikes et Fagin raser les murs de briques noircies. Nous sommes arrivés devant un pub glauque du nom de Careless Whisper. J'ai aussitôt songé à la vieille chanson de George Michael du temps de Wham ! dans laquelle le don Juan au cœur brisé ne dansera plus jamais car « les pieds coupables n'ont pas de rythme ». C'était en plein dans les années quatre-vingt. Je me suis dit que l'enseigne n'avait rien à voir avec la chanson et probablement tout avec l'indiscrétion.

Erreur.

En poussant la porte, j'ai fait un saut dans le temps. Deux couples se déhanchaient au son de Madness, étroitement enlacés, moins par affection que pour s'aider à tenir debout. Une odeur de saucisse grillée flottait dans l'air. Le sol était poisseux. C'était bruyant et bondé ; les lois antitabac du pays ne s'appliquaient manifestement pas à cette ruelle. Comme toutes les autres lois, d'ailleurs.

Cet endroit était résolument nouvelle vague, autrement dit ancienne vague, et fier de l'être. Sur l'écran géant, on apercevait un Judd Nelson de mauvais poil dans *Breakfast Club*. Les serveuses se faufilaient à travers la cohue en robe noire, rouge à lèvres écarlate, cheveux lissés en arrière et visage blanc façon kabuki. Avec une guitare se balançant autour du cou. Elles étaient censées ressembler aux mannequins du clip de Robert Palmer *Addicted to Love*… en plus, euh, matures et moins canon. Comme dans un remake dudit clip avec les mamies des *Craquantes*.

Madness avait fini de nous parler de leur maison au milieu de la rue, et ç'a été au tour de Bananarama de nous offrir d'être notre Vénus, la flamme de notre désir.

Win m'a poussé du coude.

— Le mot « Vénus ».

— Quoi ? ai-je crié.

— Quand j'étais petit, je croyais qu'elles chantaient : « Je suis ton anus. » Ça me rendait perplexe.

— Merci pour la confidence.

Le décor avait beau être nouvelle vague, cela restait un bar ouvrier, où des hommes robustes et des femmes à qui on ne la faisait pas se retrouvaient après une rude journée de labeur, et ma foi, c'était largement mérité. Impossible de se fondre dans la foule. Même avec un jean, je n'avais aucune chance de passer inaperçu. Quant à Win, il détonnait comme un baba au rhum dans une salle de muscu.

Les clients – dont certains portaient des épaulettes, de fines cravates en cuir et de la brillantine dans les cheveux – fusillaient Win du regard. C'était partout pareil. Les préjugés ont la vie dure, et Win était le dernier à vouloir susciter de la sympathie, mais le fait est qu'on le prenait en grippe au premier coup d'œil. L'habit fait le moine. De par son allure, Win incarnait un étalage éhonté de privilèges et donc donnait envie de cogner. Ç'avait été comme ça toute sa vie. Je ne connais pas toute l'histoire – l'« origine » de Win, pour employer le jargon des superhéros –, mais une de ces raclées reçues dans l'enfance l'avait brisé. Dès lors, il avait décidé de ne plus avoir peur. Jamais plus. Sa fortune et ses aptitudes innées aidant, il avait passé des années à s'entraîner. Quand je l'avais connu à la fac, c'était déjà une machine de guerre.

Win a franchi le feu croisé des regards en souriant.

Le pub était vieux et décrépit, avec un petit air factice qui ne l'en rendait que plus authentique. Les femmes étaient grandes, avec une forte poitrine et une tignasse en désordre. Beaucoup portaient un sweat *Flashdance*, genre qui découvre une épaule. L'une d'elles a lorgné Win. Il lui manquait plusieurs dents. Elle avait de petits rubans dans les cheveux, qui ne retenaient rien du tout, style Madonna à l'époque de *Starlight*, et son maquillage semblait avoir été appliqué avec des balles de paintball dans un placard sans lumière.

— Tiens, tiens, a-t-elle dit à Win. Mais t'es joli comme un cœur, hein ?

— Absolument, a-t-il confirmé.

Le barman nous a salués d'un signe de la tête. Il portait un T-shirt avec l'inscription FRANKIE *DIT RELAX*.

— Deux demis, ai-je dit.

Win a secoué la tête.

— Il veut dire deux pintes de bière.

Et, s'adressant à moi :

— Nous sommes en Angleterre.

Lui et ses manies lexicales.

J'ai demandé Nigel Manderson. Le barman n'a pas cillé. J'ai compris que c'était peine perdue. Me retournant, j'ai crié :

— Lequel de vous est Nigel Manderson ?

Un homme en chemise blanche à ruchés rembourrée aux épaules a levé son verre. Il avait l'air de sortir tout droit d'un clip de Spandau Ballet.

— Santé, camarade.

La voix pâteuse venait de l'extrémité du zinc. Manderson tenait son verre entre ses mains comme s'il cherchait à protéger un oisillon tombé du nid. Ses yeux – heureusement, il ne les cachait pas sous des lunettes noires – étaient chassieux. Les veines qui sillonnaient son nez ressemblaient à une araignée, mais une araignée qu'on aurait écrasée en marchant dessus.

— Sympa comme endroit, ai-je dit.

— Au oilpé, un petit diamant brut qui me rappelle le bon vieux temps. Et vous êtes qui, vous ?

Je me suis présenté et lui ai demandé s'il se souvenait d'un accident mortel survenu une dizaine d'années plus tôt. J'ai cité le nom de Terese Collins. Mais il m'a interrompu au milieu d'une phrase.

— Je vois pas.

— C'était une présentatrice très connue. Sa petite fille est morte dans l'accident. Elle avait sept ans.

— Je vois toujours pas.

— Vous en avez eu beaucoup, des fillettes qui meurent à sept ans ?

Il a pivoté sur son tabouret.

— Vous me traitez de menteur, hein ?

Son accent était plus vrai que nature. Je n'ai pas beaucoup d'oreille, mais on aurait dit Dick Van Dyke dans *Mary Poppins*. Je m'attendais presque à ce qu'il m'appelle patron.

Je lui ai précisé le lieu de l'accident et la marque de la voiture. En entendant un bourdonnement étouffé, j'ai jeté un œil sur ma gauche. Quelqu'un était en train de jouer à Space Invaders sur un jeu d'arcade.

— Je suis retraité, a-t-il déclaré.

Patiemment, je lui ai redonné tous les détails que je connaissais. L'écran télé était juste derrière lui, et comme j'adore *Breakfast Club*, j'avais un peu de mal

146

à me concentrer. Allez donc savoir pourquoi j'aime ce film. Le casting est une vaste plaisanterie : Emilio Estevez en sportif, sans un gramme de muscle ? Judd Nelson en punk rebelle ? Pour reprendre la comparaison avec *Les Craquantes*, c'est comme si on tournait le remake d'un film de Marilyn avec Bea Arthur. Et pourtant, Nelson et Estevez tiennent la route, le film tient la route, et je peux vous en réciter n'importe quel passage par cœur.

Au bout d'un moment, Nigel Manderson a fini par lâcher :

— Ça me dit vaguement quelque chose.

Il n'était pas très convaincant. Ayant vidé son verre, il en a commandé un autre. Il a regardé le barman le remplir et a empoigné le verre à la seconde même où celui-ci a touché la surface collante du zinc.

J'ai lancé un coup d'œil à Win. Son visage était, comme toujours, impénétrable.

La femme maquillée au paintball – difficile de lui donner un âge, entre la petite cinquantaine et vingt-cinq ans bien tassés, j'aurais penché pour la seconde hypothèse – a dit à Win :

— J'habite juste à côté.

Il l'a gratifiée de ce regard hautain qui lui valait toutes les détestations.

— Dans la ruelle, peut-être ?

Elle a ri de bon cœur. Quel numéro, ce Win.

— Non, j'ai un appart en sous-sol.

— Ce doit être divin, a répondu Win, la voix dégoulinante de sarcasme.

— Oh, c'est pas grand-chose, a minaudé Paintball, insensible à son intonation. Mais y a un lit.

Elle a tiré sur ses leggins rose et violet et lui a adressé un clin d'œil.

— Un lit, a-t-elle répété.

Au cas où il n'aurait pas percuté.

— Ça m'a l'air délectable.

— Vous voulez voir ?

— Madame…

Win lui a fait face.

— … je préférerais donner ma semence à un cathéter.

Nouveau clin d'œil.

— C'est votre façon à vous de dire oui ?

J'ai demandé à Manderson :

— Pourriez-vous me parler de cet accident ?

— Mais vous êtes qui, à la fin ?

— Un ami de la conductrice.

— À d'autres.

— Pourquoi vous dites ça ?

Il a bu une grande gorgée. Bananarama a cédé la place à un classique de Duran Duran, la ballade « Save a Prayer ». Les conversations se sont tues. Quelqu'un a baissé les lumières ; les clients ont allumé des briquets et se sont mis à osciller comme dans un concert.

Nigel aussi a levé son briquet.

— Et je suis censé vous croire sur parole… que c'est elle qui vous envoie ?

Il n'avait pas entièrement tort.

— Et même si c'était vrai… cet accident, ça remonte à combien de temps ?

Je l'avais dit deux fois. Il l'avait entendu deux fois.

— Dix ans.

— Alors pourquoi elle s'y intéresse maintenant ?

J'allais poser une question, mais il m'a fait taire. L'éclairage a encore diminué. Toute la salle chantait qu'il ne fallait pas dire une prière maintenant, mais la garder pour le matin d'après. Après quoi ? Ils se balançaient d'avant en arrière au rythme de la musique et de la boisson, en brandissant leurs briquets, et j'ai eu peur qu'avec toutes ces tignasses ils ne provoquent un incendie. La plupart des gens, y compris Nigel Manderson, avaient des larmes aux yeux.

J'ai senti qu'on perdait notre temps et décidé de le titiller un peu.

— L'accident ne s'est pas passé comme vous le signalez dans votre rapport.

Il m'a à peine jeté un regard.

— Maintenant vous dites que je me suis trompé ?

— Non, je dis que vous avez menti et maquillé la vérité.

Ça lui a coupé le sifflet. Il a abaissé son briquet. Autour de lui, les clients ont fait de même. Il a balayé la salle du regard, hochant la tête, cherchant du soutien auprès de ses potes. Moi, ce n'était pas mon problème. J'avais les yeux fixés sur lui. Win évaluait déjà le rapport de force. Je savais qu'il était armé. Il ne me l'avait pas montrée – c'est une chose qu'il n'est pas facile de se procurer au Royaume-Uni –, mais il avait au moins une arme à feu sur lui.

Je ne pensais pas qu'on en arriverait là.

— Cassez-vous, m'a dit Nigel.

— Si vous avez menti, je finirai par le découvrir.

— Dix ans après ? Bonne chance. Et puis de toute façon, le rapport, ce n'était pas moi. Tout était pratiquement terminé quand je suis arrivé sur les lieux.

— Comment ça ?

— On ne m'a pas appelé en premier, vieux.

— Et qui a-t-on appelé en premier ?

Il a secoué plusieurs fois la tête.

— C'est Mme Collins qui vous envoie, dites-vous ?

Tout à coup, il se souvenait du nom et du fait qu'elle était mariée.

— Oui.

— Elle doit le savoir, elle. Ou alors, demandez à son amie qui a donné l'alerte.

J'ai enregistré l'information.

— Quel était le nom de cette amie ?

— Si je le savais. Vous voulez vous battre contre des moulins à vent ? J'ai juste signé le rapport. Maintenant je m'en fiche. J'ai ma misérable retraite. On peut plus rien contre moi. Oui, bon, je m'en souviens. Je suis arrivé sur les lieux. Sa copine, une femme riche, je sais plus son nom, a appelé quelqu'un de haut placé. Mon supérieur hiérarchique était déjà sur place, un trou du cul nommé Reginald Stubbs, mais celui-là, pas la peine de l'interroger, le cancer a eu sa peau il y a trois ans, merci petit Jésus. Ils ont embarqué le corps de la gamine. La maman a été transportée aux urgences. J'en sais pas plus.

— Vous l'avez vue, la petite fille ?

Il a levé le nez de son verre.

— Hein ?

— Vous dites qu'ils ont embarqué le corps. Je vous demande si vous l'avez vu de vos propres yeux ?

— Il était dans une housse, pardi. Mais avec tout le sang qu'il y avait, j'aurais pas vu grand-chose, même si j'avais regardé.

15

LE MATIN, TERESE ET MOI SOMMES ALLÉS chez Karen Tower, pendant que Win consultait ses avocats pour étudier les moyens légaux d'accéder au dossier de l'accident et – nom d'un chien, je ne voulais même pas y penser – d'exhumer le corps de Miriam.

Prendre un taxi à Londres, contrairement à toutes les autres villes du reste du monde, fait partie des plaisirs simples de la vie. Terese avait l'air étonnamment en forme. Je lui ai raconté mon entrevue au pub avec Nigel Manderson.

— Tu crois que c'est Karen, la femme qui a prévenu les secours ?

— Qui veux-tu que ce soit ?

Elle a hoché la tête sans mot dire. Nous roulions en silence quand soudain Terese s'est penchée en avant.

— Déposez-nous au prochain carrefour.

Le chauffeur s'est arrêté. Elle a continué à pied. Ce n'était pas la première fois que je venais à Londres ; je ne connaissais pas forcément le quartier, mais ce n'était pas l'adresse de Karen Tower. Terese attendait à l'angle. Le soleil commençait à taper. Elle a mis sa main en visière.

— C'est ici que l'accident s'est produit.

Un croisement comme tant d'autres.

— Je ne suis jamais revenue ici.

Je ne voyais pas pourquoi elle y serait revenue, mais je n'ai rien dit.

— J'ai pris cette bretelle de sortie. Je roulais trop vite. Le camion est arrivé par là…

Elle a pointé le doigt.

— J'ai donné un coup de volant, mais…

Je regardais autour de moi comme s'il pouvait rester encore un indice dix ans après, des traces de pneus, que sais-je. Terese s'est remise à marcher. Je l'ai rattrapée.

— La maison de Karen – enfin, je suppose que c'était la maison de Rick et Karen – est juste après ce rond-point sur la gauche.

— Tu comptes t'y prendre comment ?

— Que veux-tu dire ? a-t-elle demandé.

— Préfères-tu que j'y aille seul ?

— Pour quoi faire ?

— Peut-être que je réussirai à la faire parler.

Terese m'a dévisagé.

— J'en doute. Reste à côté de moi, OK ?

La maison de Royal Crescent grouillait de visiteurs. Tous en noir. Je n'y avais pas vraiment réfléchi, mais bien sûr, les gens venaient présenter leurs condoléances à la veuve. Terese a hésité au pied du perron, puis m'a pris fermement la main.

Dès que nous sommes entrés, je l'ai sentie se raidir. J'ai suivi son regard et vu un chien, un bearded collie – je le sais parce que Esperanza en a un tout pareil – roulé en boule sur son coussin dans un coin. Le chien avait l'air vieux et décati ; il ne bougeait pas.

Lâchant ma main, Terese s'est baissée pour le caresser.

— Bonjour, fifille, a-t-elle chuchoté. C'est moi.

L'animal a remué la queue comme si cela lui demandait un immense effort. Le reste du corps est resté immobile. Terese avait les larmes aux yeux.

— C'est Casey, m'a-t-elle dit. Nous l'avons offerte à Miriam quand elle avait cinq ans.

La chienne a réussi à soulever la tête et lui a léché la main. Terese restait agenouillée à côté d'elle. Les yeux de Casey étaient laiteux, voilés par la cataracte. Elle a essayé de replier ses pattes pour se relever. Terese l'a calmée et lui a caressé les oreilles. La vieille chienne continuait à tourner la tête comme pour la regarder en face. Terese s'est rapprochée. C'était un moment de tendresse partagée, et je me suis senti de trop.

— Casey dormait sous le lit de Miriam. Elle s'aplatissait pour ramper dessous, puis se retournait de manière à ce que seule sa tête dépasse. On aurait dit qu'elle montait la garde.

Terese s'est mise à pleurer. Je me suis reculé, la protégeant des regards, pour leur laisser un peu de temps ensemble. Il lui a fallu plusieurs minutes pour se ressaisir. Quand elle s'est relevée, elle m'a pris à nouveau la main.

Nous sommes passés au salon. Il y avait là une quinzaine de personnes qui attendaient de présenter leurs condoléances. Notre arrivée a suscité une vague de murmures et de regards inquisiteurs. Vous pensez bien, l'ex-femme refaisant surface presque dix ans après chez l'épouse actuelle. Voilà qui allait faire jaser dans les chaumières.

Les gens se sont écartés, et une femme élégamment vêtue de noir – la veuve, à tous les coups – s'est avancée à notre rencontre. Elle était jolie, frêle et menue comme une poupée, avec de grands yeux verts. J'ignore à quoi je m'attendais, mais en voyant Terese, son visage a paru s'illuminer. Celui de Terese aussi. Elles se sont souri tristement, comme on sourit à quelqu'un qu'on aime beaucoup, mais qu'on aurait préféré revoir dans de meilleures circonstances.

Karen a ouvert ses bras. Les deux femmes se sont étreintes et sont restées immobiles, serrées l'une contre l'autre. Intrigué un instant, j'ai conclu à une profonde amitié.

Quand elles se sont séparées, Karen lui a fait signe de la tête, et toutes deux se sont dirigées vers la porte. Sans se retourner, Terese a attrapé ma main, si bien que j'ai suivi. Nous avons pénétré dans ce que les Anglais doivent nommer le « living », et Karen a fermé les portes coulissantes. Les deux femmes ont pris place sur le canapé comme on retrouve de vieilles habitudes, le plus naturellement du monde.

Terese s'est tournée vers moi.

— Je te présente Myron.

J'ai tendu la main. Karen Tower l'a serrée dans ses doigts minuscules.

— Toutes mes condoléances, ai-je dit.

— Je vous remercie.

Elle a regardé Terese.

— C'est ton… ?

— C'est compliqué, a répondu Terese.

Karen a hoché la tête.

J'ai pointé mon pouce en arrière.

— Les filles, vous ne voulez pas que j'attende à côté ?

— Non, a dit Terese.

Je suis resté. Personne ne savait par où commencer, mais une chose était sûre : il ne fallait pas compter sur moi pour ouvrir le bal. Alors j'ai attendu, stoïque.

Karen a attaqué bille en tête.

— Où étais-tu, Terese ?

— Un peu partout.

— Tu m'as manqué.

— Tu m'as manqué aussi.

Silence.

— Je voulais te joindre, a dit Karen. Pour t'expliquer. À propos de Rick et de moi.

— Ça n'avait aucune importance.

— C'est ce que Rick m'a dit. C'est arrivé petit à petit. Tu étais partie. Au début, on se retrouvait pour se tenir compagnie. On a mis du temps à passer à autre chose.

— Tu n'as pas à te justifier, lui a dit Terese.

— Oui, peut-être bien.

Karen ne s'excusait pas, ne quémandait ni pardon ni compréhension. Elles étaient sur la même longueur d'onde.

— J'aurais voulu que ça se termine mieux pour vous deux, a repris Terese.

— Nous avons un fils qui s'appelle Matthew. Il a quatre ans.

— C'est ce que j'ai appris.

— Alors comment as-tu su, pour le meurtre ?

— J'étais à Paris.

Karen a eu un léger mouvement de recul.

155

— C'est là que tu as été pendant tout ce temps ?
a-t-elle demandé en battant des cils.

— Non.

— Je ne comprends pas.

— Rick m'a téléphoné, a dit Terese.

— Quand ?

Terese lui a parlé de son coup de fil inattendu. Le visage de Karen, qui ressemblait déjà à un masque mortuaire, est devenu encore plus livide.

— Rick t'a demandé de venir à Paris ?

— Oui.

— Qu'est-ce qu'il voulait ?

— J'espérais que tu pourrais m'éclairer.

Karen a fait non de la tête.

— On ne se parlait pas beaucoup ces temps-ci. On traversait une très mauvaise passe. Rick s'était replié sur lui-même. Je pensais que c'était peut-être parce qu'il enquêtait sur une grosse affaire. Tu sais bien comment il était dans ces moments-là.

— Et ça durait depuis combien de temps ?

— Trois ou quatre mois… depuis la mort de son père.

Terese s'est raidie.

— Sam est mort ?

— Je croyais que tu étais au courant.

— Non.

— L'hiver dernier. Il a avalé une boîte de cachets.

— Sam s'est suicidé ?

— Il était malade, un truc incurable. La plupart du temps, il essayait de nous le cacher. Rick ignorait la gravité de son état. À mon avis, il a décidé de devancer l'inéluctable. Rick était au trente-sixième dessous lorsqu'il s'est attelé à cette nouvelle enquête.

Il s'absentait pour plusieurs semaines d'affilée. Quand je lui demandais où il était, il m'envoyait paître, après quoi il redevenait adorable, mais il ne voulait rien me dire. Ou alors il me racontait des craques.

Terese était encore sous le choc.

— Sam était quelqu'un de tellement gentil…

— Je n'ai pas eu vraiment l'occasion de le connaître, a ajouté Karen. Nous sommes allés le voir deux ou trois fois, et, lui-même, il était trop malade pour venir jusqu'ici.

Terese a dégluti, s'efforçant de retrouver le fil de la conversation.

— Donc Sam se suicide, et Rick se jette à corps perdu dans le boulot.

— Quelque chose comme ça, oui.

— Et il refuse de te parler de son enquête.

— Oui.

— Tu as demandé à Mario ?

— Il ne veut rien me dire.

J'ignorais qui était Mario, mais Terese allait sûrement me mettre au parfum.

Elle était lancée, à présent.

— Et tu n'as aucune idée du sujet sur lequel travaillait Rick ?

Karen a scruté son amie.

— Tu étais bien cachée, Terese ?

— Plutôt, oui.

— C'est peut-être là-dessus qu'il travaillait. Il cherchait à te retrouver.

— Ça ne lui aurait pas pris des mois.

— Tu crois ?

— Et même à supposer que ce soit vrai, pourquoi aurait-il fait ça ?

— Je ne joue pas les femmes jalouses, a dit Karen, mais à mon avis, le suicide de ton père, ça peut remettre en question tes propres choix.

Terese a esquissé une moue.

— Tu penses… ?

Karen a haussé les épaules.

— Impossible, a décrété Terese. Mais même si tu imagines que Rick voulait… je ne sais pas, renouer avec moi, pourquoi m'aurait-il dit que c'était urgent ?

Karen a réfléchi un instant.

— Où étais-tu quand il t'a appelée ?

— Dans un bled paumé du nord-ouest de l'Angola.

— Et quand il a dit que c'était urgent, tu as tout lâché pour le rejoindre, non ?

— Oui.

Karen a écarté les mains comme si ceci expliquait cela.

— Il n'a pas menti pour me faire venir à Paris, Karen.

Karen n'avait pas l'air convaincue. Si, à notre arrivée, je l'avais trouvée triste, maintenant elle semblait abattue. Terese m'a jeté un regard. J'ai hoché la tête.

Il était temps de passer la vitesse supérieure.

Terese a dit :

— J'ai des choses à te demander au sujet de l'accident.

On aurait dit que Karen s'était pris un coup de matraque. Elle a levé la tête, hagarde, l'œil dans le vague. Avait-elle compris au moins de quel accident on lui parlait ? Apparemment oui.

— Quoi donc ?

— Tu étais là. Sur le lieu même, j'entends.

Karen n'a pas répondu.

— Oui ou non ?

— Oui.

Sa réponse a semblé déconcerter Terese.

— Tu ne me l'as jamais dit.

— Pourquoi l'aurais-je fait ? Plus exactement, quand ? On n'a jamais reparlé de cette soirée. Pas une fois. Tu t'es réveillée. Il aurait fallu que je te dise : « Salut, comment ça va ? Ah, au fait, j'étais sur le lieu de l'accident » ?

— Dis-moi ce dont tu te souviens.

— Pourquoi ? Qu'est-ce que ça va changer ?

— Dis-le-moi.

— Je t'aime, Terese. Je t'aimerai toujours.

Elle n'était plus tout à fait la même. Je l'ai vu à son attitude. Une certaine crispation peut-être. La meilleure amie était en train de céder le pas à la rivale.

— Moi aussi, je t'aime.

— Il ne s'est pas passé un jour sans que je pense à toi. Mais tu es partie. Tu avais tes raisons et ton chagrin, et je ne t'en ai pas voulu. Tu es partie, et moi j'ai refait ma vie avec cet homme. Même si nous avions des problèmes, Rick était tout pour moi. Tu comprends ?

— Bien sûr.

— Je l'aimais. Nous avons eu un fils. Matthew n'a que quatre ans. Et son père a été assassiné.

Terese n'a pas bronché.

— Maintenant je dois faire face au deuil, je dois

continuer de vivre vaille que vaille, et de protéger mon enfant. Désolée, mais je ne vais pas parler d'un accident qui remonte à dix ans. Pas aujourd'hui.

Elle s'est levée. Sa réaction semblait parfaitement logique, et cependant quelque chose sonnait faux dans sa voix.

— C'est ce que j'essaie de faire aussi, a dit Terese.

— Quoi ?

— J'essaie de protéger mon enfant.

Air hébété de Karen.

— De quoi tu parles ?

— Qu'est-il arrivé à Miriam ? a interrogé Terese.

Karen l'a dévisagée fixement. Puis elle s'est tournée vers moi, comme en quête d'une once de bon sens. Je me suis efforcé de garder une mine impassible.

— L'as-tu vue ce soir-là ?

Karen Tower n'a rien dit. Elle a ouvert les portes coulissantes et s'est fondue dans la foule de ses visiteurs.

16

APRÈS LE DÉPART DE KAREN, je me suis approché du bureau.

— Qu'est-ce que tu fais ?

— Je fouine.

Le bureau était en acajou massif, avec un coupe-papier en or doublé d'une loupe. Des enveloppes ouvertes dépassaient d'un porte-lettres à l'ancienne. Je n'étais pas très fier de moi, mais je ne m'en faisais pas un monde non plus. J'ai sorti le BlackBerry que Win m'avait donné et qui faisait d'excellentes photos. Puis j'ai entrepris de vider les enveloppes pour photographier leur contenu.

Je suis tombé sur des relevés de banque. Je n'avais pas le temps de tout examiner, mais ce qu'il me fallait surtout, c'étaient les numéros de compte et de cartes bancaires. Il y avait des factures de téléphone (intéressant) et des factures de gaz et d'électricité (sans intérêt). J'ai ouvert les tiroirs et commencé à fourrager dedans.

— Qu'est-ce que tu cherches ? a demandé Terese.

— Une enveloppe avec l'inscription « LA CLÉ DE L'ÉNIGME ».

J'espérais un miracle, évidemment. Quelque chose à propos de Miriam. Des photos peut-être. À défaut, j'avais les factures, les cartes de crédit, les numéros de téléphone. On devrait pouvoir en tirer des informations. J'aurais voulu trouver un agenda, mais il n'y en avait pas.

J'ai découvert des photos, en revanche, de Rick et de Karen avec leur fils Matthew.

— C'est Rick ?

Terese a fait oui de la tête.

Je ne savais pas trop que penser de lui. Il avait un nez proéminent, un regard bleu acier et des cheveux d'un blond sale à mi-chemin entre ondulés et mal coiffés. C'est ça, un homme : quand il voit un ex, il ne peut pas s'empêcher de le jauger. Pris la main dans le sac, j'ai rangé les photos et poursuivi mes recherches. Il n'y avait pas d'autres photos. Pas de fille blonde qu'il aurait cachée pendant des années. Aucune vieille photo de Terese.

Me retournant, j'ai aperçu un ordinateur portable sur une console.

— Combien de temps il nous reste, à ton avis ? ai-je lancé.

— Je surveille la porte.

J'ai allumé le MacBook. Il a démarré en quelques secondes. J'ai cliqué sur l'icône iCal en bas de l'écran. Son agenda s'est affiché. Rien au cours du mois écoulé. À droite, il n'y avait qu'une seule note dans la rubrique « À faire ». Elle disait :

OPALE

HHK

4714

Je ne voyais absolument pas ce que cela voulait dire, mais c'était classé « très urgent ».

— Qu'y a-t-il ? a dit Terese.

J'ai lu l'inscription à voix haute, mais elle ne voyait pas non plus. Le temps jouait contre nous. J'ai hésité à envoyer un mail à Esperanza car cela risquait de laisser des traces. Oui, bon et après ? Win, bien sûr, avait plusieurs adresses électroniques anonymes. J'ai copié le contenu de l'organiseur et du carnet d'adresses pour les lui expédier. Ensuite je suis allé dans « messages envoyés » et les ai supprimés pour effacer toute trace d'effraction.

Malin, non ?

Fouiller dans les affaires d'un homme qui venait de se faire assassiner pendant que sa veuve et son fils recevaient les condoléances de leurs proches dans la pièce voisine. J'étais un vrai héros. Peut-être qu'en sortant je devrais abattre cette bonne vieille Casey d'un coup de fusil.

— Qui est ce Mario dont vous avez parlé toutes les deux ?

— Mario Contuzzi, a dit Terese. C'est l'assistant réalisateur et le meilleur ami de Rick. Ils étaient inséparables.

J'ai cherché son nom dans le carnet d'adresses. Bingo. J'ai rentré le numéro de son domicile et son numéro de portable dans mon répertoire.

On est malin ou on ne l'est pas.

— Sais-tu où se trouve Wilsham Street ?

— C'est à deux pas d'ici. Mario habite toujours à cette adresse ?

J'ai hoché la tête et composé le numéro de son domicile. Un homme à l'accent américain a répondu :

163

— Allô ?

J'ai raccroché.

— Il est chez lui.

J'espère que les détectives amateurs ne manqueront pas de prendre des notes.

— On devrait y aller.

J'ai rapidement ouvert iPhoto. Il y avait plein de photos, mais rien d'intéressant. Je ne pouvais pas les transférer toutes, cela aurait pris trop de temps. C'étaient des photos banales à pleurer. Karen, radieuse, à côté de son homme. Rick aussi avait l'air heureux. Tous deux rayonnaient, avec leur fils dans les bras. Ce logiciel, iPhoto, permet de faire défiler les images sous forme de diaporama. J'ai visionné ainsi *Matthew est né !*, *Le Premier anniversaire* et plusieurs autres. Les images d'un bonheur ordinaire.

Je me suis arrêté sur une photo récente dans *Finale de foot de papa*. Rick et Matthew arboraient tous deux les couleurs de Manchester United. Souriant, Rick serrait son fils contre sa cuisse. Il dégoulinait de sueur ; on le sentait hors d'haleine et jubilant. Blotti contre son père, Matthew, déguisé en gardien de but – gants énormes et œil charbonneux –, s'efforçait de prendre un air sérieux. Désormais, ce gamin grandirait sans le sourire de son père ; j'ai songé à Jeremy, un autre garçon qui avait grandi sans son père, ainsi qu'à mon propre père que j'adorais et dont je ne pouvais me passer… et là-dessus, j'ai refermé le fichier.

Nous nous sommes faufilés jusqu'à la porte d'entrée sans dire au revoir. Me retournant, j'ai aperçu le petit Matthew recroquevillé dans un fauteuil. Il portait un costume sombre.

À quatre ans, on n'a pas à revêtir un costume sombre. À quatre ans, on parade en panoplie de gardien de but aux côtés de son papa.

Mario Contuzzi a ouvert la porte sans demander qui c'était. Maigre et musculeux, il m'a fait penser à un braque de Weimar. Il a avancé son visage étroit vers Terese.

— Tu ne manques pas de culot.

— Moi aussi, je suis contente de te voir, Mario.

— Je viens de recevoir un appel d'un ami qui se trouve chez Karen. Il dit que tu t'es pointée là-bas à l'improviste. C'est vrai ?

— Oui.

— Mais qu'est-ce que tu t'imagines ?

D'un geste brusque, il a tourné la tête vers moi.

— Et pourquoi as-tu amené ce trouduc, nom d'un chien ?

— On se connaît ? ai-je demandé.

Mario portait des lunettes à monture d'écaille – dans le genre je me la joue –, un pantalon noir et une chemise blanche qu'il n'avait pas fini de boutonner.

— Je n'ai pas le temps. Allez-vous-en, s'il vous plaît.

— Je dois te parler, a dit Terese.

— Trop tard.

— Qu'entends-tu par là ?

Il a écarté les bras.

— Tu es partie, Terese, l'aurais-tu déjà oublié ? Tu avais tes raisons, soit. C'était ton choix. Mais tu es partie, et maintenant qu'il est mort, tu as envie tout à coup de tailler une bavette ? Laisse tomber. Je n'ai rien à te dire.

165

— C'est de l'histoire ancienne.

— Justement, parlons-en. Rick t'a attendue, le sais-tu au moins ? Deux ans il t'a attendue. Tu étais en pleine dépression, c'était compréhensible, mais ça ne t'a pas empêchée de t'envoyer en l'air avec M. Basket-ball.

Il a pointé le pouce sur moi. Alors comme ça, j'étais M. Basket-ball.

— Rick était au courant ? a demandé Terese.

— Évidemment. On te croyait anéantie, vulnérable. On gardait un œil sur toi. À mon avis, Rick espérait que tu reviendrais. Au lieu de quoi, tu te barres dans une île pour un tête à tête crapuleux avec Face de cerceau.

À nouveau il m'a pointé du pouce. Maintenant j'étais Face de cerceau.

— Vous me surveilliez ? a interrogé Terese.

— On t'avait à l'œil, oui.

— Depuis combien de temps ?

Il n'a pas répondu. Soudain, il fallait absolument qu'il rajuste sa manche.

— Combien de temps, Mario ?

— On a toujours su où tu te trouvais. Je ne dis pas que c'était un sujet de discussion quotidien entre nous, et puisque tu étais depuis six ans dans ce camp de réfugiés, ce n'est pas comme si on passait notre temps à te fliquer. Mais nous savions. C'est pour ça que je m'étonne de te voir avec Bozo le roi du ballon. Nous pensions que tu avais largué ce bouffon depuis belle lurette.

Il a brandi son pouce sous mon nez.

— Mario ? ai-je dit.

Il m'a regardé.

— Pointez-le encore une fois, ce pouce, et il finira dans votre côlon.

— La terreur du préau, a-t-il ricané. On se croirait de retour au bahut.

J'aurais bien voulu en découdre avec lui, mais on n'était pas venus pour ça.

— Nous avons des questions à vous poser.

— Et je suis censé y répondre ? Vous êtes bouché ou quoi ? Elle était mariée à mon meilleur ami, et tout à coup la voilà qui baise avec vous sur cette île déserte. Savez-vous ce que ça lui a fait ?

— Mal ? ai-je dit.

Ça lui a cloué le bec. Il s'est retourné vers Terese.

— Écoute, je ne voulais pas piquer une crise, mais tu n'as rien à faire ici. Entre Rick et Karen, c'était du solide. Toi, ça fait longtemps que tu as tourné la page.

J'ai regardé Terese. Elle s'efforçait tant bien que mal de garder son calme.

— Il m'en a voulu ? a-t-elle demandé.

— De quoi ?

Elle n'a pas répondu.

L'épaule de Mario est retombée en même temps que sa colère. Sa voix s'est radoucie.

— Non, Terese, il ne t'en a jamais voulu. Jamais, tu entends ? Moi, si… parce que tu l'avais quitté et… oui, je sais, je n'ai pas le droit de te juger. Et lui ne l'a pas fait, jamais, pas une seconde.

Elle continuait à se taire.

— Il faut que j'aille me préparer. Je dois aider Karen pour les arrangements. Arrangements… Comme si c'était un choral. Quel mot débile.

Terese semblait encore un peu groggy, alors j'ai pris le relais.

— Qui a pu le tuer, vous avez une idée ?

— C'est nouveau, Bolitar, vous êtes dans la police, maintenant ?

— Nous étions à Paris quand il a été assassiné, ai-je dit.

Il a regardé Terese.

— Tu as vu Rick ?

— On ne m'en a pas laissé l'occasion.

— Mais il t'a contactée ?

— Oui.

— Zut.

Mario a fermé les yeux. Il ne nous avait toujours pas invités à entrer, mais j'ai forcé le passage en quelque sorte, et il s'est effacé. Je m'attendais – je ne sais pas pourquoi – à trouver un intérieur de célibataire, or il y avait des jouets par terre et un parc pour bébé dans un coin. Des biberons vides s'alignaient sur le comptoir de la cuisine américaine.

— J'ai épousé Ginny, a-t-il dit à Terese. Tu vois qui c'est ?

— Bien sûr. Je suis très heureuse pour toi, Mario.

Il a marqué une pause pour se calmer, reprendre ses esprits.

— On a trois gosses. On n'arrête pas de dire qu'on va acheter plus grand, mais on est bien ici. Et l'immobilier à Londres, c'est de la folie.

Nous étions plantés tous les trois au milieu de la pièce.

— Donc Rick t'a appelée ? a demandé Mario à Terese.

— Oui.

Il a secoué la tête.

J'ai fini par rompre le silence.

— Connaissez-vous quelqu'un qui aurait pu souhaiter sa mort ?

— Rick était l'un des meilleurs journalistes d'investigation du monde. Beaucoup de gens avaient une dent contre lui.

— Quelqu'un en particulier ?

— Non, pas vraiment. Surtout, je ne vois pas ce que vous venez faire là-dedans.

J'étais prêt à lui expliquer, mais le temps pressait.

— Soyez gentil, accordez-nous encore une minute.

— Gentil ? Et pourquoi serais-je gentil avec vous ?

Terese a dit :

— S'il te plaît, Mario. C'est important.

— Parce que tu l'as décidé ?

— Tu me connais. Si je le demande, c'est parce que c'est important, tu le sais bien.

Il a paru hésiter.

— Mario ?

— Que veux-tu savoir ?

— Sur quoi Rick travaillait-il avant sa mort ?

Mario a regardé ailleurs, se mordillant la lèvre inférieure.

— Il y a quelques mois, il a entrepris d'enquêter sur une association caritative qui s'appelle Sauvez les anges.

— Qu'est-ce que c'est ?

— Franchement, je n'en sais trop rien. Au début, c'était un groupe évangélique, style Laissez-les vivre, contre l'avortement, le planning familial, la recherche sur les cellules souches et *tutti quanti*. Puis le groupe s'est disloqué. Rick voulait recueillir un maximum de données sur ces gens-là, c'était devenu une obsession.

— Il a trouvé quelque chose ?

— Rien de spécial, à ma connaissance. Leur structure financière est un peu bizarre. On ne sait pas d'où vient leur argent. À vrai dire, leur affaire semble sérieuse. Je ne vais pas entrer dans le débat du « pour ou contre l'avortement », mais, à mon avis, les deux camps devraient admettre que l'adoption est une solution viable. C'était ça, leur cheval de bataille. Plutôt que de faire sauter des cliniques, Sauvez les anges milite pour que les grossesses non désirées soient menées à leur terme et qu'ensuite les gosses soient adoptés.

— Et pourquoi Rick s'intéressait-il à eux ?

— Ça, je n'en sais rien.

— Qu'est-ce qui l'a motivé pour commencer son enquête ?

— Encore une fois, je ne peux rien affirmer avec certitude.

Il a terminé sa phrase dans un murmure.

— Mais tu as ta petite idée là-dessus.

— Ç'a commencé après la mort de son père.

Mario a regardé Terese.

— Tu es au courant pour Sam ?

— Karen m'a dit.

— Huntington.

Terese a eu l'air choquée.

— Sam avait la maladie de Huntington ?

— Ça t'étonne, hein ? Il l'avait cachée, mais quand ça s'est aggravé, eh bien, il n'a pas voulu subir la lente dégradation. Il a préféré prendre la sortie de secours.

— Mais… comment… ça ne m'a jamais effleurée.

— Rick non plus. Ni Sam d'ailleurs, sauf à la fin.

— Comment est-ce possible ?

— Tu sais ce que c'est, la chorée de Huntington ? a demandé Mario.

— J'avais traité ce sujet à l'antenne, a-t-elle répondu. C'est purement héréditaire. L'un des parents doit être porteur du gène. Et si c'est le cas, on a une chance sur deux de contracter la maladie.

— Tout à fait. On pense que le père de Sam – le grand-père de Rick – l'avait, mais il est mort pendant le débarquement allié en Normandie, avant que la maladie n'ait eu le temps de se déclarer. Du coup, Sam n'était pas au courant.

— Rick s'est-il fait examiner ?

— Je ne sais pas. Il n'a pas tout dit non plus à Karen… juste que son père était atteint d'une maladie incurable. Mais il est resté un bon moment aux États-Unis. Pour trier les affaires de son père, je pense, régler la succession, tout ça. C'est là qu'il est tombé sur cette association, Sauvez les anges.

— Comment ?

— Aucune idée.

— Tu dis qu'ils sont contre la recherche sur les cellules souches. Il n'y aurait pas par hasard un lien avec Huntington ?

— Peut-être bien, mais Rick voulait surtout que je me penche sur leur système de financement. Suivez l'argent. La vieille devise, quoi. Il lui fallait un maximum d'infos sur l'association, sur ses dirigeants… jusqu'au jour où il m'a dit de lâcher l'affaire.

— Il a abandonné l'enquête ?

— Non. Il voulait que j'arrête, moi. Pas lui. Moi tout seul.

— Et tu sais pourquoi ?

— Pas vraiment. Il est venu récupérer tous mes dossiers et il a dit un truc bizarre.

Le regard de Mario est allé de Terese à moi.

— Il a dit : « Fais attention, tu as une famille. » Évidemment, j'ai répondu : « Toi aussi. » Mais il n'a rien voulu entendre. J'ai bien vu qu'il était extrêmement perturbé. Tu le connais, Terese. Il n'avait peur de rien.

— C'est ce que j'ai senti au téléphone, a-t-elle répondu.

— J'ai essayé de le faire parler, je voulais qu'il se confie à moi. Sans succès. Il est reparti en trombe, et je n'ai plus eu de nouvelles. Jusqu'à ce coup de fil, aujourd'hui.

— Tu sais où sont ces dossiers ?

— Normalement, il gardait des copies au bureau.

— Ce serait bien si on pouvait y jeter un coup d'œil.

Il s'est borné à la dévisager.

— S'il te plaît, Mario. Je ne te le demanderais pas si ce n'était pas important.

Bien que contrarié, il semblait avoir compris.

— J'irai voir sur place demain à la première heure, OK ?

J'ai regardé Terese. Jusqu'où pouvions-nous aller ? Cet homme avait été un intime de Rick Collins. C'était donc à elle de jouer.

— Rick aurait-il parlé de Miriam récemment ? a-t-elle demandé.

Mario a levé les yeux. Comme il tardait à répondre,

j'ai cru qu'il réfléchissait à ce qu'il allait dire. Mais il s'est contenté d'un simple :

— Non.

Nous avons attendu la suite. Il n'y en a pas eu.

— À mon avis, a dit Terese, il existe une chance que Miriam soit toujours en vie.

Bien sûr, il y a des gens qui mentent, qui jouent la comédie, qui vous jettent de la poudre aux yeux. J'en ai trop vu qui fonctionnaient sur ce mode, soit parce qu'ils finissaient par croire à leurs propres affabulations, soit parce que c'étaient d'authentiques psychopathes. Si Mario soupçonnait que Miriam était en vie, il appartenait forcément à l'un ou l'autre camp.

Son visage s'est plissé comme s'il avait mal entendu. Une note de colère s'est glissée dans sa voix.

— Qu'est-ce que tu racontes ?

Mais le dire à haute voix semblait avoir épuisé Terese. J'ai pris la parole et, choisissant mes mots pour rester crédible, j'ai expliqué à Mario les tests sanguins et les cheveux blonds. Je n'ai pas dit que je l'avais vue. Mon histoire était déjà assez insensée telle quelle. Le mieux était de la présenter sous un angle scientifique – les analyses ADN – plutôt que d'invoquer mon intuition fondée sur sa façon de marcher ou sur l'image granuleuse de la vidéosurveillance.

Il est resté silencieux pendant un long moment. Puis :

— Le labo a dû se tromper.

Nous n'avons répondu ni l'un ni l'autre.

— Attendez un peu, ils croient que c'est vous qui avez tué Rick, hein ?

173

— Au départ, la police a soupçonné Terese d'être mêlée à l'assassinat, oui.

— Et vous-même, Bolitar ?

— J'étais dans le New Jersey quand il a été assassiné.

— Donc ils pensent que c'est Terese.

— Oui.

— Et vous connaissez les flics. Leur truc, c'est de manipuler les gens. Quoi de mieux que de vous faire croire que votre fille décédée est toujours en vie ?

J'ai esquissé une moue.

— En quoi ça les aiderait à l'inculper ?

— Qu'est-ce que j'en sais ? Voyons, Terese ! D'accord, c'est ton vœu le plus cher. C'est aussi le mien, pardi. Mais comment serait-ce possible ?

— Une fois qu'on a éliminé l'impossible, ce qui reste, aussi improbable que cela soit, doit être la vérité, ai-je dit.

— Sir Arthur Conan Doyle, a opiné Mario.

— Eh oui.

— Vous êtes prêt à aller jusque-là, Bolitar ?

— Je suis prêt à aller aussi loin qu'il le faudra.

17

NOUS AVIONS FAIT CENT MÈTRES QUAND TERESE A DIT :

— J'ai besoin d'aller sur la tombe de Miriam.

Nous avons trouvé un autre taxi ; le trajet s'est déroulé en silence. Arrivés à l'enceinte du cimetière, nous sommes descendus devant le portail. Il y a toujours un mur d'enceinte et un portail dans un cimetière. Pour garder quoi ?

— Tu veux que j'attende dehors ? ai-je demandé.

— Oui.

Je suis donc resté à l'entrée, comme si je craignais de fouler la terre consacrée, ce qui était probablement le cas. Je gardais un œil sur Terese pour des raisons de sécurité, mais, lorsqu'elle s'est agenouillée, j'ai pivoté sur moi-même et je me suis éloigné. Je songeais à ce qui devait se passer dans sa tête, aux images qui défilaient devant ses yeux. Ce qui n'était pas une bonne idée ; du coup j'ai appelé Esperanza à New York.

Elle a répondu au bout de six sonneries.

— Et le décalage horaire, boulet ?

J'ai regardé ma montre. Il était cinq heures du matin à New York.

— Oups.

— Bon, qu'est-ce qu'il y a ?

J'ai décidé de me mettre à table. Je lui ai parlé de l'ADN et de l'adolescente blonde.

— C'est sa fille ?

— J'en ai bien l'impression.

— Quel foutoir, a commenté Esperanza.

— Comme vous dites.

— Et qu'attendez-vous de moi ?

— J'ai pris un paquet de photos – factures de cartes bancaires, téléphone et autres – que j'ai envoyées par mail. Ah, et puis il y a quelque chose à propos d'opales dans la rubrique « À faire ».

— Opale comme la pierre ?

— Aucune idée. Ça pourrait être un code.

— Je suis nulle en codes.

— Moi aussi, mais on ne sait jamais. De toute façon, voyons d'abord ce que Rick Collins avait derrière la tête. Par ailleurs, son père s'est suicidé.

Je lui ai donné ses nom et adresse.

— On pourrait jeter un œil là-dessus.

— Sur le suicide ?

— Oui.

— Pour quoi faire ?

— Je ne sais pas, au cas où il y aurait anguille sous roche.

Il y a eu un silence. Je me suis remis à marcher.

— Esperanza ?

— Moi, je l'aime bien.

— Qui ça ?

— Margaret Thatcher. De qui parle-t-on ? Terese,

banane. Et vous me connaissez. Je déteste toutes vos copines.

— Vous aimez bien Ali.

— Exact. C'est quelqu'un de bien.

— Est-ce que j'entends un « mais » ?

— Mais elle n'est pas faite pour vous.

— Pourquoi donc ?

— Il n'y a pas d'impondérables, a-t-elle répondu.

— Ça veut dire quoi ?

— Qu'est-ce qui a fait de vous un athlète d'exception ? Pas un bon athlète. Je veux parler du plus haut niveau, sélection nationale, tout ça.

— Dons, travail acharné, génétique.

— Vous n'êtes pas le seul dans ce cas. Ce qui vous distingue – ce qui distingue les meilleurs des seconds couteaux –, ce sont les impondérables.

— Et Ali et moi ?

— Zéro impondérable.

J'ai entendu en arrière-fond les pleurs d'un bébé. Hector, le fils d'Esperanza, était âgé de dix-huit mois.

— Il ne fait toujours pas ses nuits, a dit Esperanza. Vous imaginez ma joie quand vous avez appelé.

— Désolé.

— Je m'occupe de tout. Faites attention à vous. Dites à Terese qu'elle tienne bon. On va régler ça.

Elle a raccroché. J'ai contemplé le téléphone. D'habitude, Win et Esperanza détestent me savoir mêlé à ce genre d'histoire. Et là, tout à coup, ils ne trouvaient rien à y redire. Bizarre.

Sur le trottoir d'en face, un homme avec des lunettes de soleil, des Converse noires et un T-shirt vert marchait d'un pas nonchalant. Mes antennes se sont dressées. Il était brun, les cheveux en brosse, et basané… genre latino, arabe, grec voire italien.

Il a tourné au coin. J'ai attendu de voir s'il allait reparaître. Et s'il n'y avait pas quelqu'un d'autre dans les parages. Il y avait bien des passants, mais aucun n'a mis mes sens en alerte.

Lorsqu'elle m'a rejoint, Terese avait les yeux secs.

— On prend un taxi ?

— Tu connais le quartier ? lui ai-je demandé.

— Oui.

— Il y a une station de métro pas loin ?

Elle a hoché la tête. Nous nous sommes mis en chemin. Elle ouvrait la marche.

— Je sais bien que c'est la question la plus idiote depuis l'aube de l'humanité, ai-je commencé, mais est-ce que ça va ?

Terese a acquiescé. Puis :

— Tu crois au surnaturel ?

— Genre ?

— Esprits, fantômes, pouvoirs extrasensoriels, tout ça.

— Non. Pourquoi, tu y crois, toi ?

Elle n'a pas répondu directement.

— C'est la deuxième fois seulement que je me rends sur la tombe de Miriam.

J'ai inséré ma carte de crédit dans le distributeur de tickets, lui laissant le soin d'appuyer sur les bonnes touches.

— J'ai horreur de cet endroit. Pas parce qu'il me déprime. Mais parce que je ne ressens rien. On se dit que toute cette douleur, toutes les larmes qu'on a pu verser ici… jamais tu n'as pris le temps d'y réfléchir, dans un cimetière ? Combien de gens ont pleuré.

178

Combien de gens ont dit adieu à un être cher. On se dit que toute cette souffrance humaine se condense en microparticules pour former comme une sorte de vibration négative. Un fourmillement dans les os peut-être, un picotement glacé sur la nuque.

— Mais tu ne l'as jamais ressenti.

— Jamais. L'idée même d'enterrer les morts et de marquer l'emplacement d'une pierre... je trouve que c'est du gâchis, la survivance d'une vieille superstition.

— Pourtant, ai-je dit, tu as voulu y retourner.

— Pas pour me recueillir.

— Pourquoi alors ?

— Ça va te paraître aberrant.

— Vas-y quand même.

— Je voulais revenir pour voir s'il n'y avait rien de changé depuis dix ans. Pour voir si, cette fois, je ressentirais quelque chose.

— Ce n'est pas si aberrant que ça.

— Pas « ressentir » au sens propre. Je m'exprime mal. Je pensais que le fait de venir ici pourrait nous aider.

— De quelle manière ?

Terese n'a pas ralenti le pas.

— Voilà. J'imaginais...

Elle a dégluti.

— Quoi ?

Elle a cligné des yeux sous le soleil.

— Moi non plus, je ne crois pas au surnaturel... mais tu sais à quoi je crois ?

J'ai haussé les épaules.

— Je crois au lien mère-enfant. Je ne sais pas le dire autrement. Je suis sa mère. L'humanité ne connaît pas de lien plus puissant, n'est-ce pas ? L'amour d'une mère est plus fort que tout. Je devrais donc ressentir *quelque chose*, d'une façon ou d'une autre. Je devrais, face à cette pierre tombale, savoir si ma propre fille est en vie ou pas. Tu vois ce que je veux dire ?

Mon premier réflexe a été de balayer ses paroles d'un désinvolte : « Franchement ! » ou : « Arrête de te prendre la tête. » Mais je me suis retenu. J'ai un fils, du moins d'un point de vue biologique. Il est adulte à présent et fait son service : c'est sa deuxième mission, à Kaboul cette fois. Je me fais du souci pour lui et, sans y croire vraiment, je me dis que, s'il lui arrivait malheur, je le saurais. Je le sentirais, genre un grand froid dans ma poitrine ou autre niaiserie.

— Je vois ce que tu veux dire.

Nous avons pris un escalator qui m'a paru interminable. J'ai jeté un regard en arrière. Aucun signe de l'homme aux lunettes noires.

— On fait quoi maintenant ? a demandé Terese.

— On rentre à l'hôtel. Tu vas t'occuper de ce qu'on a trouvé chez Karen. Réfléchis à cette histoire d'opales, vois où ça te mène. Esperanza t'enverra par mail les infos qu'elle aura récoltées. Il est arrivé quelque chose à Rick récemment… quelque chose qui a changé sa vie et qui l'a poussé à te contacter. Le mieux à faire pour l'instant, c'est de découvrir qui l'a tué, pourquoi, et sur quoi il travaillait ces temps-ci. Plonge-toi dans ses fichiers ; il y a peut-être un truc qui va te sauter aux yeux.

— Et Karen, tu penses quoi de notre conversation avec elle ?

— Vous étiez proches, n'est-ce pas ?

— Oui, très.

— Alors, pour le dire poliment, je n'ai pas l'impression qu'elle soit d'une franchise absolue. Et toi ?

— Jusqu'à ce jour, je t'aurais répondu que je lui faisais confiance comme à moi-même. Mais tu as raison. Elle nous cache quelque chose.

— Quoi, à ton avis ?

— Aucune idée.

— On va procéder autrement. Revenons en arrière... raconte-moi tout ce dont tu te souviens à propos de l'accident.

— Tu crois que je ne t'ai pas tout dit ?

— Bien sûr que non. Mais avec tout ce que tu as appris aujourd'hui, il y a peut-être des points qui diffèrent.

— Non, je ne vois pas.

Elle a regardé au-dehors, mais on n'y voyait que l'obscurité mouvante du tunnel.

— Voilà dix ans que j'essaie d'oublier cette soirée.

— Je comprends.

— Non, tu ne comprends pas. Depuis dix ans, je me la repasse dans la tête chaque jour que Dieu fait.

Je n'ai rien dit.

— Je l'ai examinée sous tous les angles. J'ai pesé tous les « si seulement » : si seulement j'avais roulé moins vite, pris un autre chemin, si je l'avais laissée à la maison, si je n'avais pas eu cette putain d'ambition, tout. Je n'ai pas d'autres souvenirs.

Nous sommes descendus sur le quai et nous sommes dirigés vers la sortie.

Dans le hall de l'hôtel, mon portable s'est mis à vibrer. C'était un message de Win :

RAMÈNE TERESE DANS LA SUITE, PUIS VA DANS LA CHAMBRE 118. SEUL.

Deux secondes plus tard, il ajoutait :

ET SOIS GENTIL DE M'ÉPARGNER UN COMMENTAIRE DOUTEUX CONCERNANT LE TERME « SEUL ».

Win est l'unique individu que je connaisse à être plus verbeux dans ses textos qu'en direct. J'ai raccompagné Terese à la suite. Le salon était équipé d'un ordinateur portable avec un accès Internet.

— Commence peut-être par jeter un œil sur cette association caritative, Sauvez les anges.

— Où vas-tu ? a-t-elle demandé.

— Je redescends. Win voudrait me parler.

— Je ne peux pas venir ?

— Il veut me voir seul à seul.

— Je n'aime pas beaucoup ça, a dit Terese.

— Moi non plus, mais je préfère ne pas le contrarier.

— Il est cinglé comment ?

— Win est parfaitement sain d'esprit. Il est juste trop rationnel. Il voit le monde en noir et blanc.

Et j'ai ajouté :

— Il serait plutôt du genre « la fin justifie les moyens ».

— Les moyens qu'il emploie sont quelquefois extrêmes, a-t-elle dit.

— C'est vrai.

— Je me souviens, quand je t'ai aidé à trouver un donneur.

Je me suis tu.

— Il ne cherche pas à me ménager, n'est-ce pas ?

— Win, ménager une femme ?

J'ai mimé une balance avec mes mains.

— Je doute que ça fasse partie de son système de fonctionnement.

— Vas-y alors.

— OK.

— Tu me tiendras au courant ?

— Je ne crois pas. Si Win souhaite te garder en dehors de ça, c'est qu'il a ses raisons. Là-dessus, tu dois lui faire confiance.

Elle a approuvé d'un hochement de tête.

— Je vais faire un brin de toilette, puis j'attaque les recherches sur Internet.

— Ça marche.

Elle s'est dirigée vers sa chambre. J'ai posé la main sur la poignée de la porte.

— Myron ?

J'ai pivoté vers elle. Elle me faisait face – belle, forte et vulnérable –, comme si elle se préparait à recevoir un coup, et j'ai eu envie de me précipiter à sa rescousse.

— Quoi ?

— Je t'aime, a-t-elle dit.

Comme ça, de but en blanc. Face à moi. Belle, forte et vulnérable. Mon cœur a jailli hors de ma poitrine. Pétrifié, je me suis momentanément trouvé privé de l'usage de la parole.

— Je sais que le moment est très mal choisi, et je ne veux pas que ça vienne parasiter notre enquête. Mais d'une façon ou d'une autre, que Miriam soit en vie ou que tout cela soit une terrible mascarade, sache-le, je t'aime. Et quand ce sera terminé, quelle que soit l'issue, par-dessus tout je désire nous donner une chance, à toi et moi.

J'ai ouvert la bouche, je l'ai refermée. Puis :

— Je suis plus ou moins pris.

— Je sais. Le moment est doublement mal choisi. Mais ça ne fait rien. Si tu l'aimes, on n'en parlera plus. Sinon, je serai là.

Sans attendre de réponse, Terese a poussé la porte et disparu dans la chambre.

18

J'AI TITUBÉ VERS LES ASCENSEURS.

Comment c'était, cette chanson de Snow Patrol sortie il y a deux ou trois ans ? Ces trois mots, qui disent beaucoup, qui ne suffisent pas.

Foutaises. Ça suffisait.

J'ai songé à Ali là-bas, en Arizona. J'ai songé à Terese m'avouant à l'instant qu'elle m'aimait. Elle avait probablement raison : ce n'était pas le moment. Mais c'était là. Et ça me rongeait.

Les stores étaient baissés dans la chambre 118.

J'ai tendu la main vers l'interrupteur avant de me raviser. Assis dans un fauteuil moelleux, Win faisait tinter des glaçons dans un verre. L'alcool ne semblait avoir aucun effet sur lui, mais tout de même, il était bigrement tôt pour boire.

J'ai pris place en face de lui. Nous étions amis depuis très longtemps. Je me souviens d'avoir vu sa photo dans le trombinoscope des premières années le jour même de mon arrivée à Duke. La légende le présentait comme étant Windsor Horne Lockwood III en provenance d'une quelconque école privée ultrahuppée de Philadelphie. Il arborait une chevelure impeccable et un air hautain. Mon père et moi venions de monter tout mon barda au quatrième étage de la résidence. C'était mon père tout craché. Il m'avait conduit jusqu'en Caroline du Nord sans rouspéter, il avait insisté pour porter mes bagages les plus lourds, et nous avions fait une pause pour souffler. En feuilletant le trombinoscope, je lui avais montré la photo de Win.

— Regarde-le, celui-là, papa. Je parie que je n'aurai jamais l'occasion de le croiser en quatre ans.

Je me trompais, bien sûr.

Longtemps, j'avais cru Win indestructible. Il avait tué plus d'un homme, mais jamais sans raison valable, aussi monstrueux que cela puisse sembler. Néanmoins, l'âge est passé par là. Ce qui paraît pointu et excentrique à vingt ou trente ans devient pathétique à quarante.

— On aura du mal à obtenir le permis d'exhumer, a annoncé Win. En l'absence de motif légitime.

— Et le test ADN ?

— Les autorités françaises refusent de communiquer les résultats. J'ai aussi tenté l'approche la plus directe : le dessous-de-table.

— Aucun preneur ?

— Pas encore. Ça viendra, mais il va falloir du temps, et le temps, c'est ce qui nous manque.

J'ai réfléchi quelques secondes avant de demander :

— Tu as une idée ?

— Oui.

— Je t'écoute.

— On achète des fossoyeurs. On fait ça nous-mêmes cette nuit, ni vu ni connu. On n'a besoin que d'un tout petit échantillon. On l'expédie dans notre labo, on compare l'ADN avec celui de Terese et…

Il a levé son verre.

— … le tour est joué.

— C'est glauque, ai-je dit.

— Et efficace.

— Tu crois que c'est nécessaire ?

— C'est-à-dire ?

— Nous connaissons déjà le résultat.

— Explique-moi.

— J'ai entendu la voix de Berléand. Il a beau dire « prématuré » et « peu probant », nous pensons tous les deux la même chose. J'ai vu cette fille sur la vidéo. OK, de loin et pas son visage. Mais elle marchait comme sa mère, si tu vois ce que je veux dire.

— Elle a le postérieur de sa mère ? s'est enquis Win. Ça, ce serait une preuve irréfutable.

Je me suis borné à le regarder.

Il a poussé un soupir.

— Bon, d'accord, une attitude ou un tic, c'est souvent plus parlant que les traits du visage ou la taille.

— C'est ça. Il faut le faire quand même, ai-je ajouté en repensant à l'axiome holmesien de l'élimination de l'impossible. À l'arrivée, la solution la plus évidente reste une erreur du labo de Berléand. Mais nous devons en être sûrs.

— Je suis d'accord.

Je détestais l'idée de violer une sépulture, surtout d'un être emporté si jeune, mais j'ai dit à Win qu'il avait le feu vert.

— C'est pour ça que tu voulais me voir seul ?

— Non.

Win a bu une grande gorgée, s'est levé pour remplir son verre. Il n'a pas pris la peine de m'en proposer. Malgré mon mètre quatre-vingt-dix et mes presque cent dix kilos, je tiens l'alcool à peu près aussi bien qu'une gamine de seize ans le soir de sa première teuf.

— Tu as vu la vidéo de la fille blonde à l'aéro-port ? m'a-t-il demandé.

— Oui.

— Elle était avec l'homme qui t'a agressé. L'homme de la photo.

— Tu le sais bien.

— En effet.

— Alors où est le problème ?

Win a pressé une touche de son téléphone mobile et l'a porté à son oreille.

— Voulez-vous venir, s'il vous plaît ?

La porte qui reliait le 118 à la chambre voisine s'est ouverte. J'ai vu apparaître une grande femme en tailleur-pantalon bleu marine, avec une chevelure aile-de-corbeau et des épaules de docker. Elle a cillé et, mettant la main devant ses yeux :

— Pourquoi fait-il si sombre ici ?

Elle avait l'accent anglais. Connaissant Win, j'ai pensé que cette femme était une… bref, une Moa, si vous préférez. En fait, pas du tout. Elle a traversé la pièce et s'est assise sur l'ottomane.

— Je te présente Lucy Probert, a dit Win. Elle travaille pour Interpol ici, à Londres.

J'ai répondu un truc tarte du genre : « Ravi de vous connaître. » Elle a scruté mon visage comme si

188

c'était une peinture abstraite qu'elle avait du mal à décrypter.

— Dites-lui, a ajouté Win.

— Win m'a fait parvenir la photographie de l'homme que vous avez agressé.

— Je ne l'ai pas agressé. Il me menaçait avec son arme.

Lucy Probert a balayé mes protestations d'un geste impatient.

— Mon service à Interpol traite du trafic international d'enfants. Si vous pensez que notre monde est malade, croyez-moi, c'est pire que vous ne l'imaginez. Les crimes dont je m'occupe… c'est inouï, ce que certains rêveraient de faire aux plus vulnérables. Dans notre combat contre cette perversion, votre ami Win s'est révélé être un allié inestimable.

J'ai jeté un coup d'œil sur ledit ami ; comme toujours, son visage demeurait impénétrable. Longtemps, Win avait été – faute de meilleure définition – une sorte de justicier. Il sortait tard le soir et écumait les rues les plus malfamées de New York ou de Philadelphie dans l'espoir de se faire attaquer et de pouvoir en découdre avec ceux qui cherchaient des proies faciles. S'il entendait parler d'un pédophile qui s'en était tiré en profitant de quelque brèche juridique, ou d'un auteur de violences conjugales qui avait obligé sa femme à se rétracter, il leur rendait ce que nous appelions une « visite nocturne ». Il y avait eu l'affaire de ce type qui avait kidnappé une fillette, mais que la police avait dû relâcher faute de preuves. Win lui avait rendu une visite nocturne. Le type avait avoué. On avait retrouvé la fillette, mais elle était déjà morte. Nul ne sait ce qu'est devenu l'homme en question.

Je croyais que Win avait arrêté ou du moins levé le pied, mais apparemment ce n'était pas le cas. Il multipliait les déplacements à l'étranger. C'était un « allié inestimable » dans la lutte contre le trafic d'enfants.

— Alors quand Win m'a demandé une faveur, a poursuivi Lucy, je n'ai pas pu refuser. D'ailleurs, sa requête semblait suffisamment anodine : entrer la photo que le capitaine Berléand vous avait envoyée dans notre fichier pour identifier l'individu. Une pure formalité, vous êtes d'accord ?

— Oui.

— Eh bien, non. À Interpol, nous avons des tas de façons d'identifier quelqu'un d'après sa photo. Le logiciel de reconnaissance faciale, par exemple.

— Madame Probert ?

— Oui ?

— Je n'ai pas besoin d'un cours sur la technologie.

— Magnifique, car je n'ai ni le temps ni l'envie de vous en donner un. Ce que je veux dire par là, c'est que ces tâches-là font partie de notre quotidien. J'ai donc rentré la photographie dans le fichier central avant de quitter le bureau en pensant que l'ordinateur allait me recracher le résultat le lendemain. Ça vous va comme préambule ?

J'ai acquiescé. Je sentais que j'aurais tort d'interrompre cette dame. Elle semblait agitée, et ma remarque intempestive n'avait rien arrangé.

— En arrivant au bureau ce matin, je croyais avoir une identité à vous communiquer. Au lieu de quoi – pour parler poliment – je me suis retrouvée plongée jusqu'au cou dans une fosse d'aisances. Quelqu'un avait fouillé dans mes affaires. Mon ordinateur avait été passé au peigne fin.

Elle s'est tue et a entrepris de fourrager dans son sac. Ayant trouvé une cigarette, elle l'a glissée entre ses lèvres.

— Vous, les Américains, avec votre fichue croisade antitabac ! Le premier qui moufte…

Aucun de nous deux n'a émis la moindre protestation.

Elle a allumé sa clope et inhalé la fumée profondément.

— Bref, cette photo était soit classifiée soit top secret, choisissez le terme que vous voulez.

— Vous savez pourquoi ?

— Pourquoi classifiée ?

— Oui.

— Non. Je me situe plutôt au sommet de la chaîne alimentaire d'Interpol. Si elle m'est passée au-dessus de la tête, c'est qu'il s'agit d'une info ultrasensible. Votre photo a déclenché la sonnette d'alarme jusque dans les plus hautes instances. J'ai été convoquée chez Mickey Walker, le grand patron de la branche londonienne. Mickey, qui ne m'avait pas accordé d'audience depuis deux ans. Il m'a fait venir dans son bureau, m'a fait asseoir et m'a interrogée pour savoir où j'avais eu cette photo et pourquoi j'avais demandé une identification.

— Que lui avez-vous dit ?

Elle a regardé Win, et j'ai deviné la réponse.

— Que j'avais reçu un tuyau provenant d'une source fiable, comme quoi l'homme de la photo pourrait être impliqué dans un trafic.

— Il vous a demandé le nom de la source ?

— Évidemment.

— Et vous le lui avez donné ?

— J'aurais insisté pour qu'elle le fasse, a dit Win.

— Je n'avais pas le choix. Ils l'auraient trouvé, de toute façon. En examinant mes mails ou mes relevés téléphoniques, ils auraient fini par remonter jusqu'à lui.

J'ai lancé un regard à Win. Toujours pas de réaction. Elle se trompait – ils n'auraient pas pu remonter jusqu'à lui –, mais je comprenais son point de vue. L'affaire était manifestement délicate. Refuser de coopérer équivalait à un suicide professionnel, voire pire. Win aurait eu raison d'insister pour qu'elle se défausse sur nous.

— Et maintenant ?

— Ils désirent me voir, a dit Win.

— Ils savent qui tu es ?

— Pas encore. Mon avocat a fait savoir que je me présenterais dans l'heure au rendez-vous. Ici, nous sommes descendus sous un nom d'emprunt, mais en cherchant bien, ils nous auraient retrouvés.

Lucy a consulté sa montre.

— Il faut que j'y aille.

J'ai repensé à l'homme aux lunettes noires qui avait fait dresser mes antennes.

— Serait-il possible que quelqu'un de chez vous m'ait pris en filature ?

— Ça m'étonnerait.

— Il y a de lourds soupçons qui pèsent sur vous, ai-je fait remarquer. Comment savez-vous que vous n'avez pas été suivie jusqu'ici ?

Elle a regardé Win.

— Il est obtus ou tout bêtement macho ?

Win a paru réfléchir.

— Plutôt macho, je dirais.

— Je suis agent d'Interpol. J'ai pris mes précautions.

Mais pas suffisamment pour ne pas se faire choper. Cette réflexion, je l'ai gardée pour moi. J'étais injuste. Elle ne pouvait pas savoir qu'en rentrant la photo dans leur fichier elle allait provoquer un cataclysme.

Nous nous sommes tous levés. Elle m'a serré la main et a embrassé Win sur la joue. Après son départ, nous avons repris place dans les fauteuils.

— Que vas-tu raconter à Interpol ? ai-je demandé.

— Y a-t-il une raison de mentir ?

— Pas que je sache.

— Je leur dirai donc la vérité… en gros. Un ami très cher – toi, en l'occurrence – a été agressé par cet homme à Paris. Je voulais savoir qui c'était. Nous couvrirons Lucy en disant que je lui ai menti en le faisant passer pour un trafiquant d'enfants.

— Ce qui, somme toute, pourrait être vrai.

— En plus.

— Ça ne t'ennuie pas si j'en parle à Terese ?

— Du moment que tu ne prononces pas le nom de Lucy.

J'ai hoché la tête.

— Il faut qu'on arrive à identifier ce type.

J'ai raccompagné Win jusque dans le hall fastueux du Claridge. Il y manquait juste la présence d'un quatuor à cordes. L'intérieur de l'hôtel faisait très haute société british, autrement dit un mélange Art déco et vieille Angleterre, avec ce qu'il faut de décontraction pour accueillir le touriste en jean, et en même temps assez de classe pour trouver à certains sièges et peut-être aux moulures du plafond un air indéniablement hautain. Moi, j'aimais bien. Win est parti, et je rebroussais chemin quand une chose m'a arrêté net.

Une paire de Converse noires.

Arrivé devant les ascenseurs, j'ai marqué une pause et tapoté mes poches avant de me retourner, la mine perplexe, comme si j'avais égaré quelque chose. Myron Bolitar, de l'Actor's Studio. J'en ai profité pour jeter subrepticement un œil sur l'homme aux Converse noires.

Pas de lunettes de soleil cette fois. Un coupe-vent bleu. Une casquette de base-ball qui ne faisait pas partie de sa panoplie tout à l'heure. Mais je l'ai reconnu. C'était mon homme. Et il était balèze. Souvent, les gens retiennent peu de détails. Un gars aux cheveux en brosse, avec des lunettes noires. Il suffit d'enfiler une casquette, un coupe-vent par-dessus le T-shirt, et personne ne vous remarquera, à moins d'être regardé de très près.

J'avais failli le rater, mais, là, plus aucun doute n'était permis : j'étais suivi. L'homme du cimetière était de retour.

Il y avait plusieurs manières possibles de faire face, mais je n'étais pas d'humeur à jouer à cache-cache. Je me suis engagé dans l'étroit couloir qui menait aux salles de conférences. Comme on était dimanche, elles étaient désertes. J'ai croisé les bras et, m'adossant au vestiaire, attendu qu'il se manifeste.

Quand il a paru – cinq minutes plus tard –, je l'ai empoigné par le col et l'ai traîné dans le vestiaire.

— Pourquoi me suivez-vous ?

Il m'a regardé, décontenancé.

— Serait-ce mon menton volontaire ? Mes yeux bleus hypnotiques ? Mes fesses rebondies ? Au fait, ce pantalon, vous ne trouvez pas qu'il me grossit ? Dites-moi la vérité.

L'homme m'a contemplé encore une seconde ou deux, puis il a fait comme moi : il a attaqué sans crier gare.

Pour commencer, il m'a envoyé un coup du plat de la main au visage. Je l'ai bloqué. Pivotant sur lui-même, il a lancé le coude. Rapidement. Sans me laisser le temps d'anticiper. Le coup m'a atteint à la mâchoire. J'ai tourné la tête pour absorber le choc – n'empêche, j'ai entendu mes dents s'entrechoquer. Il continuait de frapper : un coup de coude, un coup de pied latéral, un direct dans les côtes. Celui-là, j'allais le sentir passer. Si vous regardez la boxe à la télé, même occasionnellement, vous entendrez tous les commentateurs dire la même chose : les coups de poing au corps, ça use. L'adversaire les ressentira dans les derniers rounds. C'est vrai et ce n'est pas vrai. Un coup au corps, ça fait tout aussi mal sur le moment. Ça vous oblige à vous plier en deux et à baisser la garde.

J'étais dans le pétrin.

Une partie de mon cerveau m'a houspillé : quel imbécile de t'être colleté avec lui sans arme et sans le renfort de Win. Le reste de mon cerveau, cependant, s'était mis en mode survie. La plus banale des bagarres – dans un bar ou lors d'une manifestation sportive, par exemple – fait monter en flèche votre taux d'adrénaline car votre corps sait ce que votre esprit refuse peut-être d'admettre : ceci est une question de survie. On peut très bien mourir d'un instant à l'autre.

Me laissant tomber à terre, j'ai roulé sur le côté. Le vestiaire était exigu. Et ce gars-là connaissait son affaire. Il ne m'a pas lâché, cherchant à me piétiner. Un coup de pied m'a touché à la tête ; j'ai vu des étoiles comme dans un dessin animé. J'ai hésité à appeler à l'aide… tout, pourvu qu'il arrête.

J'ai roulé un chouïa plus loin, attentif à son timing. Dans l'attente du prochain coup de pied, je lui ai offert mon ventre. Ça n'a pas raté. Le temps qu'il plie le genou, j'ai roulé vers lui, courbé en deux, les mains en position. Je me suis pris son pied dans les parties, mais j'étais paré. Agrippant sa cheville à deux mains, j'ai roulé sur moi-même. Il avait le choix : se laisser choir fissa ou se faire exploser la malléole.

Même en tombant, il s'est arrangé pour cogner, mais ses coups ne portaient plus.

Nous étions tous deux à terre. J'avais mal, j'étais étourdi, mais j'avais deux énormes avantages. Primo, j'avais toujours son pied entre les mains, même si je n'étais pas loin de lâcher prise. Secundo, à terre, le gabarit, ça compte… je le dis sans aucune arrière-pensée. Je tenais sa jambe. Il a essayé de se dégager à coups de poing. Me rapprochant, j'ai enfoui la tête dans sa poitrine. Face à un adversaire qui frappe, la plupart des gens ne pensent qu'à reculer. Alors que c'est le contraire qu'il faut faire. Il faut se coller contre lui pour qu'il ne puisse pas porter ses coups. C'est ce que j'ai fait.

Il a voulu me boxer les oreilles, mais pour cela il avait besoin de ses deux mains. Il a perdu l'équilibre.

J'ai relevé la tête d'un mouvement brusque, l'atteignant au menton. Il a basculé en arrière. Je me suis effondré sur lui. Vous avez peut-être entendu dire que la plupart des bagarres finissent à terre. C'est vrai si les deux adversaires se valent. Dans le cas du coach Bobby, par exemple, où j'avais carrément le dessus, je pouvais parer les coups tout en conservant une certaine distance. Mais ce gars-là était fort. Et c'est ainsi que nous avons tous les deux fini à terre.

Désormais, c'était une question de prise, de technique et de gabarit. J'avais pour moi deux points sur trois : la prise et le gabarit. J'étais encore un peu groggy, mais le coup de tête avait porté ses fruits. Et je l'agrippais toujours par la cheville. Je l'ai tordue violemment ; il a pivoté, et c'est là qu'il a commis l'erreur fatale.

Il m'a tourné le dos.

J'ai lâché prise et bondi sur lui, enroulant les jambes autour de sa taille et mon bras droit autour de son cou. Paniqué, il s'est mis à ruer. Il a baissé le menton pour essayer de bloquer mon coude. Je l'ai frappé à la nuque. Ça l'a affaibli juste ce qu'il fallait. Vite, je l'ai empoigné par le front et tiré en arrière. Il s'est débattu, mais je lui ai soulevé le menton pour glisser mon coude dans l'ouverture et atteindre la gorge. J'étais en position pour la clé d'étranglement.

Je le tenais, à présent. Ce n'était plus qu'une question de temps.

Soudain j'ai entendu du bruit, une voix qui criait dans une langue étrangère. J'ai hésité à desserrer mon emprise pour voir qui c'était, mais finalement, je n'ai pas bougé. J'ai eu tort. Un autre homme venait de pénétrer dans le vestiaire. Il m'a frappé au cou avec le tranchant de la main, un classique du karaté. Hagard, comme lorsqu'on se prend un mauvais coup au petit juif, j'ai lâché prise.

L'homme a crié de nouveau, dans la même langue. Ça m'a désorienté. Mon adversaire s'est dégagé, pantelant. Ils étaient deux maintenant. J'ai regardé le nouvel arrivant. Il pointait une arme sur moi.

J'étais fait comme un rat.

— Ne bougez pas, m'a-t-il ordonné avec un accent étranger.

J'ai tenté de réfléchir à une échappatoire possible, mais j'étais trop dans les vapes. Le premier type s'est relevé, toujours hors d'haleine. Nous nous sommes regardés, et j'ai lu une chose étrange dans ses yeux. Pas de la haine, non. Du respect plutôt. Je n'en sais trop rien.

J'ai jeté un œil sur l'homme armé.

— Ne bougez pas, a-t-il répété. Et n'essayez pas de nous suivre.

Après quoi, ils sont partis en courant.

19

JE ME SUIS TRAÎNÉ JUSQU'AUX ASCENSEURS. J'espérais pouvoir monter sans être vu, mais des Américains, une famille de six, ont déboulé dans le hall. Ils ont regardé ma chemise déchirée, ma bouche en sang et le reste, et se sont quand même engouffrés dans la cabine avec un « Bonjour ! » sonore. Pendant toute la montée, j'ai dû subir la grande sœur qui asticotait le frère, la mère qui les suppliait d'arrêter, le père qui faisait mine de ne rien voir et les deux derniers qui se pinçaient quand leurs parents avaient le dos tourné.

Lorsque j'ai pénétré dans la suite, Terese s'est affolée, mais ça n'a pas duré. Elle m'a aidé à m'allonger et a appelé Win. Lequel a téléphoné à un toubib. Ce dernier est venu rapidement et a affirmé qu'il n'y avait rien de cassé. J'allais m'en remettre. Mon crâne m'élançait, ce devait être la commotion. Il m'a donné un médicament, et tout s'est brouillé. La première chose dont je me suis souvenu ensuite, ç'a été la présence de Win dans la chambre obscure. J'ai ouvert un œil, puis l'autre.

— Tu es un crétin, a dit Win.

— Ça va, je t'assure, inutile de t'inquiéter.

— Tu aurais dû m'attendre.

— C'est facile d'être raisonnable après coup.

Je me suis assis péniblement. Mon corps était consentant, mais ma tête a gémi en signe de protestation. J'ai saisi mon crâne à deux mains pour l'empêcher d'éclater.

— Je crois que j'ai appris quelque chose, ai-je dit.

— Je t'écoute.

Les rideaux étaient restés ouverts. La nuit était tombée. J'ai regardé ma montre. Il était dix heures, et je venais de me rappeler.

— Le cimetière.

— Eh bien ?

— Ils vont exhumer le corps ?

— Tu veux y aller quand même ?

J'ai acquiescé et je me suis habillé rapidement. Je n'ai pas dit au revoir à Terese ; nous en avions déjà discuté, et elle ne voyait pas l'intérêt d'être présente. Une limousine nous attendait à l'entrée de l'hôtel pour nous déposer dans un parking privé où nous avons changé de véhicule.

— Tiens, m'a dit Win.

Il m'a tendu un minirevolver, le NAA Black Widow. Je l'ai examiné.

— Un calibre vingt-deux ?

D'habitude, Win préférait les modèles supérieurs. Genre bazooka ou lance-roquettes.

— Le Royaume-Uni a une législation très stricte concernant le port d'armes.

Il m'a remis un holster en nylon, à fixer à la cheville.

— Cache-le, ça vaut mieux.

— C'est ça que tu as sur toi ?

— Bonté divine, non. Tu veux quelque chose de plus gros ?

Certainement pas. Je l'ai attaché à ma cheville. Ça m'a rappelé l'appareil orthopédique que je portais quand je jouais au basket.

À notre arrivée au cimetière, je m'attendais à un spectacle plus macabre. Les deux hommes se tenaient dans le trou ; ils avaient presque terminé. Tous deux portaient des survêtements en velours bleu turquoise comme dans la collection Miami de ma tante Sophie. Le gros du travail avait été effectué plus tôt dans la journée par une petite excavatrice jaune, perchée sur la droite comme pour admirer son œuvre. Les deux gentlemen en habit de velours n'avaient plus qu'à gratter la terre sur le dessus du cercueil avant de l'ouvrir et d'en retirer quelques échantillons, prélevés sur un os ou autre, puis de le refermer et de combler le trou.

OK, là ça commençait à tourner au macabre.

Une petite bruine tombait sur nous. Je me suis posté au bord de l'excavation. Win a fait de même. Il faisait noir, mais nos yeux s'étaient suffisamment adaptés à l'obscurité pour distinguer les ombres. Courbés, les deux hommes étaient maintenant à peine visibles.

— Tu as dit que tu avais appris quelque chose.

J'ai hoché la tête.

— Les gars qui me filaient le train. Ils parlaient hébreu et connaissaient le krav maga.

Le krav maga est un art martial israélien.

— Et, a ajouté Win, ils étaient forts.

— Tu vois où je veux en venir ?

— Une bonne filature, un pro du combat, qui t'a laissé la vie sauve, parlant l'hébreu. Le Mossad.

— Cela explique tout le branle-bas.

À nos pieds, l'un des hommes a lâché un juron.

— Un problème ? a demandé Win.

— Z'ont mis un putain de verrou là-dessus.

Une lampe de poche a éclairé le cercueil.

— Bon sang de bonsoir, pourquoi ? J'ai même pas ça pour fermer chez moi.

— Brisez-le, a dit Win.

— Vous êtes sûr ?

— Qui ira vérifier ?

Le rire qui est monté à nos oreilles avait un son, ma foi, sépulcral.

— C'est pas faux, ça.

Reprenant notre conversation, Win s'est interrogé tout haut :

— Pourquoi Rick Collins aurait-il eu partie liée avec le Mossad ?

— Aucune idée.

— Et en quoi un accident de voiture survenu il y a dix ans éveillerait-il l'intérêt des services secrets israéliens ?

— Aucune idée non plus.

Win a réfléchi un instant.

— Je vais appeler Zorra. Elle pourra peut-être nous aider.

Zorra, un travesti extrêmement dangereux qui avait collaboré avec nous dans le passé, avait travaillé pour le Mossad dans les années quatre-vingt.

— Ça pourrait coller, ai-je répondu, pensif. Si le type que j'ai assommé avec la table appartenait au

Mossad, cela expliquerait un certain nombre de choses.

— Par exemple, pourquoi Interpol a flippé quand on a demandé une identification.

— Mais alors, s'il était du Mossad, le gars que j'ai descendu l'était aussi.

— Nous n'avons pas tous les éléments. Contactons Zorra et voyons ce qu'elle pourra dénicher.

On a entendu ahaner, gratter et cogner en bas, puis une voix a annoncé :

— Ça y est !

Nous nous sommes penchés. La lampe de poche éclairait deux paires de mains en train de tirer sur le couvercle. L'effort était ponctué de grognements. À première vue, c'était un cercueil aux dimensions standard. Cela m'a surpris. Je m'attendais à quelque chose de plus petit pour une fillette de sept ans. Mais justement, c'était tout le but de l'opération, non ? Si je ne me laissais pas gagner par le côté morbide de notre entreprise, c'était parce que je pensais ne pas trouver le squelette d'une enfant de sept ans.

Comme je n'avais vraiment pas envie d'en voir davantage, je me suis écarté. J'étais là en simple observateur, pour m'assurer qu'ils allaient bien prélever un échantillon. Notre démarche était déjà assez folle comme ça ; nous ne pouvions nous permettre la moindre erreur. Si le test se révélait négatif, je ne voulais pas qu'on dise : « Et comment saviez-vous que c'était la bonne sépulture ? » ou « Peut-être qu'ils ont dit qu'ils creusaient, mais qu'ils n'ont rien fait du tout. » Je tenais à éliminer le plus grand nombre possible de variables.

— On a ouvert le cercueil, a lancé l'un des fossoyeurs.

J'ai vu Win se baisser. Une autre voix s'est élevée du trou dans un murmure :

— Doux Jésus.

Puis plus rien.

— Qu'est-ce que c'est ? ai-je demandé.

— Un squelette, a dit Win, continuant à scruter le fond. Petit. Sans doute un enfant.

Plus personne ne bougeait.

— Prenez un échantillon, a ordonné Win.

— Quel genre d'échantillon ?

— Un os. Un fragment de tissu, si vous en trouvez. Scellez-les dans ces sachets plastique.

Un enfant était enterré ici. Franchement, je ne m'y attendais pas. J'ai regardé Win.

— Et si on s'était tous trompés ?

Il a haussé les épaules.

— L'ADN ne ment pas.

— Mais si ce n'est pas Miriam Collins, qui est-ce alors ?

— Il existe d'autres possibilités.

— Lesquelles ?

— J'ai chargé l'un de mes hommes de mener une enquête. À l'époque de l'accident, une gamine avait disparu à Brentwood. Tout le monde soupçonnait le père, mais le corps n'a jamais été retrouvé.

J'ai repensé à ce qu'il m'avait dit plus tôt dans la journée.

— Tu as raison. Il ne faut pas mettre la charrue avant les bœufs.

Il n'a pas répondu.

J'ai jeté un regard dans le trou. Un visage maculé

de terre a surgi devant mes yeux ; une main m'a tendu un sac plastique.

— Tenez, vieux. Bonne chance et bon débarras.

Sur ce, nous sommes repartis, Win et moi, avec l'os sec et friable d'un enfant que nous avions dérangé dans son paisible sommeil au cœur de la nuit.

20

IL ÉTAIT TARD quand nous sommes rentrés au Claridge. Win est parti aussitôt « passer un moment avec Moa ». J'ai pris une longue douche chaude. Quand j'ai inspecté le minibar, je n'ai pas pu m'empêcher de sourire. Il était rempli de Yoo-Hoo au chocolat. Sacré Win.

J'en ai vidé un, bien frais, et j'ai attendu le coup de fouet escompté. J'ai allumé la télé et zappé d'une chaîne à l'autre puisque les hommes, les vrais, font tous ça. Les programmes américains dataient de la saison précédente. La porte de Terese était close, mais à mon avis elle ne dormait pas. Assis tout seul dans mon coin, j'enchaînais les longues respirations.

L'horloge affichait deux heures du matin. Vingt heures chez nous, à New York. Dix-sept heures à Scottsdale, en Arizona.

J'ai contemplé mon téléphone en songeant à Ali, Erin et Jack là-bas, en Arizona. Je ne connais pas bien l'Arizona. C'est le désert, non ? Qui a envie de vivre dans le désert ?

J'ai composé le numéro du portable d'Ali. Elle a

répondu au bout de trois sonneries, d'un ton circonspect :

— Allô ?

— Salut, toi.

— Ton numéro ne s'est pas affiché, a-t-elle dit.

— J'ai un autre téléphone, mais le numéro est le même.

Silence.

— Où es-tu ? a demandé Ali.

— À Londres.

— Londres en Angleterre ?

— Eh oui.

J'ai entendu du bruit et cru reconnaître la voix de Jack.

— Un instant, chéri, a dit Ali, je suis au téléphone.

Elle n'a pas précisé avec qui. En temps normal, elle l'aurait fait.

— Je n'avais pas compris que tu étais à l'étranger.

— J'ai eu un appel d'une amie qui a des ennuis.

— Une amie ?

J'ai marqué une pause.

— Oui.

— Eh ben, ça n'a pas été long.

Je me suis retenu de répondre : « Ce n'est pas ce que tu penses. »

— Je la connais depuis dix ans.

— Je vois. Une visite impromptue à Londres pour revoir une vieille amie, hein ?

Nouveau silence. J'ai entendu Jack demander qui était au téléphone. Sa voix, venant du désert, a traversé le continent américain, puis l'océan Atlantique, pour me serrer le cœur.

207

— Il faut que je te laisse, Myron. Tu voulais quelque chose ?

Bonne question. La réponse était probablement oui, mais le moment était mal choisi.

— Pas spécialement, ai-je dit.

Elle a raccroché sans un mot. J'ai regardé le téléphone qui pesait dans ma main et, soudain, attendez une minute… Ali avait rompu, non ? Elle me l'avait clairement signifié il y a quarante-huit heures. Alors quel était le véritable objet de ce satané coup de fil ?

Pourquoi avais-je appelé ?

Parce que je n'aime pas laisser une affaire en plan ? Pour ne pas me fourvoyer, même si je ne savais pas très bien ce que ça voulait dire ?

Les coups que j'avais reçus recommençaient à me faire mal. Je me suis levé, me suis étiré en m'efforçant de détendre mes muscles. J'ai regardé la porte de Terese et je me suis approché à pas de loup pour risquer un œil à l'intérieur. La lumière était éteinte. J'ai tendu l'oreille pour écouter sa respiration. Tout était silencieux. J'ai voulu refermer la porte.

— S'il te plaît, a dit Terese, ne t'en va pas.

Je me suis arrêté.

— Essaie de dormir.

— S'il te plaît.

Dans les affaires de cœur, j'ai toujours marché sur des œufs. J'ai toujours fait ce qu'il fallait. Je n'ai jamais simulé. Exception faite de l'escapade insulaire d'il y a dix ans, je m'inquiétais des sentiments, des conséquences et de ce qui allait advenir.

— Ne t'en va pas, a-t-elle répété.

Et je suis resté.

Quand nous nous sommes embrassés, il y a eu

comme une explosion suivie d'une détente, d'un lâcher-prise tel que je n'en avais jamais connu auparavant, comme quand on s'abandonne, immobile, que le cœur cogne, le pouls s'affole, les genoux flageolent, les orteils se recroquevillent, les oreilles s'ouvrent, chaque parcelle du corps se relâche et clame sa reddition.

Nous avons souri cette nuit-là. Nous avons pleuré. J'ai embrassé la belle épaule nue. Et, le matin, elle avait à nouveau disparu.

Mais du lit seulement.

J'ai trouvé Terese en train de boire du café au salon. Les rideaux étaient ouverts. Pour paraphraser une vieille chanson, le soleil du matin sur son visage révélait son âge… et j'aimais ça. Elle portait le peignoir éponge de l'hôtel, entrebâillé juste ce qu'il fallait pour laisser deviner les merveilles en dessous. Je crois n'avoir encore jamais vu pareille splendeur.

Terese m'a souri.

— Salut, ai-je dit.

— Arrête avec tes belles paroles. Tu m'as déjà subornée.

— Flûte, j'ai passé une nuit blanche à la peaufiner, celle-là.

— Tu as passé une nuit blanche de toute façon. Café ?

— S'il te plaît.

Elle a rempli une tasse. Je me suis posé à côté avec d'infinies précautions. La dérouillée que j'avais reçue se rappelait à mon bon souvenir. J'ai grimacé en pensant aux cachets antidouleur que le toubib m'avait laissés. Mais bon, ça pouvait attendre. Pour le moment, j'avais juste envie d'être aux côtés de cette femme sublime et de savourer mon café en silence.

— C'est le paradis, a-t-elle soufflé.

— Oui.

— Dommage qu'on ne puisse pas rester ici pour toujours.

— Je crains que ce ne soit pas dans mes moyens.

Elle a souri et m'a pris la main.

— Tu veux entendre une chose vraiment atroce ?

— Je t'écoute.

— Quelque part, j'ai envie de tout laisser tomber et de partir avec toi.

Je comprenais très bien ce qu'elle ressentait.

— J'en ai tellement rêvé, de cette chance de rédemption. Et maintenant qu'elle est là, à portée de main, j'ai le sentiment que ça va me détruire.

Elle m'a regardé.

— Qu'en penses-tu ?

— Je ne la laisserai pas te détruire, ai-je affirmé.

Son sourire était empreint de mélancolie.

— Tu crois que tu en as le pouvoir ?

Elle avait raison, il m'arrive parfois de tenir ce genre de propos débiles.

— Que veux-tu faire alors ? ai-je dit.

— Découvrir ce qui s'est réellement passé ce soir-là.

— OK.

— Tu n'es pas obligé de m'aider, a-t-elle ajouté.

— Par quoi on commence ? ai-je demandé.

— Je viens de parler à Karen. Je lui ai dit que c'était le moment de se mettre à table.

— Comment a-t-elle réagi ?

— Elle ne m'a rien objecté. Nous avons rendez-vous dans une heure.

— Tu veux que je vienne ?

Elle a secoué la tête.

— Cette fois, c'est entre elle et moi.

— Je comprends.

Nous avons continué à boire le café sans ressentir le besoin de bouger, de parler ou de faire quoi que ce soit.

Terese a rompu le silence en premier.

— L'un de nous devrait dire : « À propos de la nuit dernière… »

— Je t'en laisse le soin.

— C'était de la pure bombe.

J'ai souri.

— Ouais. J'ai bien fait de te laisser en parler.

Elle s'est levée. Je l'ai caressée des yeux. Mesdames, gardez vos dentelles, vos falbalas, vos guêpières, vos Victoria's Secret, vos strings, vos bas de soie, vos nuisettes et vos jupons. Rien ne vaut une jolie femme en peignoir éponge d'hôtel.

— Je vais prendre une douche, a-t-elle dit.

— C'est une invite ?

— Non.

— Ah…

— On n'a pas le temps.

— Je peux faire vite.

— Je sais. Mais ce n'est pas ce que tu fais de mieux.

— Et vlan.

Se baissant, elle a effleuré mes lèvres d'un baiser.

— Merci.

J'allais lancer une vanne du style : « Préviens tes

copines » ou : « Ouf ! encore une cliente satisfaite », mais quelque chose dans le ton de sa voix m'en a empêché. Quelque chose dans le ton de sa voix m'a bouleversé et m'a fait mal. J'ai pressé sa main sans mot dire et je l'ai regardée sortir.

21

WIN M'A REGARDÉ UNE FOIS, ET :

— Ça y est, tu as tiré ton coup.

J'allais protester, mais à quoi bon ?

— Ouais.

— Je veux les détails.

— Un gentleman ne trahit pas ses secrets d'alcôve.

J'ai eu droit à sa mine atterrée.

— Mais tu sais que j'adore les détails.

— Et toi, tu sais que je ne t'en donne jamais.

— Dans le temps, tu me laissais regarder. Quand nous sortions avec Emily à la fac, tu me permettais de mater par la fenêtre.

— C'est toi qui te le permettais tout seul. Et, quand je réparais le store, tu t'arrangeais pour le casser. Tu es un porc, tu le sais, n'est-ce pas ?

— D'aucuns diraient que je prends tes affaires à cœur.

— Mais la plupart diraient que tu es un porc.

Win a haussé les épaules.

— Je veux qu'on m'aime pour mes défauts.

— Alors, où en sommes-nous ? ai-je demandé.

— On a tiré notre coup l'un et l'autre.

— À part ça.

— J'ai eu une idée, a dit Win.

— Je t'écoute.

— Il y a peut-être une explication plus simple à la présence du sang de la fillette morte sur la scène de crime. Cette œuvre caritative, Sauvez les anges. Tu m'as bien dit qu'ils s'intéressaient à la recherche sur les cellules souches, non ?

— En quelque sorte. En fait, ils sont contre, me semble-t-il.

— Si ça se trouve, Rick Collins a découvert qu'il avait la maladie de Huntington. Son père l'avait, en tout cas.

— OK.

— Aujourd'hui, il arrive que les gens gardent le sang du cordon ombilical de leurs enfants… on le congèle ou un truc comme ça, pour un usage futur. C'est plein de cellules souches, et on part du principe qu'un jour ces cellules souches pourraient sauver la vie de votre enfant, voire la vôtre. Peut-être que Rick Collins avait conservé celui de sa fille. Et en apprenant qu'il avait la maladie, il a décidé de l'utiliser.

— Les cellules souches ne peuvent pas guérir la maladie de Huntington.

— Pas encore, a répondu Win.

— Donc, tu penses qu'il avait le cordon congelé sur lui quand il a été assassiné ?

— Serait-ce plus absurde que l'hypothèse de Miriam Collins vivante depuis tout ce temps ?

— Et les cheveux blonds ?

— Il y a des tas de blondes en ce monde. La jeune femme que tu as vue en était une parmi d'autres.

J'y ai repensé un instant.

— Ça ne nous dit toujours pas qui a tué Rick Collins.

— Exact.

— Moi, je persiste à croire que tout a commencé il y a dix ans, avec cet accident de voiture. Nous savons que Nigel Manderson a menti.

— En effet, a opiné Win.

— Et Karen Tower nous cache quelque chose.

— Ce type, Mario…

— Eh bien ?

— Lui aussi, il cache quelque chose ?

— Possible, ai-je répondu en réfléchissant. Je le vois ce matin pour examiner les fichiers professionnels de Rick. J'essaierai de le cuisiner encore une fois.

— En plus nous avons les Israéliens – peut-être le Mossad – qui te surveillent. J'ai appelé Zorra. Elle va s'informer auprès de ses sources.

— Parfait.

— Et pour finir, ton altercation parisienne et cette photo d'identité qui a mis la hiérarchie d'Interpol sens dessus dessous, a ajouté Win.

— Ça s'est bien passé, ton rendez-vous avec Interpol ?

— Ils ont posé leurs questions, j'ai raconté mon histoire.

— Il y a une chose qui m'échappe, ai-je dit. Pourquoi ne m'ont-ils toujours pas coffré ?

Win a souri.

— Tu sais pourquoi.

— Ils me filent le train.

— Bonne réponse.

215

— Tu les vois ?

— Voiture noire au coin à droite.

— Le Mossad doit me suivre aussi.

— Tu es très recherché.

— C'est parce que je sais écouter. Les gens aiment bien qu'on les écoute.

— C'est ça.

— Et puis je mets de l'ambiance dans les soirées.

— Et tu danses comme un dieu. Que fait-on pour les filoches ? a demandé Win.

— J'aimerais bien les semer pour la journée.

— No problemo.

Semer quelqu'un qui vous file est un jeu d'enfant. En l'occurrence, Win a fait venir une voiture aux vitres teintées. Nous nous sommes engouffrés dans un parking souterrain avec plusieurs sorties. La voiture est partie. Deux autres sont arrivées. Je suis monté dans l'une, Win dans l'autre.

Terese devait être chez Karen. Moi, j'avais rendez-vous avec Mario Contuzzi.

Vingt minutes plus tard, je sonnais chez lui. Pas de réponse. J'ai consulté ma montre. J'avais cinq minutes d'avance. J'ai repensé à notre enquête, au branle-bas de combat que cette photo d'identité avait déclenché au sein d'Interpol.

Qui donc était l'individu qui m'avait menacé avec son arme à Paris ?

J'avais usé de multiples tours et détours pour tenter de le découvrir. Peut-être, profitant de ce que j'avais une minute, pourrais-je opter pour la solution la plus simple, à savoir aller droit au but.

J'ai appelé Berléand sur sa ligne directe.

Au bout de deux sonneries, une voix m'a répondu en français.

— Je voudrais parler au capitaine Berléand, s'il vous plaît.

— Il est en vacances. Puis-je vous aider ?

En vacances ? J'ai essayé de l'imaginer en train de se prélasser sur une plage à Cannes, mais ça ne tenait pas debout.

— Il faut absolument que je lui parle.

— Qui est à l'appareil, je vous prie ?

Inutile de dissimuler.

— Myron Bolitar.

— Je regrette. Il est en vacances.

— Pourriez-vous le joindre, s'il vous plaît, et lui dire de me rappeler ? C'est urgent.

— Ne quittez pas.

J'ai attendu.

Une minute plus tard, une autre voix – bourrue et avec un accent… euh, américain – a résonné dans le téléphone.

— Puis-je vous aider ?

— Je ne le crois pas. Je voulais parler au capitaine Berléand.

— Vous pouvez me parler à moi, monsieur Bolitar.

— Vous ne m'avez pas l'air très gentil, ai-je dit.

— Je ne suis pas gentil. Vous nous avez filé entre les doigts, bravo, mais je ne trouve pas ça drôle.

— Qui êtes-vous ?

— Appelez-moi agent spécial Jones.

— Permettez que je vous appelle superagent spécial Jones. Où est le capitaine Berléand ?

— Le capitaine Berléand est en vacances.

— Depuis quand ?

— Depuis qu'il a enfreint le règlement en vous envoyant cette photo d'identité. Car c'est lui qui vous l'a envoyée, n'est-ce pas ?

J'ai hésité avant de répondre :

— Non.

— Mais bien sûr. Où êtes-vous, Bolitar ?

J'ai entendu le téléphone sonner dans l'appartement de Contuzzi. Une, deux, trois fois.

— Bolitar ?

Ça s'est arrêté au bout de six sonneries.

— Nous savons que vous êtes toujours à Londres. Où êtes-vous ?

J'ai raccroché et regardé la porte de Mario. Ce téléphone qui sonnait, ça ressemblait à un poste fixe. Hmm. J'ai posé la main sur la porte. C'était du massif, du solide. L'oreille collée à la surface fraîche, j'ai composé le numéro du portable de Mario et contemplé l'écran d'affichage. Il a fallu un petit moment pour établir la connexion.

En entendant son portable carillonner faiblement à travers la porte – l'autre sonnerie était beaucoup plus forte –, j'ai ressenti une bouffée d'angoisse. D'accord, il n'y avait peut-être pas de quoi s'affoler, mais aujourd'hui peu de gens se déplacent, y compris pour aller aux toilettes, sans leur téléphone mobile. On peut déplorer cet état de fait, mais qu'un type travaillant à la télévision parte pour le bureau sans son portable, franchement, ce n'était pas imaginable.

— Mario ?

J'ai tambouriné sur la porte.

— Mario ?

Je ne m'attendais pas à ce qu'il me réponde, bien

sûr. À nouveau, j'ai pressé l'oreille contre la porte, guettant, je ne sais pas… un gémissement. Un grognement. Un appel à l'aide.

Rien, aucun bruit.

Il n'y avait pas trente-six solutions. J'ai reculé et, levant le talon, j'ai frappé à la porte. Elle n'a pas bougé.

— Elle est blindée, vieux. Vous y arriverez jamais.

Je me suis retourné. L'homme portait un blouson de cuir noir sans rien en dessous, sauf que, malheureusement, il n'avait pas le physique de l'emploi. À la fois mou et chétif, il arborait un anneau dans le nez, et le peu de cheveux qu'il lui restait étaient coiffés à l'iroquois. Je lui donnais une petite cinquantaine d'années. On aurait dit qu'il était sorti pour aller dans un bar gay en 1979 et qu'il venait juste de rentrer.

— Vous connaissez les Contuzzi ? ai-je demandé.

L'homme a souri. Je m'attendais à une vision d'horreur, mais, malgré son allure flétrie, il avait des dents éclatantes de santé.

— Ah, a-t-il dit. Vous êtes américain.

— Oui.

— Un pote à Mario ?

Pas la peine de s'encombrer d'explications.

— Oui.

— Ben, que voulez-vous que je vous dise, vieux ? Normalement, c'est un couple sans histoire, mais vous savez ce que c'est… quand la femme n'est pas là, les souris dansent.

— Comment ça ?

— Il a fait venir une fille. Il a dû la payer, si vous voulez mon avis. La musique à fond, et quelle musique ! De la daube. Les Eagles. Vous, les Américains, devriez avoir honte, tiens !

— Parlez-moi de la fille.

— Pourquoi ?

Pas le temps. J'ai sorti mon arme. Pas pour le menacer. Je l'ai sortie, c'est tout.

— Je suis dans la police, ai-je déclaré. Je crains que Mario ne soit en danger.

Si mon arme ou mes arguments ont ébranlé ce clone de Billy Idol, il n'en a rien laissé paraître. Il a haussé ses épaules maigrichonnes.

— Que voulez-vous que je vous dise ? Elle était jeune, blonde, j'ai pas bien regardé. Elle est arrivée hier soir au moment où je sortais.

Jeune, blonde. Mon cœur s'est mis à cogner.

— Il faut que je puisse entrer chez lui.

— Vous l'enfoncerez pas, vieux. Vous allez vous casser le pied.

J'ai pointé l'arme sur la serrure.

— Waouh, minute ! Vous croyez vraiment qu'il est en danger ?

— Oui.

Il a soupiré.

— Il y a une clé de secours au-dessus de la porte. Là-haut, sur la corniche.

J'ai tâtonné le long du chambranle. La clé était bien là. Je l'ai introduite dans la serrure. Billy Idol s'est rapproché. Il empestait la cigarette comme s'il avait servi de cendrier. J'ai ouvert la porte et pénétré dans l'appartement, Billy Idol sur mes talons. Deux pas, et nous nous sommes arrêtés net.

— Bon Dieu !

Je n'ai rien dit. J'étais comme pétrifié. La première

chose que j'ai vue, ç'a été les pieds de Mario. Attachés à la table basse avec du ruban adhésif. Le parc pour bébé et les peluches que j'avais remarqués la veille avaient été repoussés sur le côté. Mario les avait-il regardés dans ses derniers instants ?

Ses pieds étaient nus. Tout près de là gisait une perceuse électrique. Il y avait de tout petits trous, des cercles rouge-bordeaux parfaitement tracés, dans ses orteils et en profondeur dans son talon. Des trous pratiqués à la perceuse. Recouvrant l'usage de mes jambes, j'ai réussi à m'approcher. Et vu d'autres traces de perceuse. À travers les rotules. La cage thoracique. Lentement, mon regard est remonté en direction du visage. Il y avait des marques sous le nez, à travers les pommettes et jusque dans la bouche, et une autre au menton. Le visage étroit de Mario me regardait, les yeux révulsés. Il était mort dans d'horribles souffrances.

Billy Idol a de nouveau murmuré :

— Bon Dieu…

— À quelle heure avez-vous entendu de la musique ?

— Hein ?

Je n'avais pas la force de répéter ma question, mais il a fini par capter.

— Vers cinq heures du matin.

Torturé. Ils avaient mis de la musique pour couvrir ses cris. Je ne voulais pas toucher à quoi que ce soit, mais le sang me semblait relativement frais. De la poussière d'os blanchâtre saupoudrait le plancher. J'ai regardé la perceuse. Le vrombissement… ça et les cris tandis qu'elle transperçait la chair et le carti-lage pour pénétrer dans l'os.

Tout à coup, j'ai pensé à Terese qui était chez Karen, à deux pas d'ici.

Je me suis rué vers la porte.

— Appelez la police ! ai-je hurlé.

— Attendez, où allez-vous ?

Pas le temps d'expliquer. J'ai fourré le revolver dans ma poche et sorti mon téléphone portable pour composer le numéro de Terese. Une sonnerie. Deux sonneries. Trois. Mon cœur battait à grands coups. J'ai appuyé plusieurs fois sur le bouton de l'ascenseur. À la quatrième sonnerie, j'ai jeté un œil par la fenêtre. Et je l'ai vue qui me regardait d'en bas.

La blonde du minivan.

En me voyant, elle a pris ses jambes à son cou. Je n'avais pas bien vu son visage. Cela pouvait être n'importe quelle fille blonde. Sauf que j'étais sûr de moi. C'était la même.

Que diable se passait-il ?

La tête me tournait. J'ai entrepris de chercher la cage d'escalier, mais les portes de l'ascenseur se sont ouvertes. Je suis monté et j'ai pressé le bouton du rez-de-chaussée.

Mon appel a atterri sur la boîte vocale de Terese.

Ce n'était pas normal. Elle devait être chez Karen. Dans une zone couverte par le réseau de téléphonie mobile. Même en pleine conversation, Terese aurait répondu. Elle aurait su que c'était urgent.

Que faire, nom de Dieu ?

J'ai pensé à la perceuse. J'ai pensé à Terese. J'ai pensé au visage de Mario Contuzzi. J'ai pensé à la blonde. Les images se bousculaient dans ma tête quand l'ascenseur s'est arrêté dans un tintement.

Étais-je loin de chez Karen ?

Deux rues.

J'ai foncé tout en pressant la touche correspondant au numéro de Win. Il a répondu dès la première sonnerie. Sans lui laisser le temps de dire : « Articule », j'ai soufflé :

— Va chez Karen. Mario est mort, Terese ne répond pas au téléphone.

— J'en ai pour dix minutes.

J'ai raccroché, et aussitôt mon téléphone s'est mis à vibrer. Sans ralentir, je l'ai levé pour voir qui appelait. Et j'ai pilé.

C'était Terese.

Je l'ai porté à mon oreille.

— Terese ?

Pas de réponse.

— Terese ?

La seconde d'après, j'ai entendu le vrombissement strident d'une perceuse électrique.

La brutale poussée d'adrénaline m'a coupé la respiration. J'ai fermé les yeux, mais seulement une fraction de seconde. Pas de temps à perdre. J'avais des fourmis dans les jambes. Je me suis remis à courir.

Au bruit de la perceuse a succédé une voix masculine :

— La vengeance est un plat qui se mange froid, vous n'êtes pas d'accord ?

Le même accent british, la même modulation que quand il m'avait dit à Paris : « Écoute-moi ou je te tire dessus… »

L'homme que j'avais assommé avec la table. L'homme de la photo.

Il a coupé la communication.

J'ai attrapé mon arme ; maintenant j'avais le portable dans une main, et le revolver dans l'autre. C'est drôle, la peur. Ça peut vous faire accomplir des miracles – tout le monde a entendu parler de gens capables de soulever une voiture pour dégager un proche, par exemple –, mais ça peut aussi vous paralyser, vous inhiber le corps et l'esprit, vous empêcher de respirer. Je me sentais lourd tout à coup, comme quand on patauge en rêve dans une neige profonde. Il fallait que je me calme, malgré la terreur qui me trouait la poitrine.

Devant moi, j'ai vu la maison de Karen.

L'adolescente blonde se tenait à la porte d'entrée.

En m'apercevant, elle s'est glissée à l'intérieur. C'était clairement un guet-apens, mais quelle autre solution y avait-il ? L'appel depuis le portable de Terese – le bruit de la perceuse électrique – résonnait encore à mes oreilles. C'était le but recherché, non ? Que m'avait dit Win ? Dix minutes. Peut-être sept, voire six à partir de maintenant.

Attendre ? Mais était-ce seulement une option ?

Je me suis baissé. Et j'ai pressé la touche de son numéro.

— Cinq minutes, a dit Win.

La blonde était dans la maison. J'ignorais qui il y avait d'autre et où ils en étaient. Cinq minutes. Je pouvais bien attendre cinq minutes. Les cinq minutes les plus longues de ma vie, mais je pouvais le faire, je devais le faire, garder un semblant de discipline face à la panique animale. Courbé en deux, je me suis accroupi sous une fenêtre et j'ai tendu l'oreille. Rien, pas un bruit. Ni cris ni perceuse électrique. Je ne savais pas si c'était bon signe… ou si j'arrivais trop tard.

J'attendis, accroupi, le dos contre le mur de brique. La fenêtre se trouvait au-dessus de ma tête. J'ai essayé de me représenter l'agencement de la maison. Cette fenêtre-ci donnait sur le salon. Oui, et alors ? Alors rien. J'ai attendu. Le poids du revolver dans ma main me rassurait. J'étais un bon tireur, sans plus. Le tir, ça demande des heures d'entraînement. Mais j'étais capable de viser le cœur de la cible, et je m'arrangeais toujours pour être suffisamment près.

Que faire ?

Rester calme. Attendre Win. Ce genre de situation, c'était sa spécialité.

« La vengeance est un plat qui se mange froid, vous n'êtes pas d'accord ? »

Cet accent distingué, ce ton mesuré. Le son de cette voix a ravivé l'image de Mario, ces effroyables trous, la douleur insoutenable. Combien de temps cela avait-il duré ? Combien de temps Mario avait-il dû subir le supplice ? Avait-il appelé la mort, ou bien l'avait-il combattue ?

Des sirènes ont retenti au loin. Sans doute la police qui se rendait chez Mario.

Comme je ne porte plus de montre, j'ai vérifié l'heure sur mon portable. Si Win était ponctuel – et normalement il l'était –, il serait là dans trois minutes. Que faire ?

Mon arme.

La blonde l'avait-elle vue ? C'était peu probable. Ainsi que Win l'avait fait remarquer, les armes à feu ne courent pas les rues, au Royaume-Uni. Ces gens-là devaient croire que je n'étais pas armé.

À contrecœur, j'ai rangé le revolver dans le holster fixé à ma jambe.

Trois minutes.

Mon portable s'est remis à sonner. L'écran affichait le numéro de Terese. J'ai hasardé un « Allô ? » hésitant.

— Nous savons que vous êtes dehors, a dit la voix distinguée. Vous avez dix secondes pour franchir la porte avec les mains en l'air, ou l'une de ces gentes dames va se prendre une balle dans la tête. Une, deux…

— J'arrive.

— Trois, quatre…

Pas d'autre choix. J'ai bondi sur mes pieds et je me suis précipité vers la porte d'entrée.

— Cinq, six, sept…

— Ne leur faites pas de mal, j'y suis presque.

Ne leur faites pas de mal. Pfff. Mais qu'auriez-vous voulu que je dise d'autre ?

J'ai tourné le bouton. La porte s'est ouverte. Je suis entré.

La voix distinguée :

— J'ai dit les mains en l'air.

J'ai levé les mains. L'homme de la photo se tenait en face de moi, un sparadrap blanc en travers du visage. Les yeux au beurre noir laissaient entendre qu'il avait eu le nez cassé. J'en aurais conçu quelque satisfaction si, d'une part, il n'avait pas été armé et si, d'autre part, je n'avais pas vu Terese et Karen à genoux devant lui, les mains derrière le dos. Elles paraissaient relativement indemnes.

J'ai regardé à droite et à gauche. Deux autres

hommes se tenaient dans la pièce, avec des flingues pointés sur ma tête.

Mais aucune trace de la blonde.

Parfaitement immobile, je m'efforçais de prendre mon air le plus inoffensif. Win ne devait plus être très loin, maintenant. Encore une minute ou deux. Il fallait gagner du temps. J'ai dit à l'homme avec lequel je m'étais battu à Paris, les yeux dans les yeux, posément, en maîtrisant ma voix :

— Et si on discutait, hein ? Il n'y a pas de raison…

Il a appuyé le canon de son arme sur la tête de Karen Tower et, souriant, a pressé la détente.

Une déflagration assourdissante, un petit geyser rouge… tout s'est figé l'espace d'une seconde, puis Karen s'est effondrée telle une marionnette dont on aurait sectionné les fils. Terese a hurlé. Peut-être que j'ai hurlé aussi.

L'homme a braqué son arme sur Terese.

OhmonDieuohmonDieuohmonDieu…

— Non !

L'instinct a pris le dessus sous forme d'un mantra : sauver Terese. J'ai plongé, au sens propre, comme on plonge dans une piscine. Des balles ont sifflé, mais les deux types à ma droite et à ma gauche avaient commis l'erreur classique de me tenir en joue en me visant à la tête. Leurs lignes de tir se sont donc révélées trop hautes. Du coin de l'œil, j'ai vu Terese rouler sur le côté.

Vite, plus vite.

Il me fallait faire plusieurs choses à la fois : rester courbé, éviter les balles, traverser la pièce, tirer mon arme du holster et tuer cette ordure. La distance entre nous diminuait. Le mieux aurait été de courir en zigzag, mais je n'avais pas le temps. Le mantra résonnait dans ma tête : sauver Terese. Je devais l'atteindre avant qu'il n'appuie à nouveau sur la détente.

J'ai hurlé plus fort, non de douleur ou de peur, mais pour faire diversion, pour qu'il hésite, qu'il se tourne vers moi ne serait-ce qu'une demi-seconde… pour retarder le moment où il tirerait sur Terese.

Je me rapprochais.

Le temps jouait au yo-yo. Une seconde ou deux avaient dû s'écouler depuis l'exécution de Karen. Pas davantage. Et maintenant, sans avoir réfléchi ni prémédité mon geste, j'étais presque sur lui.

Trop tard. J'allais arriver trop tard. J'ai tendu les bras comme pour mieux combler la distance, mais je voyais bien que j'étais trop loin.

Il a pressé la détente.

Un nouveau coup de feu a retenti. Terese s'est affaissée.

Mon hurlement s'est mué en un cri guttural de détresse. Une main m'a broyé le cœur. Je n'ai pas ralenti, même quand il a levé son arme dans ma direction. La peur s'était volatilisée… j'étais mû par une haine instinctive. Le canon était presque en face de moi quand, me baissant, j'ai heurté le tueur à la hauteur de la taille. Il a tiré, mais la balle s'est perdue.

Je l'ai poussé violemment dans le mur. Déséquilibré, il m'a asséné un coup de crosse dans le dos. Dans un autre monde, un autre temps, ça m'aurait peut-être fait mal, mais là, le coup n'a pas eu plus d'effet qu'une piqûre de moustique. J'étais au-delà de la douleur, au-delà de la réflexion. Nous nous sommes effondrés lourdement. Je l'ai lâché, m'écartant à peine pour pouvoir attraper mon revolver.

228

C'était une erreur.

Dans mon obsession à sortir mon arme, à tuer ce bâtard, j'avais quasiment oublié la présence des deux autres. L'homme qui se trouvait à ma droite s'est précipité vers moi. J'ai bondi en arrière lorsqu'il a tiré, mais trop tard, une fois de plus.

La balle m'a touché.

Une douleur fulgurante. J'ai eu le temps de ressentir la brûlure du métal qui m'a transpercé le corps, m'a coupé le souffle, m'a fait tomber à la renverse. L'homme a levé son arme lorsqu'un autre coup de feu a retenti, l'atteignant au cou avec une telle force qu'il l'a pratiquement décapité. J'ai jeté un œil par-dessus le cadavre, mais j'avais déjà deviné.

Win venait d'arriver.

L'autre homme, celui qui était à ma gauche, s'est retourné juste à temps pour voir Win pivoter et presser la détente. Le gros projectile l'a frappé en plein visage, et sa tête a explosé. J'ai regardé Terese. Elle ne bougeait pas. L'homme de la photo – celui qui avait tiré sur elle – se faufilait déjà dans la pièce voisine. J'ai entendu de nouveaux coups de feu. Quelqu'un a crié :

— Arrêtez ! Pas un geste !

Je n'y ai pas prêté attention. Je ne sais comment, j'ai rampé jusqu'à la salle de séjour. Ruisselant de sang. Je n'en étais pas sûr, mais j'avais l'impression que la balle s'était logée quelque part dans la région de mon estomac.

Je me suis hissé par-dessus le seuil sans prendre le temps de m'assurer que je ne risquais rien. Avance, me disais-je. Chope ce bâtard et tue-le. Il était à la fenêtre. J'avais mal, je délirais peut-être. Mais je l'ai agrippé par la jambe. Il m'a donné des coups de pied, sans succès. Je l'ai fait chuter.

Nous avons lutté, mais face à ma rage il ne faisait pas le poids. Je lui ai planté mon pouce dans l'œil, ça l'a affaibli. L'empoignant par la trachée, je me suis mis à serrer. Il s'est débattu, me frappant au cou, au visage. Je tenais bon.

— Pas un geste ! Lâchez-le !

Des voix à distance. Du remue-ménage. Je n'étais même pas sûr que ce fût réel. On aurait dit le vent. Ou des hallucinations. L'accent, américain, m'a cependant paru familier.

Je serrais toujours.

— J'ai dit, pas un geste ! Lâchez-le ! Tout de suite !

Encerclé. Six ou huit hommes, peut-être plus. Avec des armes pointées sur moi.

Mon regard a croisé celui du tueur. Il y avait comme une lueur moqueuse dans ses yeux. J'ai senti mes doigts se desserrer. Je ne sais si c'était la sommation ou la blessure qui me privait de mes forces. Ma main est retombée. Il a toussé, hoqueté, puis a essayé de reprendre l'avantage.

Il a levé son arme.

Exactement comme je l'espérais.

J'avais tiré le petit revolver de son holster fixé à ma cheville. De ma main gauche, je lui ai saisi le poignet.

La voix familière de l'Américain :

— Non !

Qu'ils me descendent, ça m'était égal. Cramponné à son poignet, je lui ai collé mon arme sous le menton et j'ai tiré. Quelque chose de mouillé et de poisseux a jailli sur mon visage. Alors j'ai lâché le revolver et je me suis écroulé sur son cadavre.

Des hommes – et j'ai eu l'impression qu'ils étaient nombreux – se sont jetés sur moi. Maintenant que j'avais accompli ce que j'avais à faire, ma volonté et l'envie de vivre m'abandonnaient. Je les ai laissés me retourner et me menotter, même s'il n'y avait guère besoin de m'entraver. Je n'avais plus l'intention de me battre. Ils m'ont allongé sur le dos. Tournant la tête, j'ai contemplé le corps inanimé de Terese. Et une douleur indicible, une douleur comme je n'en avais jamais ressenti auparavant, m'a submergé.

Ses yeux étaient fermés, et bientôt les miens se sont clos eux aussi.

DEUXIÈME PARTIE

22

SOIF.

Du sable dans la gorge. Les yeux qui ne s'ouvrent pas. Ou peut-être que si.

Noir complet.

Bruit de moteur. Je sens une présence au-dessus de moi.

— Terese…

Je crois que je le dis tout haut, mais je n'en suis pas certain.

Bribes de souvenirs : des voix.

Elles semblent venir de très loin. Je ne comprends pas un mot. De simples sons, c'est tout. Il y a de la colère là-dedans. Ça se rapproche. Plus fort. Dans mon oreille maintenant.

Mes yeux s'ouvrent. Je vois du blanc.

La voix répète la même chose, toujours la même chose.

Quelque chose comme : « *Al-sabr wal saïf.* »

Je ne comprends pas ce charabia. Quelle est cette langue étrangère. Je ne sais pas.

— *Al-sabr wal saïf.*

On me crie dans l'oreille. Mes yeux se referment. Je voudrais que ça cesse.

— *Al-sabr wal saïf.*

La voix est courroucée, implacable. Je crois que je m'excuse.

— Il ne comprend pas, dit quelqu'un.

Silence.

Douleur dans les côtes.

Je dis à nouveau :

— Terese…

Pas de réponse.

Où suis-je ?

J'entends une voix, mais je ne comprends pas ce qu'elle dit.

Je me sens seul, coupé du monde. Je suis couché. Je crois que je tremble.

— Laissez-moi vous expliquer la situation.

Je ne peux toujours pas bouger. J'essaie d'ouvrir la bouche, mais je n'y arrive pas. Ouvrir les yeux. Tout se brouille. Comme si j'avais une toile d'araignée épaisse, visqueuse, tout autour de la tête. J'essaie de tirer sur la toile. Elle ne cède pas.

— Vous avez travaillé pour le gouvernement, n'est-ce pas ?

Cette voix, est-ce à moi qu'elle s'adresse ? Je hoche la tête et m'immobilise.

— Vous savez donc que les endroits comme celui-ci existent. Qu'ils ont toujours existé. Vous avez au moins entendu les rumeurs.

Je n'ai jamais cru les rumeurs. Après le 11 Septembre, peut-être. Mais pas avant. Il me semble que je dis non, mais si ça se trouve, c'est juste dans ma tête.

— Personne ne sait où vous êtes. Personne ne vous retrouvera. Nous pouvons vous garder indéfiniment. Nous pouvons vous éliminer à tout instant, si ça nous chante. Nous pouvons aussi vous laisser partir.

Des doigts autour de mon biceps. Des doigts sur mon poignet. Je me débats, peine perdue. Je sens qu'on me pince le bras. Incapable de bouger. Incapable de réagir. Je me souviens, quand j'avais six ans, mon père m'avait emmené à la fête foraine dans Northfield Avenue. Des attractions, des manèges ringards. La Maison de fous. C'est comme ça que ça s'appelait. Des miroirs, des têtes de clown géantes et ces horribles rires préenregistrés. J'y étais allé tout seul. Vu que j'étais un grand garçon. Je m'étais perdu, je ne trouvais plus la sortie. Une de ces têtes de clown avait bondi sur moi. Je m'étais mis à pleurer. Je m'étais retourné. Une autre tête de clown géante était là, juste derrière, en train de me narguer.

C'est la sensation que j'éprouve maintenant.

J'avais poussé un cri, je m'étais retourné. J'avais appelé mon papa. Il avait crié mon prénom, s'était précipité à l'intérieur, après avoir défoncé une paroi mince, m'avait trouvé, et tout était rentré dans l'ordre.

Papa, me dis-je. Papa me retrouvera. C'est une question de secondes.

Mais personne ne vient.

— D'où connaissez-vous Rick Collins ?

Je dis la vérité. Une fois de plus. Tellement épuisé.

237

— Et d'où connaissez-vous Mohammad Matar ?

— Je ne sais pas qui c'est.

— Vous avez tenté de le tuer à Paris. Et vous avez fini par le tuer avant qu'on ne vous interpelle à Londres. Qui vous a envoyé pour le tuer ?

— Personne. Il m'avait agressé.

J'explique. Soudain, il m'arrive une chose horrible, mais je ne sais pas ce que c'est.

Je suis en train de marcher. J'ai les mains liées derrière le dos. Je ne vois pas grand-chose, juste de petits points lumineux. Une main sur chaque épaule. Ils me tirent brutalement vers le bas.

Je suis couché sur le dos.

Jambes ligotées. Une courroie m'enserre la poitrine. Le corps attaché à une surface dure.

Je suis incapable d'esquisser le moindre geste.

Les points lumineux disparaissent soudain. Je crois que je hurle. On a dû me retourner. Je n'en suis pas sûr.

Une main géante, mouillée, se plaque sur mon visage. M'attrape le nez. Me recouvre la bouche.

Impossible de respirer. J'essaie de me débattre. Bras liés. Jambes liées.

Impossible de bouger. On me tient la tête. Impossible même de la tourner. La main m'appuie sur le visage. Pas d'air.

Panique. On est en train de m'étouffer.

Essaie d'inspirer. Ma bouche s'ouvre. Inspirer. Il faut que j'inspire. Je ne peux pas. L'eau m'emplit la gorge et me remonte dans le nez.

Je m'étrangle. Poumons en feu. Sur le point

d'éclater. Muscles hurlent. Bouger. Peux pas. Pas d'issue.

Pas d'air.

Je suis en train de mourir.

J'entends pleurer et je comprends que c'est moi.

Une douleur subite, fulgurante.

Je me cabre. Les yeux me sortent des orbites. Je hurle.

— Oh, mon Dieu, s'il vous plaît…

Cette voix, c'est la mienne, mais je ne la reconnais pas. Tellement faible. Bon sang, ce que je suis faible.

— Nous avons quelques questions pour vous.

— Je vous en prie. J'y ai déjà répondu.

— Nous en avons d'autres.

— Et ensuite je pourrai partir ?

La voix implorante.

— C'est à peu près votre seul espoir.

Je suis réveillé en sursaut par une forte lumière en plein visage.

Je cille. Mon cœur s'affole, je n'arrive pas à reprendre mon souffle. Ne sais pas où je suis. Mon esprit explore le temps. Quelle est la dernière chose dont je me souvienne ? Mon revolver sous le menton de ce bâtard, je presse la détente.

Il y a autre chose là, dans un recoin de mon cerveau, qui m'échappe. Un rêve, peut-être. Vous connaissez ce sentiment : vous vous réveillez, le cauchemar est encore très présent, mais, à mesure que vous tentez de vous le remémorer, il se dissipe comme un nuage de fumée. C'est ce qui m'arrive à l'instant. J'essaie de me raccrocher aux images, mais elles s'évanouissent.

— Myron ?

La voix est calme, modulée. J'ai peur de cette voix. Je me recroqueville. J'ai terriblement honte, sans bien savoir pourquoi.

Ma propre voix, docile :

— Oui ?

— Vous oublierez, de toute façon. Et c'est tant mieux. Personne ne vous croira… et même si on vous croit, il est impossible de nous localiser. Vous ne savez pas où nous sommes. Vous ne savez pas à quoi nous ressemblons. Et, rappelez-vous : nous pouvons recommencer. Nous pouvons vous cueillir à n'importe quel moment. Et pas seulement vous. Vos proches. Votre mère et votre père à Miami. Votre frère en Amérique du Sud. Vous comprenez ?

— Oui.

— Lâchez l'affaire. Lâchez l'affaire, et tout ira bien, OK ?

Je hoche la tête. Mes yeux se révulsent. Je sombre à nouveau dans le néant.

23

JE ME SUIS RÉVEILLÉ LA PEUR AU VENTRE.

Ça ne me ressemblait pas. Mon cœur battait la chamade. La panique me nouait la poitrine, m'empêchait de respirer. Et tout cela avant même que je n'ouvre les yeux.

Lorsque j'ai fini par cligner des paupières – que j'ai regardé autour de moi –, mon rythme cardiaque a ralenti, et la panique est retombée. Assise sur une chaise, Esperanza était concentrée sur son iPhone. Ses doigts dansaient sur les touches ; elle devait être en train de travailler avec l'un de nos clients. J'aime mon boulot, mais elle, elle l'adore.

Je l'ai observée un moment : sa vue familière m'a sacrément réconforté. Esperanza portait un chemisier blanc sous son tailleur-pantalon gris, et une paire de créoles. Ses cheveux de jais étaient repoussés derrière ses oreilles. Le store de la fenêtre dans son dos était levé. Dehors il faisait nuit.

— Vous êtes avec quel client, là ? ai-je demandé.

Les yeux agrandis, elle a lâché l'iPhone et s'est précipitée vers moi.

— Oh, mon Dieu, Myron, oh, mon Dieu… !

— Je suis en train de mourir, c'est ça ?

— Non, pourquoi ?

— À vous voir accourir comme ça. D'habitude, vous êtes beaucoup plus lente.

Elle s'est mise à pleurer et m'a embrassé sur la joue. Esperanza ne pleure jamais.

— Je dois être en train de mourir.

— Ne soyez pas idiot, a-t-elle rétorqué en essuyant ses larmes.

Elle m'a serré dans ses bras.

— Enfin, si, soyez idiot. Le magnifique idiot que vous êtes.

J'ai jeté un œil par-dessus son épaule. Je me trouvais dans une chambre d'hôpital tout ce qu'il y a d'ordinaire.

— Depuis combien de temps êtes-vous ici ?

— Pas longtemps, a-t-elle répondu sans me lâcher. De quoi vous souvenez-vous ?

J'ai réfléchi à sa question. Karen et Terese, abattues. Le type qui les avait descendues. Moi qui l'avais tué. J'ai dégluti avec effort.

— Comment va Terese ?

Esperanza s'est redressée.

— Je ne sais pas.

Ce n'était pas la réponse que j'attendais.

— Comment ça, vous ne savez pas ?

— Ce n'est pas facile à expliquer. Quelle est la dernière chose dont vous vous souvenez ?

J'ai fouillé dans ma mémoire.

— Mon dernier souvenir précis, c'est quand j'ai tué le bâtard qui a abattu Terese et Karen. Juste avant de me faire alpaguer par une bande de mecs.

Elle a hoché la tête.

242

— Je me suis pris une balle moi aussi, non ?

— Oui.

Cela expliquait l'hôpital.

Se penchant à nouveau, Esperanza m'a chuchoté à l'oreille :

— OK, écoutez-moi une seconde. Si la porte s'ouvre, si une infirmière entre ou quoi, vous ne parlez pas devant elle. Vous avez compris ?

— Non.

— Ordre de Win. Faites ce qu'on vous dit, c'est tout.

— D'accord.

Puis :

— Vous êtes venue à Londres pour être avec moi ?

— Non.

— Comment, non ?

— Faites-moi confiance, d'accord ? Prenez votre temps. Vous vous rappelez autre chose ?

— Rien.

— Rien entre le moment où vous avez été blessé et maintenant ?

— Où est Terese ?

— Je vous l'ai déjà dit. Je ne sais pas.

— Ça n'a pas de sens. Comment est-ce possible que vous ne le sachiez pas ?

— C'est une longue histoire.

— Et si vous me mettiez dans la confidence ?

Esperanza m'a fixé de ses yeux verts. Et je n'ai pas aimé l'expression de son regard.

J'ai essayé de m'asseoir.

— Combien de temps suis-je resté inconscient ?

— Ça non plus, je ne le sais pas.

— Encore une fois, comment est-ce possible ?

— Pour commencer, vous n'êtes pas à Londres.

Ça m'a coupé la chique. J'ai scruté la pièce comme à la recherche d'une explication. Le logo du NEW YORK PRESBYTERIAN était brodé sur ma couverture. Impossible.

— Je suis à Manhattan ?

— Oui.

— J'ai été rapatrié ?

Elle n'a rien répondu.

— Esperanza ?

— Je ne sais pas.

— Mais enfin, depuis quand suis-je dans cet hôpital ?

— Quelques heures peut-être, mais je n'en suis pas sûre.

— Ça ne tient pas debout, votre histoire.

— Moi non plus, je ne comprends pas très bien. Il y a deux heures, on m'a appelée pour me dire que vous étiez ici.

J'avais le cerveau embrumé… et ses explications n'arrangeaient rien.

— Il y a deux heures ?

— Oui.

— Et avant ça ?

— Avant ce coup de fil, a dit Esperanza, nous n'avions aucune idée de l'endroit où vous étiez.

— Quand vous dites « nous »…

— Moi, Win, vos parents…

— Mes parents ?

— Rassurez-vous, nous leur avons menti. Nous leur avons dit que vous vous trouviez dans une région d'Afrique où le téléphone passait mal.

— Personne ne savait où j'étais ?

— C'est ça.

— Pendant combien de temps ?

Elle s'est bornée à me regarder.

— Pendant combien de temps, Esperanza ?

— Seize jours.

Je n'ai pas bronché. Seize jours ! J'avais été hors circuit pendant seize jours. J'ai essayé de me souvenir, et mon cœur s'est mis à palpiter. J'ai été pris de panique.

« Lâchez l'affaire… »

— Myron ?

— Je me souviens de mon arrestation.

— OK.

— Et vous me dites que ça remonte à seize jours ?

— Oui.

— Vous avez contacté la police britannique ?

— Eux non plus ne savaient pas où vous étiez.

J'avais un million de questions, mais la porte s'est ouverte, interrompant notre conversation. Esperanza m'a lancé un regard d'avertissement. J'ai gardé le silence. Une infirmière est entrée en disant :

— Tiens, tiens, vous êtes réveillé.

Avant que la porte ne se referme complètement, quelqu'un d'autre l'a poussée de l'extérieur.

Papa.

À la vue de cet homme – un homme âgé, il fallait bien l'admettre –, j'ai éprouvé quelque chose qui ressemblait à du soulagement. Il était hors d'haleine, tellement il était pressé d'arriver au chevet de son fils. Maman lui emboîtait le pas. Même en temps ordinaire, ma mère a tendance à se précipiter vers moi, comme si j'étais un prisonnier de guerre tout juste libéré. C'est ce qu'elle a fait, bousculant l'infirmière au passage. Moi, en général, je lève les yeux au ciel, même si secrètement ça me fait plaisir. Cette fois, je n'ai pas levé les yeux au ciel.

— Je vais bien, maman. Je te jure.

Mon père est resté légèrement en retrait, selon son habitude. Ses yeux étaient rouges et gonflés. J'ai scruté son visage. Il savait. Il n'avait pas gobé cette histoire d'Afrique avec une mauvaise couverture réseau. Il avait probablement aidé à la vendre à maman. Mais il savait.

— Tu es si maigre, s'est lamentée maman. On ne t'a pas nourri là-bas ou quoi ?

— Laisse-le tranquille, a dit papa. Il a bonne mine.

— Il n'a pas bonne mine. Il est tout maigre. Et pâle. Pourquoi es-tu dans un lit d'hôpital ?

— Je te l'ai dit, a répondu papa. Tu ne m'as pas entendu, Ellen ? Intoxication alimentaire. Ça va aller, c'est une sorte de dysenterie.

— Mais enfin, que faisais-tu à Sierra Madre ?

— En Sierra Leone, a corrigé papa.

— Je croyais que c'était Sierra Madre.

— C'est à cause du film.

— Je me souviens. Avec Humphrey Bogart et Katharine Hepburn.

— C'était dans *African Queen*.

— Aaah, a dit maman, comprenant enfin sa méprise.

Elle a desserré son étreinte. Papa s'est approché, a repoussé les cheveux de mon front, m'a embrassé. Sa joue râpeuse s'est frottée contre moi. L'odeur réconfortante d'Old Spice flottait dans l'air.

— Ça va ? m'a-t-il demandé.

J'ai hoché la tête. Il a eu l'air sceptique.

Ils paraissaient si vieux, tout à coup. C'est souvent comme ça, non ? Quand on n'a pas vu un enfant depuis un bout de temps, on s'étonne de découvrir combien il a grandi. Quand on n'a pas vu une personne âgée depuis un bout de temps, on s'étonne de découvrir combien elle a vieilli. À quel moment mes parents si dynamiques avaient-ils franchi la ligne ? Maman avait la tremblote, son Parkinson s'aggravait. Son esprit, déjà un brin excentrique à la base, voguait à la dérive. Papa se portait relativement bien, malgré quelques petits soucis cardiaques, mais nom de Dieu ce qu'ils avaient l'air vieux !

« Votre mère et votre père à Miami… »

Ma poitrine s'est contractée. J'avais à nouveau du mal à respirer.

Papa a dit :

— Myron ?

— Ça va.

L'infirmière s'est faufilée jusqu'à mon lit. Mes parents se sont écartés. Elle a glissé un thermomètre dans ma bouche et entrepris de prendre mon pouls.

— Les visites sont terminées, a-t-elle annoncé. Il faut que vous partiez maintenant.

Je ne voulais pas qu'ils partent. Je ne voulais pas rester seul. J'étais terrifié et j'avais immensément honte. J'ai esquissé un sourire forcé quand l'infirmière a retiré le thermomètre et déclaré d'un ton un peu trop enjoué :

— Tâchez de dormir, OK ? Je vous verrai demain matin.

J'ai croisé le regard de mon père. Toujours aussi

247

sceptique. Il a murmuré quelque chose à Esperanza. Elle a acquiescé et escorté ma mère hors de la chambre. Ma mère et Esperanza parties, l'infirmière s'est tournée vers la porte.

— Monsieur, a-t-elle dit à mon père, il faut vous en aller.

— Je voudrais être seul une minute avec mon fils.

Elle a hésité. Puis :

— Vous avez deux minutes.

Et elle est sortie.

— Qu'est-ce qui t'est arrivé ? a demandé papa.

— Je ne sais pas.

Il a tiré la chaise près du lit et m'a pris la main.

— Tu n'as pas cru que j'étais en Afrique ?

— Non.

— Et maman ?

— Je lui disais que tu avais appelé en son absence.

— Et elle a marché ?

Papa a haussé les épaules.

— Je ne lui avais jamais menti jusqu'ici, alors oui, elle a marché. Ta mère n'a pas sa tête d'autrefois.

Je n'ai rien dit. L'infirmière est revenue.

— Il est temps de partir.

— Non, a dit mon père.

— Ne m'obligez pas, s'il vous plaît, à appeler la sécurité.

J'ai senti la panique enfler dans ma poitrine.

— Ça ira, papa. Je vais bien. Rentre te reposer.

Il m'a contemplé un moment avant de s'adresser à l'infirmière :

— Comment vous appelez-vous, mon petit ?

— Regina.

— Regina comment ?

248

— Regina Monte.

— Mon nom est Al, Regina. Al Bolitar. Vous avez des enfants ?

— Deux filles.

— Lui, c'est mon fils, Regina. Appelez la sécurité, si vous voulez. Mais je n'abandonnerai pas mon fils.

J'ai failli protester, mais je me suis retenu. L'infirmière est partie. Elle n'a pas alerté la sécurité. Mon père a passé la nuit sur la chaise à côté de mon lit. Il a rempli mon verre d'eau et rajusté ma couverture. Quand j'ai crié dans mon sommeil, il m'a réconforté, m'a caressé le front, m'a assuré que tout irait bien… et, l'espace de quelques secondes, je l'ai cru.

24

WIN A TÉLÉPHONÉ LE LENDEMAIN MATIN à la première heure.

— Va au bureau, m'a-t-il ordonné. Ne pose pas de questions.

Et il a raccroché. Ce qu'il peut m'énerver, quelquefois !

Mon père a foncé à la boulangerie d'en face, vu que ce qu'on nous servait au petit déjeuner à l'hôpital ressemblait un peu à ce que les singes vous balancent à travers les barreaux de leurs cages au zoo. Le médecin est passé en son absence et m'a donné mon bulletin de santé. Oui, j'avais bel et bien été blessé par balle. Elle avait traversé mon côté droit, juste au-dessus de la hanche. Mais j'avais reçu tous les soins nécessaires.

— Est-ce que ça justifierait un séjour de seize jours à l'hôpital ? ai-je demandé.

Il m'a regardé d'un drôle d'air. Voilà un quidam débarqué d'on ne sait où, inconscient, victime d'une fusillade, et qui débloque par-dessus le marché… Je suis sûr qu'il s'interrogeait sur l'opportunité de m'envoyer chez un psy.

— C'est une pure hypothèse, me suis-je empressé d'ajouter, me rappelant les recommandations de Win.

Sur ce, j'ai cessé de poser des questions et je me suis mis à hocher la tête avec application.

Papa est resté avec moi pendant que je m'acquittais des formalités de sortie. Esperanza avait laissé mon costume dans le placard. Je l'ai enfilé et me suis tout de suite senti en pleine forme. Je voulais appeler un taxi, mais papa a insisté pour me conduire. Il avait été un excellent conducteur, dans le temps. À l'aise sur la route, sifflotant doucement l'air de la radio, tournant le volant avec ses poignets. Désormais, la radio demeurait éteinte. Il scrutait la chaussée et appuyait plus souvent sur le frein.

Arrivé devant l'immeuble Lock-Horne dans Park Avenue – le nom complet de Win, rappelez-vous, est Windsor Horne Lockwood III –, papa m'a demandé :

— Je te dépose, c'est bon ?

Mon père m'impressionne par moments. Certes, la paternité est une affaire d'équilibre, mais comment fait-on pour réussir un tel parcours sans faute ? Toute ma vie, il m'avait poussé à me dépasser sans jamais me mettre la pression. Il se réjouissait de mes succès sans y accorder une importance exagérée. Il aimait sans condition, et pourtant, aujourd'hui encore j'avais besoin de son approbation. Il savait, comme maintenant, quand il fallait être là et quand il fallait se retirer.

— Ça va aller.

J'ai embrassé sa joue râpeuse – il avait la peau flasque, à présent – et je suis descendu de voiture. L'ascenseur arrive directement dans mon agence.

Big Cyndi trônait à l'accueil, dans une tenue qu'elle semblait avoir arrachée à Bette Davis juste après le tournage de la scène culminante sur la plage dans *Qu'est-il arrivé à Baby Jane ?* Il y avait des couettes dans ses cheveux. Big Cyndi est... imposante, comme je l'ai déjà dit, un mètre quatre-vingt-quinze pour cent cinquante kilos et des poussières. Elle a de grandes mains, de grands pieds et une grosse tête. Le mobilier autour d'elle ressemble à une dînette de poupée ; c'est quasiment l'effet Alice au pays des merveilles, lorsque la pièce et tout ce qu'elle contient rétrécissent en sa présence.

Elle s'est levée à ma vue, manquant passer par-dessus son bureau.

— Monsieur Bolitar !

— Salut, Big Cyndi.

Elle devient folle quand je l'appelle Cyndi ou... euh, Big. Elle est très à cheval sur le protocole. Je suis M. Bolitar. Elle est Big Cyndi, ce qui par parenthèse est son véritable nom. Elle a fait modifier son état civil il y a plus de dix ans.

Big Cyndi a traversé la pièce avec une agilité que sa corpulence n'aurait pas laissé imaginer. Quand elle m'a serré dans ses bras, j'ai eu l'impression d'être momifié dans du mastic humide. Ce qui n'était pas désagréable.

— Oh, monsieur Bolitar !

Elle a reniflé, bruit qui m'a fait penser à la parade nuptiale des élans sur la chaîne Discovery.

— Je vais bien, Big Cyndi.

— Mais vous avez été blessé !

Sa voix changeait selon son humeur. À ses débuts dans l'agence, Big Cyndi préférait le grognement à la parole. Les clients se plaignaient, mais jamais devant elle et le plus souvent anonymement. En cet instant même, son timbre de voix était haut perché, une voix de gamine bien plus effrayante que n'importe quel grognement.

— L'autre, ai-je dit, est encore plus amoché que moi.

Elle m'a lâché et s'est mise à glousser, se couvrant la bouche d'une main large comme un pneu de camion. L'écho de son rire s'est réverbéré à travers la pièce, et partout dans les États voisins les petits enfants se sont cramponnés à la main de leurs mamans.

Esperanza est apparue dans l'encadrement de la porte. Dans le temps, Esperanza et Big Cyndi avaient été partenaires de catch au sein de la FFL, les Fabuleuses Filles de la lutte. Au départ, la fédération avait pensé à « Fabuleuses Odalisques », mais la chaîne de télévision avait renâclé devant l'acronyme ainsi formé.

Esperanza, avec sa peau mate et sa silhouette qualifiée de « pulpeuse » par les commentateurs haletants, jouait Petite Pocahontas, une beauté agile qui gagnait grâce à son talent avant que ses adversaires ne prennent le dessus en trichant. Big Cyndi, sa partenaire sous le nom de Big Mama, venait à sa rescousse et, ensemble, acclamées par la foule, elles triomphaient des méchantes court vêtues et bardées d'implants.

Du grand spectacle.

— On a du pain sur la planche, a-t-elle annoncé.

Nos locaux n'étaient pas immenses : le hall d'entrée plus deux bureaux, le mien et celui d'Esperanza. Elle avait débuté ici comme secrétaire, assistante ou quel que soit le terme politiquement correct pour « employée de bureau », avant de devenir associée à part entière à l'époque même où j'avais fait ma déprime et suivi Terese dans son île.

— Qu'avez-vous raconté aux clients ? ai-je demandé.

— Que vous aviez eu un accident de voiture à l'étranger.

J'ai approuvé. Nous sommes allés dans son bureau. Depuis ma récente disparition, c'était un peu la pagaille. Il y avait des coups de fil à donner. Certains clients n'avaient pas apprécié de ne pas pouvoir joindre leur agent pendant plus de quinze jours. Je comprenais. C'est un métier relationnel où il faut en permanence tenir la main de son client et caresser son ego dans le sens du poil. Chacun d'eux a besoin de se sentir unique, ça fait partie de l'illusion. Quand vous n'êtes pas là, même si votre absence se justifie, l'illusion se dissipe.

J'aurais voulu demander des nouvelles de Terese, de Win et mille autres choses encore, mais me souvenant du coup de fil de ce matin je me suis jeté à corps perdu dans le travail. J'avoue que ç'a été thérapeutique. Je me sentais inexplicablement nerveux et angoissé. Je me rongeais même les ongles, ce qui ne m'était pas arrivé depuis l'école primaire, et je me grattais pour enlever des croûtes imaginaires. Travailler m'a fait du bien.

Pendant la pause, j'ai cherché sur Internet les entrées correspondant à « Terese Collins », « Rick Collins » et « Karen Tower ». J'ai tapé d'abord les trois noms ensemble. Rien. J'ai alors essayé Terese toute seule. Le peu de chose qu'il y avait remontait au temps de CNN. Quelqu'un entretenait encore un site web consacré à « Terese la nymphe de l'info » avec images à l'appui, essentiellement des portraits et des bribes de vidéos extraites des journaux télévisés, mais il n'avait pas été mis à jour depuis trois ans.

J'ai ensuite exploré les actualités sur Google pour voir s'il y avait quelque chose sur Rick et Karen.

Je m'attendais à un entrefilet, une nécro peut-être, or il y avait pléthore de titres, tirés pour la plupart de la presse britannique. Ça m'a fait un choc, mais quelque part ce n'était pas vraiment une surprise.

UN JOURNALISTE ET SA FEMME ASSASSINÉS PAR DES TERRORISTES
Cellule démantelée à la suite d'une fusillade

J'ai commencé à lire. Esperanza est venue frapper à ma porte.

— Myron ?

J'ai levé le doigt pour qu'elle me laisse encore une minute.

Elle a contourné mon bureau et, voyant ce que j'étais en train de faire, s'est assise avec un soupir.

— Vous étiez au courant ? ai-je demandé.

— Bien sûr.

D'après les articles de presse, des « forces spéciales chargées de lutter contre le terrorisme international » avaient débusqué et « éliminé » le célèbre terroriste Mohammad Matar, alias « Docteur La Mort ». Né en Égypte, Mohammad Matar avait étudié dans les meilleures écoles d'Europe, y compris en Espagne (d'où le prénom musulman et le patronyme qui signifie « tuer » en espagnol) ; il était réellement médecin, formé aux États-Unis. Les forces spéciales avaient liquidé au moins trois autres membres de sa cellule, un à Paris et deux à Londres.

Il y avait une photo de Matar, la photo d'identité que Berléand m'avait envoyée. J'ai contemplé l'homme que j'avais, dans le jargon médiatique, « éliminé ».

Les articles précisaient que le journaliste et réalisateur Rick Collins avait tenté d'infiltrer la cellule, mais sa couverture avait été percée à jour. Matar et ses « hommes de main » avaient assassiné Collins à Paris. Échappant au coup de filet de la police française (bien qu'il y eût laissé un de ses hommes), Matar s'était rendu à Londres pour effacer les traces de son « infâme complot terroriste » en tuant l'associé de longue date de Rick Collins, le réalisateur Mario Contuzzi, ainsi que la femme de Collins, Karen Tower. C'est là, dans la maison de Collins et Tower, que Mohammad Matar et deux de ses acolytes avaient rencontré la mort.

J'ai regardé Esperanza.

— Des terroristes ?

Elle a hoché la tête.

— Voilà pourquoi ils ont flippé, à Interpol, quand on leur a montré la photo, ai-je dit.

— Sûrement.

— Alors, où est Terese ?

— Personne ne le sait.

Je me suis enfoncé dans mon siège.

— Ils disent que ce sont les agents du gouvernement qui ont liquidé les terroristes.

— Ouais.

— Sauf que ce n'est pas eux.

— Exact. C'est vous.

— Et Win.

— Tout à fait.

— Mais nos noms n'apparaissent nulle part.

J'ai songé aux seize jours, à Terese, aux tests sanguins, à la fille blonde.

— C'est quoi, cette histoire de fous ?

— Je ne connais pas les détails, a-t-elle répondu. Je m'en fiche un peu.

— Ah oui, pourquoi ?

Esperanza a secoué la tête.

— Ce que vous pouvez être bouché, parfois. Vous avez été blessé. Win était là, il a tout vu. Et ensuite, pendant plus de deux semaines, nous sommes restés sans nouvelles... nous ne savions même pas si vous étiez mort ou vivant.

Je n'ai pas pu m'empêcher de sourire.

— Arrêtez de sourire comme un imbécile.

— Vous vous êtes inquiétée pour moi.

— Je me suis inquiétée pour l'agence.

— Vous m'aimez bien.

— Vous êtes un emmerdeur.

— Je ne comprends toujours pas...

Le sourire s'est évanoui.

— Comment se fait-il que je ne me souvienne pas d'où j'étais ?

« Lâchez l'affaire... »

Mes mains ont commencé à trembler. Je les ai regardées, j'ai essayé de me maîtriser. En vain. Esperanza les a regardées elle aussi.

— C'est à vous de me le dire. De quoi vous souvenez-vous ?

Ma jambe s'est mise à tressauter. Une boule s'est formée dans ma poitrine. J'ai senti monter la panique.

— Ça va ?

— Je veux bien un peu d'eau.

Esperanza est sortie à la hâte avant de revenir avec une tasse. J'ai bu lentement, de peur de m'étouffer. J'ai examiné mes mains. Ce tremblement. J'étais incapable de le faire cesser. Que diable m'arrivait-il ?

— Myron ?

— Ça va. Alors, c'est quoi, le programme ?

— On a des clients qui ont besoin de nous.

Je l'ai regardée. Elle a poussé un soupir.

— Nous nous sommes dit qu'il vous faudrait du temps.

— Pour ?

— Pour récupérer.

— De quoi ? Je vais bien.

— Ah oui, vous avez une mine superbe. Ce tremblement vous va à merveille. Sans parler de votre nouveau tic facial. *Mucho sexy*.

— Je n'ai pas besoin de récupérer, Esperanza.

— Oh, que si.

— Terese a disparu.

— Ou elle est morte.

— Vous cherchez à me choquer ?

Elle a haussé les épaules.

— Même si elle est morte, je dois retrouver sa fille.

— Pas dans votre état.

— Si, Esperanza, dans mon état.

Elle n'a rien dit.

— Quoi, qu'y a-t-il ?

— Je doute que vous soyez prêt.

— Ce n'est pas à vous d'en juger.

Elle a marqué une pause.

— Peut-être pas.

— Et donc ?

— Et donc, j'ai quelques infos sur le toubib que Collins est allé voir au sujet de la maladie de Huntington, et sur cette association des anges.

— Je vous écoute.

— Ça peut attendre. Si vous y tenez vraiment, si vous vous sentez vraiment prêt, il faut que vous appeliez ce numéro avec ce téléphone.

Elle m'a tendu un téléphone mobile et a quitté la pièce en fermant la porte derrière elle. J'ai contemplé le numéro. Il m'était inconnu, mais je ne m'attendais pas à autre chose. J'ai pianoté sur les touches.

Au bout de deux sonneries, une voix familière m'a répondu :

— Je suis heureux, cher ami, de vous savoir de retour d'entre les morts. Rencontrons-nous dans un lieu secret. Nous avons beaucoup de choses à nous dire.

C'était Berléand.

25

LE « LIEU SECRET » DE BERLÉAND était une adresse dans le Bronx.

La rue était sordide, et l'endroit lui-même, un bouge. J'ai vérifié l'adresse encore une fois. Il n'y avait pas d'erreur. C'était une boîte de strip-tease ; sous l'enseigne, on lisait en lettres de néon : CLUB SELECT. Le mot « select » n'était pas tant un oxymore qu'une absurdité. Un « club de strip-tease select », c'est un peu comme une « belle moumoute ». Belle ou pas, ça reste une moumoute.

La salle était sombre et sans fenêtres, si bien qu'à midi – l'heure de mon arrivée – on se serait cru à minuit.

Un grand Black au crâne rasé m'a demandé :

— Puis-je vous aider ?

— Je cherche un Français, un type âgé d'une cinquantaine d'années.

Il a croisé les bras sur la poitrine.

— Ça doit être Tuesdays.

— Non, je veux parler…

— Je sais de qui vous parlez.

Réprimant un sourire, il a tendu un énorme bras

tatoué d'un D vert en direction de la piste de danse. Je m'attendais à trouver Berléand dans un coin reculé et obscur, or il était là, juste devant la scène, absorbé par le… euh, spectacle.

— C'est lui, votre Français ?

— Exact.

Le videur s'est retourné. Sur son badge, on lisait « Anthony ». Son regard semblait me traverser.

— Vous désirez autre chose ?

— Allez-y, dites que je ne ressemble pas aux gars qui fréquentent des lieux comme celui-ci, surtout en plein jour.

Anthony a eu un large sourire.

— Savez-vous qui sont les gars qui ne fréquentent pas des lieux comme celui-ci, surtout en plein jour ?

J'ai attendu la suite.

— Les aveugles.

Il a tourné les talons. Je me suis frayé un passage vers le bar. La sono était assourdissante : Beyoncé chantait à son amoureux qu'il devait mal la connaître, qu'elle pouvait le remplacer dans la minute. Ben oui, quand on s'appelle Beyoncé, qu'on est belle, riche et célèbre, ça ne doit pas être bien difficile. Ah, les filles !

La danseuse aux seins nus évoluait sur la scène avec des gestes que j'aurais qualifiés de « langoureux » si elle y avait mis un peu plus de cœur. Elle avait l'air de s'ennuyer ferme – on aurait dit qu'elle regardait la chaîne parlementaire –, et la barre lui servait moins d'accessoire que de canne pour tenir debout. Sans vouloir paraître bégueule, je ne vois pas bien l'intérêt de ce genre de spectacle. Ça ne me fait aucun effet. Non pas que les filles soient dénuées d'attraits : certaines le sont, d'autres pas. J'en ai discuté une fois avec Win, ce qui était forcément une erreur dès lors qu'il s'agissait du sexe opposé, et je suis parvenu à la conclusion que ce fantasme n'est pas ma tasse de thé. C'est peut-être une faiblesse chez moi, mais j'ai besoin de croire que la demoiselle se donne à moi, et à moi seul. Win, lui, s'en fiche. Je ne suis pas insensible, non, mais mon ego n'aime pas mélanger le sexe avec le commerce, le ressentiment et la lutte des classes.

Disons que je suis vieux jeu.

Affublé de sa parka grise, Berléand souriait à la danseuse qui s'ennuyait là-haut en remontant constamment ses drôles de bésicles sur son nez. J'ai pris place à côté de lui. Il s'est retourné, s'est frotté/ essuyé les mains et m'a examiné un instant.

— Vous avez une mine épouvantable.

— La vôtre, en revanche, est resplendissante. Une nouvelle crème de jour ?

Il a englouti une poignée de cacahuètes.

— C'est ça, votre lieu secret ?

Il a haussé les épaules.

— Pourquoi ici ?

Puis, après réflexion :

— Oh, je vois. Parce que c'est excentré, c'est ça ?

— C'est ça, a acquiescé Berléand. Et parce que j'aime regarder les femmes nues.

Il a pivoté vers la danseuse. Moi, j'en avais déjà assez vu.

— Est-ce que Terese est en vie ? ai-je demandé.

— Je ne sais pas.

Nous nous sommes tus momentanément. J'ai commencé à me mordiller un ongle.

— Vous m'aviez prévenu. Vous m'aviez dit que je n'étais pas équipé pour ça.

Il avait les yeux fixés sur la danseuse.

— J'aurais dû vous écouter.

— Ça n'aurait rien changé. Ils auraient quand même liquidé Karen Tower et Mario Contuzzi.

— Mais pas Terese.

— Au moins, vous y avez mis le holà. C'est leur plantage, pas le vôtre.

— Vous parlez de qui ?

— Eh bien, de moi-même en premier lieu.

Berléand a ôté ses lunettes trop grandes pour lui et s'est frotté le visage.

— On nous connaît sous un tas de noms. Le plus courant est sans doute la sûreté nationale. Comme vous l'avez peut-être deviné, je suis officier de liaison chargé de ce que votre administration appelle la guerre contre le terrorisme. Mon homologue britannique aurait dû renforcer la surveillance de son côté.

Une serveuse à gros seins s'est approchée, son décolleté plongeant jusqu'à ses genoux.

— Je vous sers du champagne ?

— Ceci n'est pas du champagne, a répondu Berléand.

— Hein ?

— Ça vient de Californie.

— Et alors ?

— Le champagne ne peut être que français. Voyez-vous, la Champagne est une région géographique. La bouteille que vous avez à la main, c'est ce que les gens avec des papilles appellent du « vin mousseux ».

Elle a levé les yeux au ciel.

— Je vous sers du vin mousseux ?

— Ma chère, votre truc, c'est du gargarisme pour chien, et encore !

Il a brandi son verre vide.

— Apportez-moi, s'il vous plaît, un autre whisky noyé d'eau.

Il s'est tourné vers moi.

— Myron ?

Je doutais qu'ils servent des Yoo-Hoo ici.

— Un Coca light.

Elle s'est éloignée d'un pas traînant, et j'ai demandé :

— Alors, quoi de neuf ?

— En ce qui nous concerne, l'affaire est classée. Rick Collins est tombé sur un complot terroriste. Il a été assassiné à Paris par des membres de la cellule. Ils ont tué deux autres personnes en relation avec Collins à Londres… avant de se faire descendre. Par vous-même, ici présent.

— Je n'ai pas vu mon nom dans la presse.

— On court après les honneurs, hein ?

— Pas vraiment. Mais ça m'étonne qu'ils ne m'aient pas mentionné.

— Réfléchissez un peu.

La serveuse est revenue.

— Korbel appelle ça du champagne, monsieur Je-sais-tout. Et ils sont en Californie.

— Korbel ferait mieux d'appeler ça du résidu de fosse septique, ce serait plus conforme à la réalité.

Elle a posé bruyamment nos verres sur la table et nous a tourné le dos.

— Ce n'est pas que les autorités cherchent à

s'attribuer tout le mérite, a repris Berléand. Votre nom n'a pas paru dans la presse pour deux raisons. La première, votre sécurité. D'après ce que j'ai compris, Mohammad Matar avait un compte personnel à régler avec vous. Vous avez tué un de ses hommes à Paris. Il voulait vous faire assister de visu à la mort de Karen Tower et de Terese Collins… avant d'en finir avec vous. Si jamais on découvre que vous avez liquidé le Docteur La Mort, il y a des gens qui voudront se venger sur vous et votre famille.

Il a désigné la danseuse qui venait vers nous.

— Vous avez des billets de un dollar ?

J'ai fouillé dans mon portefeuille.

— Et l'autre raison ?

— Si vous n'y étiez pas – à la tuerie de Londres –, les autorités n'ont pas besoin d'expliquer où vous avez passé ces deux dernières semaines.

À nouveau, cette sensation de fourmillement. J'ai remué la jambe, regardé autour de moi… j'avais envie de me lever. Berléand m'observait.

— Vous savez où j'étais ?

— J'ai mon idée là-dessus, a-t-il répliqué. Tout comme vous.

J'ai fait non.

— Pas moi.

— Vous n'avez gardé absolument aucun souvenir de ces quinze jours ?

Je n'ai pas répondu. Un étau m'oppressait la poitrine. J'avais du mal à respirer. Attrapant mon Coca, j'ai bu à petites gorgées.

— Vous tremblez, a-t-il dit.

— Et alors ?

— Avez-vous fait de mauvais rêves la nuit dernière ? Des cauchemars ?

— Évidemment. J'étais à l'hôpital. Pourquoi ?

— Connaissez-vous le sommeil crépusculaire ?

J'ai réfléchi quelques secondes.

— Ce n'est pas en rapport avec la grossesse ?

— L'accouchement, pour être plus précis. C'était assez répandu dans les années cinquante et soixante. On partait du principe que la femme n'était pas obligée de souffrir le martyre en mettant son enfant au monde. On lui administrait donc un mélange de morphine et de scopolamine. Certaines, ça les assommait carrément. Dans d'autres cas – c'était le but recherché –, la morphine soulageait la douleur, et la combinaison des deux faisait que la parturiente ne se souvenait de rien. L'amnésie médicamenteuse… ou le sommeil crépusculaire. Cette pratique a été abandonnée, parce que les enfants naissaient souvent dans un état d'hébétude, et parce que c'était l'époque du féminisme, il fallait vivre l'expérience pleinement, tout ça. Personnellement, j'ai du mal à comprendre, mais bon, je ne suis pas une femme.

— Et pourquoi vous me dites ça ?

— Ça, c'était dans les années cinquante, soixante. Il y a plus d'un demi-siècle. Aujourd'hui on a d'autres substances, et on a eu beaucoup de temps pour les expérimenter. Imaginez le résultat, si on réussissait à perfectionner une méthode vieille de cinquante ans. On pourrait retenir quelqu'un pendant un laps de temps indéterminé, sans qu'il se souvienne de quoi que ce soit.

J'avais le cerveau lent, mais quand même !

— C'est ce qui m'est arrivé ?

266

— J'ignore ce qui vous est arrivé. Vous avez entendu parler de sites noirs de la CIA.

— Bien sûr.

— Croyez-vous qu'ils existent réellement ?

— Des endroits où la CIA enferme des prisonniers sans que personne le sache ? Je suppose que oui.

— Vous supposez ? Ne soyez pas naïf. Même Bush a admis leur existence. Ça n'a pas commencé avec le 11 Septembre. Réfléchissez à tout ce qu'on peut faire rien qu'en plongeant les prisonniers dans un sommeil crépusculaire prolongé. Les femmes en oubliaient les douleurs de l'accouchement... les pires douleurs qui soient. Ils peuvent vous interroger des heures, vous faire dire et faire n'importe quoi, sans que vous en gardiez le moindre souvenir.

Ma jambe s'est remise à tressaillir.

— Mais c'est proprement diabolique.

— Vous trouvez ? Admettons que vous capturiez un terroriste. Vous connaissez le vieux débat : sachant qu'un nouvel attentat se prépare, a-t-on le droit de le torturer pour sauver des vies humaines ? Eh bien, là, vous faites table rase. Il ne se souvient de rien. Est-ce que ça rend l'acte plus moral ? Vous, mon cher ami, avez été interrogé durement, voire torturé. Vous ne vous en souvenez pas. Alors, est-ce vraiment arrivé ?

— Comme la chute d'un arbre dans la forêt quand il n'y a personne alentour, ai-je dit.

— Exactement.

— Vous, les Français, avec votre philosophie.

— Il s'est passé des choses depuis la mort de Sartre.

— Hélas.

267

J'ai changé de position sur ma chaise.

— J'ai un peu de mal à croire tout ça.

— Moi aussi, à dire vrai. Mais pensez-y. Pensez à ces gens qui disparaissent et qu'on ne revoit plus. Pensez à ces personnes actives, en bonne santé, qui virent soudain suicidaires ou clochards ou malades mentaux. Pensez à ceux qui – ayant mené une vie parfaitement banale – affirment subitement avoir été enlevés par des extraterrestres ou développent un syndrome de stress post-traumatique.

« Lâchez l'affaire… »

Respirer redevenait pénible. Un spasme m'a secoué la poitrine.

— Ça ne peut pas être aussi simple, ai-je objecté.

— Oh, ça ne l'est pas. Encore une fois, songez à ceux qui deviennent psychotiques du jour au lendemain, aux individus rationnels qui invoquent soudain une extase religieuse ou des hallucinations extraterrestres. Et toujours cette question d'éthique : le traumatisme est-il moins grave, au nom du bien public, s'il est oublié instantanément ? Les hommes qui gèrent ces prisons fantômes ne sont pas des sadiques. Ils ont l'impression de moraliser la chose.

J'ai porté la main à mon visage. Mes joues étaient baignées de larmes, sans que je sache pourquoi.

— Mettez-vous à leur place. L'homme que vous avez abattu à Paris était un complice de Mohammad Matar. Les autorités pensaient qu'il était sur le point de retourner sa veste et de nous fournir des renseignements. Il y a beaucoup de luttes intestines au sein de ces réseaux. Que faisiez-vous là-dedans ? Vous avez tué Matar… d'accord, c'était de la légitime défense, mais peut-être qu'on vous avait envoyé pour le tuer.

Vous suivez ? Il n'était pas déraisonnable de croire que vous déteniez des informations susceptibles d'empêcher des attentats.

— Du coup…

J'ai marqué une pause.

— … ils m'ont torturé ?

Berléand a remonté les lunettes sur son nez.

— Si c'était vrai, il y a des gens qui s'en souviendraient, non ? ai-je demandé. Et qui parleraient.

— Pour dire quoi ? Ça vous revient, OK. Et après ? Vous ignorez où vous étiez. Vous ignorez à qui vous avez eu affaire. Et vous êtes terrifié car en votre for intérieur, vous savez qu'ils pourraient remettre la main sur vous.

« Votre mère et votre père… »

— Alors vous vous taisez car il n'y a pas d'autre solution. Et peut-être, seulement peut-être, que ce qu'ils font permet de sauver des vies. Vous ne vous êtes jamais demandé comment on fait pour déjouer autant de complots terroristes ?

— En torturant les gens et en le leur faisant oublier ?

Berléand a eu un haussement d'épaules théâtral.

— Et si c'est tellement efficace, ai-je ajouté, pourquoi ne l'a-t-on pas utilisé sur Khaled Cheikh Mohammed ou d'autres membres d'al-Qaïda ?

— Qui dit que ça n'a pas été fait ? À l'heure qu'il est, et malgré les polémiques, l'administration américaine n'a reconnu que trois cas de waterboarding, la technique de simulation de la noyade, tous antérieurs à 2003. Vous y croyez, vous ? En ce qui concerne Khaled, le monde entier avait les yeux rivés sur lui. C'est la leçon que votre gouvernement a tirée de

Guantánamo. On ne fait pas ces choses-là au vu et au su de tout le monde.

J'ai bu une autre gorgée de Coca light. Nous n'étions pas seuls dans la salle. Il y avait des complets-veston et des types en jean et T-shirt. Des Blancs, des Noirs, des Latinos. Mais pas d'aveugles. Anthony le videur avait dit vrai.

— Et maintenant ? ai-je demandé.

— Normalement, la cellule a été liquidée… et le complot avec.

— Mais vous n'en êtes pas convaincu.

— Non.

— Pourquoi ?

— Parce que Rick Collins pensait avoir découvert quelque chose d'énorme, qui aurait des répercussions à long terme et à grande échelle. La coalition pour laquelle je travaille n'a pas apprécié que je vous montre la photo de Matar. C'est logique, et c'est pour ça qu'on m'a prié d'aller prendre l'air.

— Je suis désolé.

— Ne vous en faites pas pour ça. Ils sont à la recherche d'une nouvelle cellule, d'un nouveau complot. Moi, je veux poursuivre mon enquête. J'ai des amis qui sont prêts à m'aider.

— Quels amis ?

— Vous les avez rencontrés.

J'ai réfléchi brièvement.

— Le Mossad.

Il a hoché la tête.

— Collins aussi avait fait appel à eux.

— C'est pour ça qu'ils me suivaient ?

— Au début, ils vous ont soupçonné d'être l'auteur de l'assassinat. Je leur ai certifié que ce n'était pas possible. À l'évidence, Collins savait quelque chose, mais il ne voulait pas dire quoi. À force de ménager la chèvre et le chou, on ne voyait plus très bien à la fin dans quel camp il se situait. D'après le Mossad, il a rompu tout contact avec eux une semaine avant sa mort.

— Pourquoi, à votre avis ?

— Aucune idée.

Baissant les yeux sur son verre, Berléand a remué le breuvage avec son doigt.

— Et pourquoi êtes-vous ici ? ai-je demandé.

— J'ai pris l'avion en apprenant qu'on vous avait retrouvé.

— Pourquoi ?

Il a avalé une lampée de whisky.

— Assez de questions pour aujourd'hui.

— De quoi parlez-vous ?

Il s'est levé.

— Où allez-vous ?

— Je vous ai exposé les faits.

— OK, j'ai compris. Nous avons du boulot en perspective.

— Nous ? Votre participation s'arrête là.

— Vous rigolez ou quoi ? Déjà, il faut que je retrouve Terese.

Il a esquissé un sourire.

— Puis-je vous parler franchement ?

— Non, je préfère que vous continuiez à tourner autour du pot.

— Je dis ça parce que je ne suis pas très doué pour annoncer les mauvaises nouvelles.

— Vous vous êtes pas mal débrouillé jusqu'ici.

— Oui, mais là, c'est différent.

271

Berléand avait les yeux fixés sur la scène, mais à mon avis il ne regardait pas la danseuse.

— Chez vous, en Amérique, on appelle ça le principe de réalité. Alors voilà : soit Terese est morte, auquel cas vous ne pouvez rien pour elle. Soit, comme vous, elle est retenue dans un site noir, et là vous êtes impuissant.

— Mais pas du tout, ai-je protesté faiblement.

— Si, mon ami. Avant même que je ne l'aie contacté, Win a su convaincre tout le monde de ne pas faire de vagues autour de votre disparition. Pourquoi ? Parce qu'il savait que si quelqu'un – vos parents ou autre – faisait un esclandre, vous risqueriez de ne pas revenir. Ils auraient simulé un accident de voiture. Ou un suicide. Dans le cas de Terese Collins, c'est encore plus simple. Ils pourraient la tuer, l'enterrer et dire qu'elle est repartie se cacher en Angola. Ou ils pourraient maquiller sa mort en suicide sous prétexte qu'elle souffrait trop d'avoir perdu sa fille. Il n'y a rien que vous puissiez faire pour elle.

Je me suis laissé aller en arrière.

— Prenez plutôt soin de vous, a-t-il ajouté.

— Vous voulez que je reste en dehors de toute l'affaire ?

— Oui. Même si je continue à penser que ce n'était pas votre faute. Rappelez-vous, je vous avais mis en garde une première fois. Et vous n'avez pas voulu m'écouter.

Ce qui n'était pas faux.

— Une dernière question.

Il m'a regardé.

— Pourquoi m'avoir raconté tout ça ?

— Les sites noirs ?

— Oui.

— Parce que, contrairement à l'effet qu'on attribue aux médicaments, je ne crois pas qu'on oublie complètement. Vous avez besoin d'aide, Myron. Alors, s'il vous plaît, occupez-vous de vous.

Et voici comment j'ai découvert que Berléand avait peut-être raison.

De retour au bureau, j'ai appelé quelques clients. Esperanza a commandé des sandwichs, et nous nous sommes installés pour manger dans le vestibule. Elle a parlé de son petit garçon, Hector. D'accord, c'est un truisme de dire que la maternité, ça vous change une femme, mais dans le cas d'Esperanza le changement était déroutant et pas franchement à son avantage.

Lorsqu'on a eu fini, j'ai regagné mon bureau et fermé la porte. Sans allumer la lumière. Je suis resté longtemps assis dans mon fauteuil. On a tous nos moments de déprime ou de prostration, mais ceci était différent, plus profond, plus pesant. Je n'avais pas la force de bouger. Je me sentais lourd. À cause du nombre d'embûches qui ont parsemé mon parcours, j'ai pris l'habitude de garder une arme dans mon bureau.

Un 38 Smith & Wesson.

J'ai ouvert le tiroir du bas. Des larmes me coulaient sur les joues.

Je sais que ç'a l'air mélodramatique, cette image pitoyable du pauvre type, assis seul et déprimé derrière son bureau, un revolver à la main. Si j'avais eu une photo de Terese sous les yeux, je l'aurais saisie comme Mel Gibson dans le premier *Arme fatale* et j'aurais enfoncé le canon dans ma bouche.

Je ne l'ai pas fait.

Mais j'y ai pensé.

En voyant tourner le bouton de porte – personne ne frappe chez nous, et surtout pas Esperanza –, je me suis empressé de jeter le revolver dans le tiroir. Elle s'est approchée.

— Qu'est-ce que vous mijotez ?

— Rien.

— Que faisiez-vous à l'instant ?

— Rien.

Elle m'a dévisagé.

— On se donne du plaisir sous la table ?

— Pris en flag.

— Vous avez quand même une sale tête.

— C'est ce qu'on raconte en ville.

— Je vous aurais bien dit de rentrer chez vous, mais vous avez été absent trop longtemps, et puis je doute que le fait de vous morfondre seul dans votre coin vous aide à vous sentir mieux.

— Entièrement d'accord. Y avait-il une raison à votre intrusion ?

— Pourquoi, il en faut une ?

— Normalement, non. Au fait, on a des nouvelles de Win ?

— La voilà, la raison de mon intrusion. Il est sur le Batphone.

Elle m'a fait signe de me retourner.

Sur la console derrière mon bureau, il y a un téléphone rouge qui trône sous une sorte de cloche en verre. Si vous avez vu la série originale des *Batman*, vous devez savoir pourquoi. Le téléphone rouge clignotait. J'ai décroché.

— Où es-tu ?

— À Bangkok, a-t-il répliqué d'un ton un rien trop enjoué.

— Depuis quand ?

— C'est important ?

— Non, je trouve juste que tu as choisi un drôle de moment pour partir.

Tout à coup, je me suis souvenu.

— Qu'est devenu l'échantillon que nous avons prélevé dans la tombe de Miriam ?

— Confisqué.

— Par ?

— Des hommes en costume avec un insigne brillant.

— Comment ont-ils su ?

Silence.

La honte. J'ai dit :

— C'est moi ?

Il n'a pas pris la peine de répondre.

— Tu as parlé au capitaine Berléand ?

— Oui. Qu'en penses-tu ?

— Je pense que son hypothèse tient la route, a-t-il dit.

— Je ne comprends pas. Pourquoi es-tu à Bangkok ?

— Et où devrais-je être ?

— Ici, à la maison, je ne sais pas.

— Ce n'est pas une très bonne idée par les temps qui courent.

Sa réponse m'a laissé songeur.

— La ligne est sécurisée ? ai-je demandé.

275

— Cent pour cent. Et ton bureau a été ratissé ce matin.

— Alors que s'est-il passé à Londres ?

— Tu m'as vu descendre Zig et Puce ?

— Oui.

— Eh bien, tu connais la suite. Des agents ont débarqué. Comme je n'avais aucun moyen de te sortir de là, j'ai préféré m'éclipser. J'ai tout de suite quitté le pays. Parce que, comme je viens de le dire, je crois que la version de Berléand tient la route. Il aurait donc été inopportun pour nous deux que je me fasse embarquer aussi. Vois-tu ?

— Oui. Et c'est quoi, ton plan ?

— Faire profil bas pendant quelque temps. Jusqu'à ce que l'air redevienne respirable.

— Le meilleur moyen de se sentir en sécurité, c'est de régler cette affaire une bonne fois pour toutes.

— Tu l'as dit, bouffi.

J'aime quand Win se lâche.

— À cette fin, je suis en train de tâter le terrain. J'espère tomber sur quelqu'un qui pourra m'éclairer sur le sort de Mme Collins. Pour dire les choses crûment – oui, je sais que tu as des sentiments pour elle –, si Terese a été tuée, notre mission s'arrête là. On n'a plus de raisons de persévérer.

— Sauf si on veut retrouver sa fille.

— Si Terese est morte, à quoi cela nous servirait-il ?

Bonne question. J'avais voulu aider Terese. J'avais voulu – nom de Zeus, c'était toujours aussi délirant quand on y pensait – les réunir, elle et sa

276

défunte fille. Mais à quoi bon, en effet, si Terese n'était plus ?

Baissant les yeux, je me suis aperçu que j'étais encore en train de me ronger un ongle.

— On fait quoi maintenant ?

— Esperanza dit que tu es dans un sale état.

— Tu vas me faire la morale, toi aussi ?

Silence.

— Win ?

Win était très fort pour ne pas trahir ses émotions, mais, pour la deuxième fois peut-être depuis qu'on se connaissait, j'ai senti comme une fêlure dans sa voix.

— Ces seize derniers jours n'ont pas été faciles.

— Je sais, vieux.

— J'ai remué ciel et terre pour te retrouver.

Je n'ai rien dit.

— J'ai fait des choses que je préfère te taire.

Nouveau silence.

— Et toutes sans résultat.

Je comprenais ce qu'il cherchait à me dire. Win a des contacts comme personne d'autre dans mon entourage. Win est immensément riche et influent… et pour ne rien vous cacher, il m'aime. Il n'a pas peur de grand-chose. Mais je savais que ces deux semaines avaient dû l'éprouver durement.

— Je vais bien maintenant, ai-je déclaré. Reviens quand bon te semble.

26

— PRENDS ENCORE UN RAVIOLI À LA VAPEUR, m'a dit maman.

— J'en ai eu assez, m'man, merci.

— Allez, un dernier. Tu es trop maigrichon. Goûte celui au porc.

— Je n'aime vraiment pas ça.

— Tu quoi ?

Air scandalisé de ma mère.

— Mais tu adorais ça quand on allait au Jardin de Fong.

— Maman, j'avais huit ans quand le Jardin de Fong a fermé.

— Je sais. N'empêche que.

« N'empêche que. » L'argument choc de maman pour clore le débat. On pourrait attribuer cette histoire de Jardin de Fong à son cerveau vieillissant. Mais non, elle me la ressert depuis l'âge de neuf ans.

Nous étions dans la cuisine de notre maison familiale à Livingston, New Jersey. D'habitude, je partage mon temps entre cette adresse-ci et le luxueux appartement de Win au Dakota, sur la 72e Rue Ouest et Central Park. J'avais racheté la maison quand mes parents étaient partis s'installer à Miami, il y a quelques années. On pourrait à juste titre s'interroger sur les motivations psychologiques de cet achat – j'avais vécu ici avec mes parents jusqu'à la trentaine bien sonnée et je dors toujours dans la chambre que je m'étais aménagée au sous-sol du temps où j'étais au lycée –, mais en fait je viens rarement ici. Livingston est un patelin pour familles avec enfants, pas pour des célibataires travaillant à Manhattan. L'appartement de Win est bien mieux situé de ce point de vue et, question surface, n'a rien à envier à une petite principauté européenne.

Mais maman et papa étaient de passage ici, d'où cette réunion de famille dans la cuisine.

J'appartiens à cette génération vindicative censée ne pas aimer ses parents et trouver dans l'éducation qu'ils nous ont donnée les racines de notre mal-être d'adultes. Sauf que j'adore mon père et ma mère. J'adore être avec eux. Je n'ai pas vécu au sous-sol jusqu'à un âge avancé pour des raisons financières, non, j'ai fait ça parce que je me sentais bien ici, avec eux.

Notre dîner terminé, nous avons jeté les barquettes vides et rincé les couverts. On a parlé un peu de mon frère et de ma sœur. Quand maman a mentionné le travail de Brad en Amérique latine, j'ai éprouvé un petit pincement au cœur… comme lorsqu'un souvenir déplaisant remonte brusquement à la mémoire. Mon estomac s'est noué. Je me suis remis à me ronger les ongles. Mes parents ont échangé un regard.

Maman était fatiguée. Ça lui arrive de plus en plus souvent. Je l'ai embrassée et l'ai regardée gravir péniblement les marches en se tenant à la rampe. Je me suis rappelé le temps où elle montait en sautillant, sa queue-de-cheval bondissant à chacun de ses pas, sa main loin, très loin de cette fichue rampe. Je me suis tourné vers papa. Il n'a rien dit, mais je suis sûr qu'il pensait à la même chose.

Papa et moi sommes passés au salon. Quand j'étais petit, il avait un fauteuil relax d'une horrible couleur bordeaux. Le similicuir avait craqué sur les bords, laissant transparaître la carcasse métallique. Papa, qui n'a jamais été le roi du bricolage, avait colmaté les brèches avec du ruban adhésif. Beaucoup de gens reprochent aux Américains de rester des heures devant la télé, et ils ont raison, mais quelques-uns de mes meilleurs souvenirs sont liés à cette pièce, aux soirées passées, lui allongé dans son relax, et moi lové sur le canapé. Quelqu'un se rappelle ces classiques du prime du samedi soir sur CBS ? *MASH, Mary Tyler Moore, Bob Newhart* et *Le Carol Burnett Show* ? Mon père riait si fort, et son rire était si contagieux que je m'esclaffais à mon tour, même si je ne comprenais pas toutes les blagues d'Archie Bunker.

Al Bolitar avait trimé dur dans son usine à Newark. Il n'était pas homme à jouer au poker, à traîner avec des copains ou à fréquenter les bars. Son refuge, c'était son foyer. Il aimait se détendre parmi les siens. Jeune homme doué d'origine très modeste, il avait dû rêver d'autre chose que cette usine de Newark, mais jamais il n'avait partagé ses rêves de grandeur avec moi. J'étais son fils. Et on n'encombre pas ses enfants avec ces choses-là, surtout pas.

Ce soir-là, il s'est endormi devant une rediffusion de *Seinfeld*. J'ai contemplé sa poitrine qui se soulevait, sa barbe naissante. Au bout d'un moment, je me suis levé sans bruit, je suis descendu dans mon sous-sol, j'ai grimpé dans le lit et fixé le plafond.

Ma poitrine s'est à nouveau contractée. J'ai senti la panique me gagner. Mes yeux refusaient de se fermer. Quand enfin j'ai entamé mon voyage nocturne, il a été entrecoupé de cauchemars. Leur contenu a fui ma mémoire, mais la peur est restée. Je me suis assis dans le noir, couvert de sueur, terrifié comme un enfant.

À trois heures du matin, une image fulgurante m'a traversé l'esprit. J'étais sous l'eau. Dans l'impossibilité de respirer. Dans la seconde, une autre réminiscence a surgi, auditive celle-là :

« *Al-sabr wal saïf…* »

Mon cœur cognait comme s'il voulait s'échapper.

À trois heures trente, je suis monté sur la pointe des pieds dans la cuisine. J'avais beau ne pas faire de bruit, j'aurais dû me souvenir que mon père avait le sommeil extrêmement léger. Lorsque, gamin, je me faufilais dans le couloir en pleine nuit pour aller aux toilettes, il s'éveillait en sursaut comme si on lui avait glissé un glaçon dans le cou. Aujourd'hui encore, alors que j'étais un homme, et un homme qui pensait être plus courageux que la moyenne, ça n'a pas raté.

— Myron ?

Je me suis retourné en l'entendant descendre l'escalier.

— Je ne voulais pas te réveiller, papa.

— J'étais réveillé de toute façon.

Il portait un boxer qui avait connu des jours meilleurs et un T-shirt gris élimé avec le logo de Duke, deux fois trop grand pour lui.

— Ça te dirait, des œufs brouillés ?

— Pourquoi pas.

Il s'est affairé dans la cuisine. Nous avons parlé de la pluie et du beau temps. Il s'efforçait de masquer son inquiétude, et je ne m'en suis senti que plus aimé. D'autres souvenirs resurgissaient. Mes yeux débordaient, et je cillais pour chasser les larmes. Je ne savais plus trop où j'en étais. Mes nuits promettaient d'être pénibles. Mais une chose était sûre : je ne pouvais plus rester les bras croisés.

Le matin, j'ai appelé Esperanza.

— Avant ma disparition, je vous avais demandé de recueillir des infos pour moi.

— Bonjour, au fait.

— Oui, pardon.

— Ce n'est rien. Vous disiez ?

— Vous deviez vous renseigner sur le suicide de Sam Collins, sur cette histoire d'opales et sur l'association caritative Sauvez les anges.

— Exact.

— J'aimerais que vous me communiquiez ce que vous avez appris.

Je m'attendais à des protestations, mais était-ce le ton de ma voix, je ne sais pas… en tout cas, Esperanza a répondu :

— OK, rendez-vous dans une heure. Je vous montrerai ce que j'ai trouvé.

Le bureau d'Esperanza conservait quelques traces de son passé folklorique. Des photos d'elle en costume de squaw en daim, la Latino déguisée en princesse indienne. Sa ceinture de Tag Team Championship, championnat de catch par équipes – un

282

machin énorme, tape-à-l'œil qui, noué autour de la taille d'Esperanza, l'aurait probablement recouverte du thorax aux genoux –, trônait dans un cadre derrière son fauteuil. Les murs étaient couleur pervenche, et d'une autre nuance de mauve… dont je n'arrive jamais à retenir le nom. Le bureau sculpté en chêne massif avait été dégoté par Big Cyndi chez un antiquaire, et bien que j'aie été là au moment de la livraison, je ne saurais pas dire comment on avait réussi à lui faire passer la porte.

Depuis quelque temps, la décoration de la pièce, pour employer le jargon des politiciens, était placée sous le signe du changement. Des photos d'Hector, le bébé d'Esperanza, photos banales à la limite du cliché, s'alignaient sur le bureau et la console. Les portraits classiques – avec en arrière-plan un arc-en-ciel comme au Sears Portrait Studio – voisinaient avec ceux où Hector était assis sur les genoux du père Noël ou à côté d'un œuf de Pâques coloré. Il y avait Esperanza, son mari Tom et Hector tout de blanc vêtu le jour de son baptême. La photo la plus voyante représentait la mère et le fils sur un manège, dans une sorte de camion de pompiers miniature, Esperanza fixant l'objectif avec le sourire le plus niais que je lui aie jamais vu.

Esperanza, le plus libre de tous les esprits libres. Affichant jadis ouvertement sa bisexualité, sortant avec des hommes et des femmes sans se soucier du qu'en-dira-t-on. Elle avait fait du catch parce que c'était un moyen sympa de gagner de l'argent ; lorsqu'elle en avait eu assez, elle avait étudié le droit en cours du soir tout en travaillant le jour pour moi. Vous allez me trouver fort peu charitable, mais cet esprit-là s'était en partie effacé avec la maternité. Je l'avais déjà constaté chez d'autres femmes parmi mes amies. Je comprends un peu. Moi-même, j'avais appris l'existence de mon fils alors qu'il était adolescent ; je n'avais donc pas connu le tournant crucial de la naissance, quand votre univers se réduit soudain à une masse de trois kilos quatre. C'est ce qui était arrivé à Esperanza. Était-elle plus heureuse maintenant ? Je l'ignorais. Mais notre relation avait changé, forcément, et narcissique comme je le suis, je n'y trouvais plus mon compte.

— Alors, par ordre chronologique, a déclaré Esperanza : il y a quatre mois environ, on diagnostique chez Sam Collins, le père de Rick, la maladie de Huntington. Quelques semaines plus tard, il se suicide.

— C'est un suicide, sûr et certain ?

— D'après le rapport de police. Rien de suspect.

— OK, continuez.

— Après son suicide, Rick Collins rend visite au Dr Freida Schneider, une généticienne qui avait suivi son père. Il l'appelle plusieurs fois à son cabinet. J'ai pris la liberté de téléphoner à ce Dr Schneider. Elle est très occupée, mais elle nous accorde un quart d'heure durant sa pause déjeuner aujourd'hui. À midi trente pile.

— Comment avez-vous fait pour négocier ça ?

— MB Reps verse un don important au centre médical Terence Cardinal Cooke.

— Normal.

— Prélevé sur votre prime.

— Parfait, quoi d'autre ?

— Rick Collins a appelé le centre CryoHope à

284

côté du New York Presbyterian. Ils sont spécialisés dans le sang ombilical, le stockage d'embryons et les cellules souches. Comme il y a cinq médecins, chacun dans une branche différente, il est impossible de savoir qui il a contacté. Il a aussi essayé de joindre Sauvez les anges, plusieurs fois. Dans l'ordre, donc : d'abord, il parle au Dr Schneider, quatre fois en l'espace de deux semaines. Ensuite, il parle à quelqu'un chez CryoHope. Et ça le mène à Sauvez les anges.

— OK, ai-je dit. Pouvons-nous demander un rendez-vous chez CryoHope ?

— Avec qui ?

— L'un des toubibs.

— Il y a un gynécologue-obstétricien, a répondu Esperanza. Dois-je lui dire que vous avez besoin d'un frottis ?

— Je suis sérieux.

— Je sais, mais je ne vois pas à qui m'adresser. J'essaie de trouver le médecin que Rick a contacté.

— Peut-être que le Dr Schneider pourra nous aider.

— Possible.

— Et au fait, cette histoire d'opales, ça donne quoi ?

— Rien. J'ai cherché sur Google et obtenu un million d'entrées. Et quand j'ai tapé HHK, la première chose qui est sortie, c'est une compagnie d'assurance maladie financée par l'État. Ils s'occupent de cancéreux.

— De cancéreux ?

— Oui.

— Je ne vois pas le rapport.

Esperanza a froncé les sourcils.

— Quoi, qu'est-ce qu'il y a ?

— Moi, je ne vois pas le rapport depuis le début, a-t-elle dit. J'ai surtout l'impression qu'on perd notre temps.

— Comment ça ?

— Qu'espérez-vous découvrir, au juste ? Un vieil homme a été soigné pour la maladie de Huntington. Qu'est-ce que ç'a à à voir avec des terroristes qui commettent des assassinats à Paris et à Londres ?

— Je n'en ai pas la moindre idée.

— Vous n'avez aucune piste ?

— Aucune.

— Sans doute n'y a-t-il pas de lien, a-t-elle conclu.

— Sans doute.

— Et on n'a rien de mieux à faire ?

— Voici comment on va procéder. On fouille jusqu'à ce qu'on trouve un indice. Tout est parti d'un accident de voiture survenu il y a dix ans. Ensuite, plus rien jusqu'à ce que Rick Collins découvre la maladie de son père. Je ne vois donc qu'une chose à faire : revenir en arrière, retrouver sa piste et la suivre.

Esperanza a croisé les jambes et entrepris de tortiller une boucle de ses cheveux. Elle a les cheveux très foncés, d'un noir de jais, et toujours un peu froissés comme si elle sortait de chez le coiffeur. Quand elle tripote une mèche, c'est qu'il y a quelque chose qui la tracasse.

— Oui ?

— Je n'ai pas appelé Ali une seule fois pendant votre absence.

J'ai hoché la tête.

— Et elle n'a pas appelé non plus, n'est-ce pas ?

— Alors c'est fini, vous deux ? a demandé Esperanza.

— Apparemment.

— Vous avez pensé à ma formule de largage préférée ?

— Je l'ai oubliée.

Esperanza a poussé un soupir.

— Bienvenue à Largueville. Population : toi.

— Eh non. Ce serait plutôt population : moi.

— Oh !

Il y a eu un silence.

— Désolée.

— Pas grave.

— Win a dit que vous aviez fait crac-crac avec Terese.

J'ai failli rétorquer : « Win a fait crac-crac avec Moa », mais j'ai eu peur qu'elle ne se méprenne.

— Qu'est-ce que ça vient faire là-dedans ?

— Vous n'auriez pas fait ça, surtout si vous étiez en train de rompre avec une autre, à moins d'avoir des sentiments pour Terese. Des sentiments forts.

Je me suis calé dans mon siège.

— Et alors ?

— Alors on fonce, si ça peut aider. Mais en même temps, il ne faut pas se voiler la face.

— C'est-à-dire ?

— Terese est peut-être morte.

J'ai gardé le silence.

— Je vous ai déjà vu quand vous perdez un proche, a dit Esperanza. Vous le prenez plutôt mal.

— Pourquoi, il y en a qui le prennent bien ?

— Soit. Mais vous devez gérer simultanément ce que vous venez de vivre ces derniers jours. Ça fait beaucoup.

— Ça va aller. Autre chose ?

— Oui. Les deux gars que vous avez explosés avec Win.

Le coach Bobby et son adjoint Pat.

— Les flics de Kasselton sont passés plusieurs fois. Vous êtes censé les contacter à votre retour. Vous saviez que le type que Win avait amoché était dans la police ?

— Win me l'a dit.

— Il est en train de récupérer après son opération du genou. L'autre, celui qui a tout déclenché, possédait une petite chaîne d'appareils électroménagers. Il a été débarqué par les grosses légumes et travaille maintenant comme chef de rayon chez Best Buy à Paramus.

Je me suis levé.

— OK.

— OK quoi ?

— Il nous reste du temps avant le rendez-vous avec le Dr Schneider. Allons faire un tour chez Best Buy.

27

LA BEDAINE MOULÉE DANS SON POLO BLEU DE
VENDEUR, le coach Bobby, accoudé à un téléviseur,
discutait avec un couple d'Asiatiques. J'ai cherché
sur son visage les traces de notre altercation et je n'ai
rien vu.

Esperanza m'accompagnait. Tandis que nous
traversions le magasin, un homme en épaisse
chemise à carreaux s'est précipité vers elle.

— Excusez-moi, a-t-il balbutié, excité comme un
môme le matin de Noël. Nom de Dieu, vous ne seriez
pas Petite Pocahontas ?

J'ai réprimé un sourire. Ça me sidère, le nombre de
gens qui se souviennent encore d'elle. Elle m'a lancé
un regard noir et s'est tournée vers son fan.

— Oui, c'est moi.

— Waouh ! J'y crois pas. Ça alors ! Je suis si
heureux de vous rencontrer.

— Merci.

— J'avais un poster de vous dans ma chambre.
Quand j'avais seize ans.

— Je suis flattée…, a-t-elle commencé.

— Tout taché, le poster, a-t-il ajouté avec un clin d'œil, si vous voyez ce que je veux dire.

— … et atterrée.

Elle l'a menacé du doigt.

— Allez, salut.

Je lui ai emboîté le pas.

— Ces taches, ai-je dit. Ça ne doit pas vous laisser indifférente.

— Hélas, non.

Oubliez ce que j'ai dit sur les effets pervers de la maternité. Esperanza était la plus forte.

Plantant là M. Confidences-Poisseuses, nous nous sommes dirigés vers le coach Bobby. J'ai entendu l'homme lui demander la différence entre un écran plasma et un LCD. Bombant le torse, le coach Bobby a énuméré les avantages et les inconvénients, auxquels je n'ai rien compris. Ensuite le client l'a interrogé sur les téléviseurs DLP. Le coach Bobby aimait bien les DLP. Il a entrepris d'expliquer pourquoi.

J'ai attendu.

Esperanza a hoché la tête dans sa direction.

— J'ai comme l'impression qu'il l'avait méritée, la raclée.

— Non. On ne se bat pas pour donner une leçon à quelqu'un… on se bat uniquement pour survivre ou pour se défendre.

Elle a esquissé une grimace.

— Quoi ?

— Win a raison. Ce que vous pouvez être fifille quelquefois !

Le coach Bobby a souri au couple d'Asiatiques.

— Prenez votre temps, je reviens tout de suite et on pourra reparler de la livraison gratuite.

Il s'est approché et m'a regardé dans les yeux.

— Qu'est-ce que vous voulez ?

— Vous présenter mes excuses.

Le coach Bobby n'a pas bronché. Il y a eu trois secondes de silence. Puis :

— Là, vous l'avez dit.

Il a fait volte-face et est retourné auprès de ses clients.

Esperanza m'a tapé dans le dos.

— Ça, c'est libérateur !

Le Dr Freida Schneider était petite et trapue avec un grand sourire confiant. C'était une juive ortho-doxe, robe sage et béret sur la tête. Je l'ai retrouvée à la cafétéria du centre médical Terence Cardinal Cooke au croisement de la Cinquième Avenue et de la 103ᵉ Rue. Esperanza était restée dehors ; elle avait des coups de fil à passer. Le Dr Schneider m'a demandé si je voulais manger quelque chose. J'ai décliné. Elle a commandé un sandwich à étages. Nous nous sommes assis. Elle a dit une prière à voix basse et s'est jetée sur ledit sandwich comme s'il lui avait manqué de respect.

— J'ai seulement dix minutes, a-t-elle déclaré en guise d'explication.

— Je croyais que c'était un quart d'heure.

— J'ai changé d'avis. Merci pour le don.

— J'ai quelques questions à vous poser au sujet de Sam Collins.

Schneider a avalé sa bouchée.

— C'est ce que m'a dit votre collègue. Le secret

médical, vous connaissez, n'est-ce pas ? Inutile de vous faire la leçon ?

— Tout à fait.

— Il est mort, alors dites-moi plutôt pourquoi vous vous intéressez à lui.

— Il s'est suicidé, si j'ai bien compris.

— Vous n'avez pas besoin de moi pour savoir ça.

— C'est fréquent, chez les patients atteints de la maladie de Huntington ?

— Vous savez ce que c'est, la maladie de Huntington ?

— Je sais que c'est génétique.

— C'est un trouble neurologique héréditaire, a-t-elle expliqué entre deux bouchées. Il ne tue pas instantanément, mais son évolution entraîne des tas de complications à l'issue fatale, comme la pneumonie, l'infarctus et d'autres choses plus désagréables encore. La MH affecte l'organisme, le psychisme, les mécanismes cognitifs. Ce n'est pas joli à voir. Donc oui, les suicides ne sont pas rares. D'après certaines études, un patient sur quatre fait une tentative, avec sept pour cent de réussite… un drôle de terme, « réussite », quand il s'agit de suicide.

— Et ç'a été le cas de Sam Collins ?

— Il était déjà dépressif quand on lui a diagnostiqué la maladie. Difficile de dire lequel des deux états a précédé l'autre. D'habitude, la MH débute par des troubles physiologiques, mais souvent, les premiers symptômes sont psychiques ou cognitifs. Peut-être que sa dépression était un signe avant-coureur. Mais peu importe. C'est la maladie qui l'a tué : le suicide fait partie des complications à l'issue fatale.

— C'est une maladie héréditaire, n'est-ce pas ?

— Oui.

— Et si l'un des deux parents est atteint, l'enfant a une chance sur deux de l'avoir.

— Pour simplifier les choses, je dirais que oui.

Je me suis penché en avant.

— Avez-vous testé les enfants de Sam Collins ?

— C'est une chose qui ne vous regarde pas.

— Je parle plus précisément de Rick Collins. Qui est mort, lui aussi. Assassiné.

— Par un terroriste, d'après les médias.

— Oui.

— Vous croyez que la maladie de son père a un lien quelconque avec son assassinat ?

— En effet.

Freida Schneider a mordu dans son sandwich.

— Rick Collins a un fils, ai-je dit.

— Je suis au courant.

— Et peut-être une fille également.

Elle s'est interrompue en pleine mastication.

— Je vous demande pardon ?

Je ne savais pas trop comment lui présenter la chose.

— Rick Collins ignorait vraisemblablement qu'elle était en vie.

— Vous voulez bien m'expliquer ça, s'il vous plaît ?

— Pas vraiment, ai-je répliqué. Nous n'avons que dix minutes.

— C'est juste.

— Alors ?

293

Elle a poussé un soupir.

— Rick Collins a été testé, oui.

— Et ?

— Les analyses de sang montrent le nombre de répétitions CAG dans chacun des allèles HTT.

Je me suis borné à la dévisager.

— Oui, bon, peu importe. En clair, le résultat, malheureusement, a été positif. Nous n'assimilons pas les analyses de sang à un diagnostic car il peut se passer des années, voire des dizaines d'années, avant que la maladie ne se déclare. Mais Rick Collins présentait déjà des symptômes de chorée... autrement dit, des mouvements désordonnés que le sujet est incapable de contrôler. Il a demandé que cela reste confidentiel. Nous avons accepté, bien sûr.

J'ai songé à ce que je venais d'apprendre. Rick avait la maladie de Huntington. Les premiers symptômes s'étaient déjà manifestés... comment aurait-il fini sa vie ? Son père, qui s'était posé la même question, avait préféré mettre fin à ses jours.

— Et le fils de Rick, a-t-il été testé ?

— Oui, Rick Collins a tenu à le faire, ce qui n'est pas très conventionnel, je l'avoue. Il y a toute une polémique autour de ces tests, surtout dans le cas d'un enfant. Imaginez que vous découvriez qu'un jeune garçon va contracter un jour cette maladie, n'est-ce pas un fardeau terrible à porter ? Ou faut-il savoir, au contraire, pour profiter pleinement de l'existence ? Si on est soi-même positif, doit-on faire des enfants qui auront une chance sur deux d'avoir la même maladie, mais même en sachant cela, la vie ne vaut-elle pas la peine d'être vécue malgré tout ? D'un point de vue éthique, c'est un véritable casse-tête.

— Néanmoins, Rick a voulu faire tester son fils.

— Oui. Il était journaliste surtout et avant tout. Il ne croyait pas aux vertus de l'ignorance. Le fils, Dieu merci, s'est révélé négatif.

— Il a dû être soulagé.

— Oui.

— Connaissez-vous le centre CryoHope ?

Elle a réfléchi un instant.

— Ils font de la recherche et du stockage, je crois. Principalement de cellules souches.

— Après vous avoir consultée, Rick Collins est allé chez eux. Pourquoi ? Vous avez une idée ?

— Non.

— Et l'association caritative Sauvez les anges. Ça ne vous dit rien ?

Schneider a secoué la tête.

— Il n'y a pas de traitement contre la MH, n'est-ce pas ?

— C'est exact.

— Et par le biais de la recherche sur les cellules souches ?

— Attendez, monsieur Bolitar, revenons en arrière, voulez-vous ? Vous avez dit que Rick Collins avait peut-être une fille.

— Oui.

— Cela vous ennuie de m'en dire plus ?

— Il ne vous a pas expliqué qu'il avait perdu une fille il y a dix ans, dans un accident de voiture ?

— Non. Pourquoi l'aurait-il fait ?

— Quand on a découvert le corps de Rick à Paris, il y avait du sang sur la scène de crime. Les analyses ADN ont montré que c'était celui de sa fille.

— Vous venez de dire à l'instant que sa fille était morte dans un accident. Je ne comprends pas.

— Moi non plus. Parlez-moi de la recherche sur les cellules souches.

— On n'en est encore qu'au stade des hypothèses. En théorie, on pourrait remplacer les neurones endommagés du cerveau en transplantant des cellules souches du cordon ombilical. On a eu des signes encourageants chez des animaux, mais il n'y a pas eu d'essais cliniques chez les êtres humains.

— N'empêche. Quand on est désespéré et à deux doigts de la mort…

Une femme est entrée dans la cafétéria.

— Docteur Schneider ?

Elle a fait un signe de la main, enfourné la dernière bouchée de son sandwich et s'est levée.

— Quand on est désespéré et à deux doigts de la mort, tout est possible, oui. Depuis le remède miracle jusqu'au suicide. Et voilà, vos dix minutes sont écoulées, monsieur Bolitar. Revenez nous voir un jour, je vous ferai visiter le centre. Vous serez surpris par l'enthousiasme et le travail accompli. Encore merci pour le don, et bonne chance dans ce que vous essayez d'entreprendre.

28

LE CENTRE CRYOHOPE ÉTINCELAIT, mélange idéal d'hôpital futuriste et d'établissement bancaire de luxe. Le comptoir de la réception était surélevé et en bois foncé. J'ai mis le cap dessus, avec Esperanza dans mon sillage. La réceptionniste, ai-je noté, une petite mignonne nourrie au grain, ne portait pas d'alliance. Je me suis demandé si je n'allais pas changer de tactique. Une célibataire. Je pourrais la charmer pour qu'elle réponde à toutes mes questions. Esperanza, lisant dans mes pensées, m'a regardé d'un œil torve. J'ai haussé les épaules. De toute façon, cette fille ne savait probablement pas grand-chose.

— Ma femme est enceinte, ai-je déclaré en désignant Esperanza d'un signe de la tête. Nous aimerions consulter quelqu'un au sujet de la conservation du cordon ombilical de notre bébé.

La réceptionniste nourrie au grain m'a gratifié d'un sourire professionnel et nous a remis une pile de brochures en quadrichromie sur du papier épais, avant de nous escorter dans une pièce aux sièges tendus de velours. Il y avait là de grandes photos d'art représentant des enfants et un schéma du corps humain qui me rappelait les cours de biologie en classe de troisième. Nous avons rempli un formulaire. J'ai hésité sur le nom à donner. J'aurais bien écrit I. P. Daily ou bien Wink Martindale, mais j'ai finalement opté pour Mark Kadison, vu que c'est un copain et que, si on l'appelait, il le prendrait à la rigolade.

— Bonjour, bonjour !

Un homme est entré ; il portait une blouse blanche et des lunettes à monture sombre, comme ces acteurs qui veulent faire intello. Après nous avoir serré la main, il a pris place dans l'un des fauteuils en velours.

— Alors, vous en êtes à quel stade de la grossesse ?

J'ai regardé Esperanza.

— Trois mois, a-t-elle répondu en fronçant les sourcils.

— Félicitations. C'est votre premier ?

— Oui.

— Eh bien, je suis heureux que vous ayez pris la décision responsable de stocker le sang ombilical de votre bébé.

— Et quels sont vos tarifs ? ai-je demandé.

— Mille dollars pour le traitement et l'expédition. Ensuite, il y a les frais de stockage annuels. Ça peut vous paraître cher, mais c'est une chance unique en son genre. Le sang ombilical contient des cellules souches susceptibles de sauver une vie. C'est aussi simple que ça. Elles peuvent traiter des anémies, des leucémies, lutter contre les infections et aider à soigner certaines formes de cancer. Nous sommes à la pointe de la recherche sur les traitements des affections cardiaques, de la maladie de Parkinson, du diabète. D'accord, on n'en guérit pas à l'heure actuelle, mais qui sait où en sera la recherche dans quelques années ? Vous connaissez un peu la greffe de la moelle épinière ?

Et comment donc !

— Un peu, ai-je répondu.

— Les greffes de sang ombilical fonctionnent mieux et comportent naturellement moins de risques… pas besoin d'intervention chirurgicale pour le recueillir. La moelle épinière exige une compatibilité HLA de quatre-vingt-trois pour cent, qui tombe à soixante-sept pour cent dans le cas du sang ombilical. Je vous parle d'aujourd'hui. Aujourd'hui même, on sauve des vies grâce aux transplants de cellules souches. Vous me suivez ?

Nous avons acquiescé de concert.

— Le facteur clé, le voici : le seul moment où on peut stocker du sang ombilical, c'est juste après la naissance de votre enfant. C'est tout. Vous ne pouvez pas prendre cette décision quand votre enfant a trois ans ou si jamais, Dieu vous en préserve, un frère ou une sœur tombent malades en cours de route.

— Comment ça marche exactement ? ai-je demandé.

— Le procédé est simple et indolore. Au moment de la naissance, on recueille le sang du cordon ombilical, on prélève les cellules souches et on les congèle.

— Et où est-ce qu'on les garde ?

Il a écarté les bras.

— Ici même, les locaux sont sécurisés. Nous avons des vigiles, un groupe électrogène et une salle

299

de coffres-forts. Comme dans n'importe quelle banque. L'option la plus répandue – et que je vous recommande fortement – est ce qu'on appelle le stockage familial. En clair, vous stockez les cellules souches de votre bébé pour votre usage personnel. Votre enfant pourrait en avoir besoin un jour. Ou son frère. Voire l'un de vous deux, ou peut-être un oncle ou une tante.

— Comment sait-on que ce sang ombilical sera compatible ?

— Il faut savoir qu'il n'y a aucune garantie. Mais les chances de compatibilité sont beaucoup plus grandes. Qui plus est… eh bien, vous m'avez l'air d'être un couple mixte, auquel cas il est plus difficile de trouver des donneurs compatibles. Ceci vous concerne donc tout particulièrement. Ah oui, je tiens aussi à préciser que les cellules souches dont nous parlons proviennent du sang ombilical… ça n'a rien à voir avec la controverse autour des cellules souches d'embryons.

— Vous ne stockez pas les embryons ?

— Si, mais c'est totalement différent du sujet qui vous préoccupe. C'est lié aux problèmes de fécondité et autres. La recherche ou le stockage de cellules souches issues du sang ombilical sont sans rapport avec les embryons. Que ce soit bien clair.

Il arborait un large sourire.

— Vous êtes médecin ? ai-je demandé.

Le sourire a vacillé brièvement.

— Non, mais nous en avons cinq dans notre équipe.

— Quel genre ?

— CryoHope a des experts dans tous les domaines.

Il a ouvert une brochure et pointé la liste des médecins.

— Nous avons un généticien qui travaille sur les maladies héréditaires. Un hématologue spécialisé dans les greffes. Un gynécologue-obstétricien qui se trouve être un pionnier en matière de fécondité. On a aussi un pédiatre oncologue qui mène des recherches sur les cellules souches pour traiter les enfants atteints d'un cancer.

— J'ai une question, ai-je dit. Une simple hypothèse.

Il s'est penché en avant.

— Je stocke le sang ombilical de mon bébé. Les années passent. Je tombe malade. Il n'existe pas de traitement, mais j'ai envie d'expérimenter. Puis-je utiliser ce sang ?

— Il est à vous, monsieur Kadison. Vous en faites ce que vous voulez.

Je ne savais comment utiliser toutes ces informations. J'ai regardé Esperanza, mais elle aussi avait l'air à sec.

— Puis-je parler à l'un de vos médecins ?

— Y a-t-il des questions auxquelles je n'ai pas répondu ?

J'ai cherché une autre approche.

— Avez-vous un client du nom de Rick Collins ?

— Pardon ?

— Rick Collins. C'est un ami à moi. Il m'a recommandé votre centre, je voulais juste m'assurer qu'il était bien client chez vous.

— Ce type d'information serait confidentiel. Je

suis sûr que vous comprenez. Si on m'interrogeait à votre sujet, je répondrais la même chose.

Un mur.

— Auriez-vous entendu parler d'une association caritative qui s'appelle Sauvez les anges ?

Son visage s'est fermé.

— Alors ? ai-je insisté.

— Qu'est-ce que c'est ?

— Une simple question.

— Je vous ai expliqué le procédé, a-t-il dit en se levant. Je vous suggère d'étudier la documentation. Nous espérons que vous choisirez CryoHope. Bonne chance à vous deux.

Une fois dehors, j'ai dit :

— Virés comme des malpropres.

— Ouaip.

— Win pense que le sang découvert sur la scène de crime est peut-être du sang ombilical.

— Ceci expliquerait cela, a acquiescé Esperanza.

— Oui, mais je ne vois pas comment. Admettons que Rick Collins ait stocké le sang de sa fille Miriam. Et après ? Il vient ici, il le fait décongeler, il l'emporte à Paris et le répand au moment de l'assassinat ?

— Non.

— Alors quoi ?

— Il nous manque des maillons. Peut-être qu'il s'est fait expédier l'échantillon congelé à Paris. Peut-être qu'il faisait partie d'un programme expérimental, des essais *in vivo*, mené en cachette des autorités. Je ne sais pas, moi… mais est-il plus rationnel

302

de croire que la fille a survécu à l'accident et vit cachée depuis dix ans ?

— Vous avez vu sa tête quand on a parlé de Sauvez les anges ?

— Pas étonnant. Ces gens-là sont contre l'avortement et la recherche sur les cellules souches. Rappelez-vous le laïus qu'il nous a servi, selon lequel leur travail n'a rien à voir avec la controverse autour des embryons.

J'ai repensé à notre conversation.

— D'une façon ou d'une autre, il faut qu'on contacte Sauvez les anges.

— Ils ne répondent pas au téléphone, a dit Esperanza.

— Vous avez une adresse ?

— C'est dans le New Jersey. Mais…

— Mais quoi ?

— On tourne en rond, là. Nous n'avons rien appris. Petit rappel : nos clients méritent mieux que ça. Nous avons promis d'être aux petits soins pour eux. Et nous en sommes loin.

Je restais planté sur le trottoir.

— Vous êtes un agent de choc. Moi, je fais bien mon boulot. Très bien même. Je suis meilleure négociatrice que vous, par exemple, je sais mieux que vous trouver de bons plans pour nos clients. Mais ils viennent chez nous parce qu'ils ont confiance en vous. Parce qu'ils veulent un agent qui s'occupe d'eux… et là-dessus, vous êtes imbattable.

Elle s'est tue.

— Je vois ce que vous voulez dire. Le plus souvent, c'est pour protéger les intérêts d'un client que je nous mets dans l'embarras. Mais ici, l'enjeu est plus vaste. Beaucoup plus vaste. Vous autres préférez que je fasse passer nos intérêts en priorité. J'entends bien. Mais là, il faut que j'aille jusqu'au bout.

— Vous avez le complexe du héros.

— Pff. Ce n'est pas vraiment un scoop.

— Sur ce coup-là, vous avancez à tâtons. Or vous n'êtes jamais aussi efficace que quand vous savez où vous allez.

— Pour le moment, ai-je rétorqué, je vais dans le New Jersey. Et vous, vous retournez au bureau.

— Je peux vous accompagner.

— Je n'ai pas besoin de baby-sitter.

— Tant pis, il faudra vous y faire. On va voir Sauvez les anges. Si on se casse le nez, on rentre au bureau et on bosse toute la nuit. Ça marche ?

— Ça marche.

29

NOTRE PISTE ABOUTISSAIT À UNE IMPASSE. Au sens propre du terme.

Le GPS nous avait conduits jusqu'à un immeuble de bureaux à HoHoKus, New Jersey, tout au bout d'une rue sans issue. Il y avait là un atelier de carrosserie, un club de karaté appelé Serre d'aigle et un studio photo à la vitrine ultraringarde et au nom ronflant d'OFFICE PHOTOGRAPHIQUE ALBIN LARAMIE. J'ai désigné en passant l'enseigne peinte sur la vitre.

— Office… franchement, je préfère ne pas imaginer l'Albin qui officie là-dedans.

On y trouvait des photos de mariage tellement floues qu'on ignorait où finissait le marié et où commençait la mariée. Des modèles aux poses aguichantes, essentiellement des femmes en bikini. Des portraits kitschissimes de jeunes enfants dans les tons sépia, faussement rétro. Avec leurs robes flottantes, ces enfants vous donnaient la chair de poule. Chaque fois que je vois une vraie photo des années dix-neuf cent, je ne puis m'empêcher de penser : « Ce môme-là est aujourd'hui mort et enterré. » J'ai peut-être l'esprit morbide, mais sincèrement, qui voudrait d'une photo aussi surchargée ?

Nous avons pénétré dans l'immeuble et consulté le tableau des occupants : médecins, experts-comptables et même un ou deux *hedge funds*. Sauvez les anges se trouvait normalement porte 3B, sauf que la porte en question était fermée à clé. On distinguait un rectangle décoloré à l'endroit où il y avait eu la plaque.

Juste à côté, il y avait un cabinet d'experts-comptables nommé Bruno & Associés. Nous sommes allés nous renseigner chez eux.

— Oh, ça fait plusieurs mois qu'ils ne sont plus là, nous a dit la réceptionniste.

Sur son badge, on lisait « Minerva ». Prénom ou nom de famille ?

— Ils ont déménagé juste après le cambriolage.

Arquant un sourcil, je me suis penché plus près.

— Le cambriolage ?

Je suis très fort pour délier les langues.

— Oui. On leur a tout embarqué. Ça doit faire…

Son visage s'est plissé.

— … eh, Bob, c'est quand qu'ils ont été cambriolés, à côté ?

— Il y a trois mois.

Voilà à peu près tout ce que Bob et Minerva pouvaient nous apprendre. À la télé, le détective demande toujours si l'occupant n'a pas laissé une adresse « où on peut le joindre ». Je n'ai vu personne faire ça dans la vraie vie. Nous avons rebroussé chemin et examiné la porte de Sauvez les anges, mais elle ne nous a rien révélé non plus.

— On retourne à l'agence ? a demandé Esperanza.

J'ai acquiescé. Nous sommes ressortis dans la rue.
Le soleil m'a fait ciller. Soudain, j'ai entendu Esperanza s'exclamer :

— Tiens, tiens !

— Quoi ?

Elle a désigné une voiture garée en face.

— Regardez l'autocollant sur le pare-chocs
arrière.

Vous en avez déjà vu des comme ça. Ces ovales
blancs avec des lettres noires en souvenir de lieux
qu'on a visités. Cela a dû commencer avec les capi-
tales européennes. Un jour, un touriste de retour
d'Italie a collé ROM à l'arrière de sa voiture.
Aujourd'hui, chaque ville semble avoir son autocollant, histoire d'afficher son civisme ou quelque chose
comme ça.

Sur celui-ci, on lisait « HHK ».

— HoHoKus, ai-je dit.

— Et voilà.

J'ai repensé au code.

— Opale à HoHoKus. Le quatre mille sept cent
quatorze pourrait être le numéro d'une maison.

— Et Opale, un nom propre.

Une autre surprise nous attendait à l'endroit où
nous avions laissé la voiture. Une Cadillac noire,
garée juste derrière, nous bloquait la sortie. Un
homme à la carrure massive, costume marron de
proviseur de lycée, cheveux en brosse et visage taillé
à la serpe, s'est dirigé vers nous. On aurait dit un
joueur de la ligne offensive des Green Bay Packers au
début des années cinquante.

— Monsieur Bolitar ?

J'ai reconnu la voix, pour l'avoir déjà entendue deux fois. La première fois au téléphone, quand j'avais appelé Berléand… et la seconde à Londres, quelques secondes avant d'avoir perdu connaissance.

J'ai fait un pas en arrière. Esperanza s'est placée devant moi, comme pour me protéger. J'ai posé doucement la main sur son épaule afin qu'elle ne s'inquiète pas.

— Agent spécial Jones, ai-je rétorqué.

Deux autres hommes sont descendus de la Cadillac. Portières ouvertes, ils se sont adossés à leur véhicule. Tous deux portaient des lunettes noires.

— Il va falloir que vous veniez avec moi, a-t-il dit.

— Suis-je en état d'arrestation ?

— Pas encore. Mais vous feriez bien de me suivre.

— Alors attendons le mandat, ai-je répondu. Je viendrai avec mon avocat. Autant respecter la procédure.

Jones s'est rapproché.

— Je préfère éviter l'inculpation. Même si je sais que vous avez commis des crimes.

— Vous êtes témoin, non ?

Il a levé un sourcil.

— Où m'avez-vous emmené après mon évanouissement ? ai-je demandé.

Il a poussé un soupir ostensible.

— Je ne vois absolument pas de quoi vous voulez parler. Mais ni vous ni moi n'avons de temps à perdre. Allons faire un tour, OK ?

Il allait me prendre le bras quand Esperanza a dit :

— Agent spécial Jones ?

Il l'a regardée.

— J'ai un appel pour vous.

Elle lui a tendu son téléphone portable. Il a froncé les sourcils, mais l'a pris. J'ai froncé les sourcils aussi. Le visage d'Esperanza était de marbre.

— Allô ? a dit Jones.

Le volume était réglé au maximum, si bien que j'ai entendu clairement la voix dans l'appareil.

— Chrome, style militaire, avec le logo Gucci gravé dans le coin inférieur gauche.

C'était Win.

Jones a fait :

— Hein ?

— Je vois la boucle de votre ceinture à travers la lunette de mon fusil, bien que je vise huit centimètres plus bas. En fait, cinq centimètres seraient suffisants dans votre cas.

J'ai baissé les yeux sur la ceinture de mon interlocuteur. En effet. J'ignorais totalement ce qu'était un chrome de style militaire, mais il y avait bel et bien un logo Gucci dans le coin inférieur gauche de la boucle.

— Gucci avec un salaire de fonctionnaire ? a ajouté Win. Ils ont dû vous faire une ristourne.

Sans éloigner le téléphone de son oreille, Jones a regardé autour de lui.

— Monsieur Windsor Horne Lockwood, je présume ?

— Je ne vois absolument pas de qui vous voulez parler.

— Que désirez-vous ?

— C'est très simple. M. Bolitar n'ira pas avec vous.

— Vous menacez un agent fédéral, c'est un crime majeur.

— Je commente vos goûts vestimentaires, a riposté Win. Une ceinture noire avec des chaussures marron, le seul criminel ici, c'est vous.

Jones a levé les yeux sur moi. Il semblait étrangement calme pour quelqu'un qu'on vise à l'entrejambe. J'ai risqué un coup d'œil en direction d'Esperanza. Elle évitait de me regarder. Win n'était pas à Bangkok. Il m'avait menti.

— Je ne veux pas d'histoires.

Jones a levé les deux mains.

— OK, d'accord, je ne force personne. Passez une bonne journée.

Il a tourné les talons.

— Jones ?

Il s'est retourné en protégeant ses yeux du soleil.

— Savez-vous ce qui est arrivé à Terese Collins ?

— Oui.

— Dites-le-moi.

— À condition que vous veniez avec moi.

J'ai regardé Esperanza. À nouveau, elle a tendu son portable à Jones.

Win a dit :

— Mettons les choses au clair. Il vous sera impossible de vous cacher. À vous et à votre famille. S'il lui arrive quelque chose, c'est la destruction totale. Tout ce que vous aimez, tout ce à quoi vous tenez. Ceci n'est pas une menace.

Et il a raccroché.

Jones m'a regardé.

— Charmant garçon.

— Vous n'avez pas idée.

— On y va ?

Je l'ai suivi et je suis monté dans la Cadillac.

30

NOUS AVONS RETRAVERSÉ LE PONT GEORGE-
WASHINGTON pour retourner à Manhattan. Jones m'a
présenté les deux agents à l'avant de la voiture, mais
je n'ai pas retenu leurs noms. Nous sommes sortis au
niveau de la 79e Rue Ouest ; quelques minutes plus
tard, nous nous arrêtions à l'entrée de Central Park.
Jones a ouvert la portière et attrapé son attaché-case.

— Venez, on va faire un tour à pied.

Je me suis glissé dehors. Le soleil était encore haut
dans le ciel.

— Qu'est-il arrivé à Terese ?

— Il faut que vous sachiez tout le reste d'abord.

Je ne voyais vraiment pas pourquoi, mais il était
inutile d'insister. Il me le dirait le moment venu.
Jones a retiré son veston et l'a posé sur le siège
arrière. En dessous, il portait une chemisette d'un
jaune indéterminé. J'attendais que les deux autres
descendent aussi, mais Jones a tambouriné sur le toit
de la voiture, et ils ont redémarré.

— Rien que nous deux ? ai-je dit.

— Rien que nous deux.

Son attaché-case, rectangulaire avec double

fermeture à code, datait d'une autre époque. Papa avait eu le même pour trimballer contrats, factures, stylos et un petit magnétophone à son bureau à Newark.

Jones s'est engouffré dans le parc à la hauteur de la 67e Rue Ouest. Nous avons dépassé Tavern on the Green avec ses lanternes qui luisaient faiblement dans les arbres. Je l'ai rattrapé.

— Ça fait un peu cape et épée.

— C'est une précaution. Inutile sans doute. Mais dans un métier comme le mien, on n'est jamais trop prudent.

J'ai trouvé ça quelque peu mélodramatique, mais là encore, je n'ai pas insisté. Jones avait tout à coup l'air sombre et pensif, sans raison apparente. Il contemplait les joggeurs, les types en rollers, les cyclistes, les mères avec leurs poussettes dessinées par des stylistes.

— C'est un lieu commun, certes, mais ils roulent, ils courent, ils travaillent, ils aiment, ils rient, ils jouent au Frisbee sans se douter à quel point tout cela est fragile.

J'ai esquissé une moue.

— Voyons voir… vous, agent spécial Jones, vous êtes la sentinelle silencieuse qui veille sur eux, celui qui sacrifie sa propre humanité pour que les citoyens puissent dormir sur leurs deux oreilles. C'est bien ça ?

Il a souri.

— Je suppose que je l'ai cherché.

— Qu'est-il arrivé à Terese ?

Jones continuait à marcher.

— Quand on était à Londres, ai-je dit, vous m'avez placé en détention.

— Oui.

— Et après ?

Il a haussé les épaules.

— C'est très cloisonné. Je ne sais pas. Je vous remets à quelqu'un qui fait partie d'un autre service. Ma mission s'arrête là.

— C'est moralement commode.

Il a tiqué, mais n'a pas ralenti l'allure.

— Que savez-vous sur Mohammad Matar ? m'a-t-il demandé.

— Seulement ce que j'ai lu dans les journaux. J'ai l'impression que c'était un vrai méchant.

— Le plus méchant de tous. Un extrémiste radical, très cultivé, devant qui les autres terroristes faisaient dans leur froc. Matar adorait la torture. Il pensait que le seul moyen de vaincre les infidèles était de les infiltrer et de vivre parmi eux. Il a fondé un groupe terroriste appelé La Mort verte. Leur devise est : « *Al-sabr wal saïf sawf yudammir al-kafirun.* »

Un spasme m'a contracté la poitrine.

« *Al-sabr wal saïf.* »

— Ce qui veut dire ?

— La patience et l'épée viendront à bout des mécréants.

J'ai secoué la tête, essayant de remettre de l'ordre dans mes idées.

— Mohammad Matar a passé pratiquement toute sa vie en Occident. Il a grandi en Espagne, mais il a vécu aussi en France et en Angleterre. Docteur La Mort est plus qu'un sobriquet ; il a étudié la médecine

313

à Georgetown et fait son internat ici même, à New York. Il a séjourné douze ans aux États-Unis sous différents noms d'emprunt. Devinez quel jour il a choisi pour quitter le pays ?

— Je ne suis pas d'humeur à jouer aux devinettes.

— Le dix septembre 2001.

Nous nous sommes tus et, presque inconsciemment, nous sommes tournés vers le sud. De toute façon, les tours, on ne les aurait pas vues d'ici. Mais cet hommage muet, c'était incontournable.

— Vous êtes en train de me dire qu'il était impliqué dans les attentats ?

— Impliqué ? On n'en sait rien. Mais il était au courant. Son départ n'était pas une coïncidence. On a un témoin qui l'a vu au Pink Pony au début du mois. Ce nom vous dit quelque chose ?

— Ce n'est pas la boîte de strip-tease où les terroristes sont allés avant le 11 Septembre ?

Jones a acquiescé.

Une classe a traversé l'allée devant nous. Les enfants – ils devaient avoir dix ou onze ans – arboraient tous une chemise vert vif avec l'écusson de l'école. Un adulte ouvrait la marche, un autre la fermait.

— Vous avez tué un grand chef terroriste, a repris Jones. Imaginez un peu la réaction de ses disciples, s'ils découvraient la vérité.

— C'est pour ça que vous avez endossé la responsabilité de l'assassinat ?

— C'est pour ça que nous n'avons pas cité votre nom.

— Je vous en suis infiniment reconnaissant.

— Serait-ce de l'ironie ?

Je n'en savais rien moi-même.

— Si vous continuez à tâtonner, la vérité finira par sortir du puits. Donnez un coup de pied dans la fourmilière et vous verrez surgir une bande de jihadistes.

— Admettons qu'ils ne me fassent pas peur.

— Dans ce cas, c'est que vous êtes cinglé.

Nous nous sommes arrêtés devant un banc. Posant un pied sur le siège, Jones a ouvert l'attaché-case sur son genou et a fourragé dedans.

— La nuit qui a précédé l'assassinat de Matar, vous avez exhumé les restes de Miriam Collins afin de faire analyser son ADN.

— Vous espérez des aveux ?

— Vous ne comprenez pas ?

— Quoi donc ?

— Nous avons confisqué ce fragment d'os. Mais vous êtes peut-être déjà au courant.

Je n'ai rien dit.

Il a tiré une chemise en carton de l'attaché-case.

— Voici les résultats des tests.

J'ai tendu la main. Jones a fait mine d'hésiter, mais les jeux étaient faits, on le savait l'un et l'autre. J'étais venu pour ça. Il m'a donné la chemise. Je l'ai ouverte. Sur le dessus, il y avait la photo de l'os que Win et moi avions récupéré au cimetière. J'ai tourné la page, mais Jones s'était déjà remis en route.

— Les tests ont été concluants. Les ossements que vous avez exhumés sont bien ceux de Miriam Collins. L'ADN désigne Rick Collins comme père, et Terese Collins comme mère. Qui plus est, la taille des ossements et leur stade de croissance correspondent à une fillette de sept ans.

Je lisais le rapport tout en marchant.

315

— Ceci pourrait être un faux, ai-je observé.

— Possible.

— Comment expliquez-vous le sang découvert sur la scène de crime à Paris ?

— Vous venez de soulever une hypothèse intéressante, a-t-il répliqué.

— Laquelle ?

— Que les résultats étaient faux…

J'ai marqué un temps d'arrêt.

— Vous dites que j'ai pu falsifier les résultats des tests ADN. Alors pourquoi pas les Français ? a-t-il ajouté.

— Berléand ?

Il a haussé les épaules.

— Pourquoi aurait-il fait ça ? ai-je dit.

— Et moi ? Mais vous n'êtes pas tenu de me croire sur parole. J'ai ici, dans cette mallette, votre fragment d'os original. Avant de nous quitter, je vous le rendrai et vous pourrez le faire analyser de votre côté, si ça vous chante.

La tête me tournait. Jones continuait à marcher. Somme toute, ce n'était pas complètement insensé. Si Berléand avait menti, tout le reste coulait de source. Retirez la composante affective et sentimentale de l'équation, qu'est-ce qui devenait le plus plausible : que Miriam Collins ait survécu à la collision pour assister à l'assassinat de son père, ou que Berléand ait menti sur les résultats des tests ?

— Vous vous êtes trouvé mêlé à tout ça parce que vous vouliez connaître le sort de Miriam Collins, a déclaré Jones. Maintenant c'est fait. Laissez-nous nous occuper du reste. Peu importe le contexte, vous savez avec certitude que Miriam Collins est morte.

Ce bout d'os vous fournira toutes les preuves nécessaires.

— Trop de fumée pour qu'il n'y ait pas un feu quelque part, ai-je répondu.

— Quoi, par exemple ? Les terroristes ? La cellule ? L'essentiel de votre prétendue fumée provient de la tentative d'infiltration de Rick Collins.

— La fille blonde.

— Oui, eh bien ?

— L'avez-vous capturée à Londres ?

— Non. À notre arrivée, elle n'était plus là. Nous savons que vous l'avez croisée. On a un témoin, un voisin de Mario Contuzzi, qui vous a vu vous lancer à sa poursuite.

— Qui est-elle ?

— Un membre de la cellule.

J'ai haussé un sourcil.

— Une blondinette jihadiste ?

— Parfaitement. On trouve de tout dans une cellule de ce genre. Des immigrés qui n'ont pas le droit de vote, des nationalistes arabes et aussi quelques Occidentaux timbrés. Les activistes du jihad cherchent par tous les moyens à recruter des personnes de type européen, des femmes surtout. Pour des raisons évidentes… Une jolie blonde aura des entrées dans des endroits inaccessibles aux Arabes. La plupart de ces filles ont de sérieux problèmes avec leurs papas. Vous connaissez le principe : certaines tournent dans des films X, d'autres couchent avec des extrémistes.

Je n'étais qu'à moitié convaincu.

Un petit sourire jouait sur les lèvres de Jones.

317

— Pourquoi ne me dites-vous pas ce qui vous tracasse ?

— Il y a des tas de choses qui me tracassent.

— Non, Myron. On en revient toujours à la même question. L'accident de voiture.

— La version officielle était un mensonge, ai-je dit. J'ai parlé à Karen Tower avant son assassinat. J'ai parlé à Nigel Manderson. Ça ne s'est pas passé comme ils l'affirmaient.

— C'est ça, votre fumée ?

— Oui.

— Alors, si je la dissipe, vous laisserez tomber ?

— Ils cachaient quelque chose en rapport avec ce soir-là.

— Et si je dissipe la fumée, a répété Jones, vous laisserez tomber ?

— Je pense que oui.

— OK, voyons un peu les autres possibilités.

Nous marchions toujours.

— Cet accident de voiture survenu il y a dix ans. D'après vous, ce qui s'est réellement passé…

Il s'est interrompu, s'est tourné vers moi.

— Dites-le-moi, vous. Que cachaient-ils, à votre avis ?

J'ai gardé le silence.

— La collision… je suppose que vous êtes d'accord pour dire qu'elle a bien eu lieu ? Terese transportée d'urgence à l'hôpital. Jusque-là, ça va aussi. Alors qu'est-ce qui cloche ? Vous croyez – allons, aidez-moi, Myron – que Karen Tower et au moins un ou deux flics ont conspiré pour x raisons afin de cacher la fille de Terese âgée de sept ans, de l'élever en secret pendant toutes ces années… et ensuite ?

Je continuais à me taire.

— Et votre complot, là, implique que je mens sur les tests ADN, ce qui, comme vous pourrez le constater par vous-même, n'est pas le cas.

— Ils cachaient quelque chose, ai-je dit.

— C'est exact.

Nous sommes passés devant le manège du parc.

— L'accident a eu lieu à peu près dans les conditions qu'on vous a décrites. Un camion a déboulé sur l'A-40. Mme Collins a donné un coup de volant, et ç'a été la catastrophe. Vous connaissez le contexte aussi. Elle était chez elle. On l'a appelée pour présenter le vingt heures. Comme elle ne prévoyait pas de sortir ce soir-là, j'imagine que ceci explique cela.

— Quoi donc ?

— Il y a un proverbe grec qui dit : « Le bossu ne voit jamais la bosse qu'il a dans le dos. »

— Qu'est-ce que ça vient faire ici ?

— Rien, peut-être. C'est à propos de défauts. On est prompts à relever ceux des autres, mais les nôtres, c'est beaucoup moins évident. Et on n'a pas toujours conscience de nos limites, surtout quand on nous agite une belle carotte sous le nez.

— Ce que vous me racontez n'a aucun sens.

— Bien sûr que si. Vous voulez savoir ce qu'on vous a caché… et pourtant, ça saute aux yeux. En perdant sa fille, Terese Collins a été suffisamment punie. J'ignore s'ils se sont inquiétés des retombées judiciaires ou bien du fardeau de culpabilité que cela ferait peser sur une mère. Terese Collins avait bu ce soir-là. Aurait-elle évité l'accident si elle avait été à jeun ? Allez savoir… Le camionneur était en faute, mais si son temps de réaction avait été un peu plus court…

J'ai essayé de digérer l'information.

— Terese avait bu ?

— Son taux d'alcool dans le sang dépassait le seuil autorisé.

— C'est ça qu'on a dissimulé ?

— Oui.

Les mensonges ont une odeur particulière. La vérité aussi.

— Qui était au courant ? ai-je demandé.

— Son mari. Ainsi que Karen Tower. Ils le lui ont caché de peur que la vérité ne la brise.

La cassure était là de toute façon. Le cœur gros, j'ai pensé à une autre vérité : Terese savait certainement. Quelque part, elle était consciente de sa responsabilité. La perte d'un enfant est un drame terrible pour une mère, mais là, dix ans après, Terese cherchait toujours la rédemption.

Comment avait-elle formulé ça quand elle m'avait appelé de Paris ? Elle n'avait pas envie de reconstruire.

Elle savait. Inconsciemment peut-être. Mais elle savait.

Je me suis arrêté.

— Qu'est-il arrivé à Terese ?

— Est-ce que ça dissipe la fumée, Myron ?

— Que lui est-il arrivé ?

Jones a pivoté pour me faire face.

— Je veux que vous lâchiez l'affaire, OK ? Personnellement, je ne considère pas que la fin justifie les moyens. Je connais tous les arguments contre la torture et je les partage. Mais le problème est complexe. Admettons que vous capturiez un terroriste qui a déjà tué des milliers de gens… et qui, en ce moment même, prépare un attentat pour tuer des millions d'enfants. Allez-vous lui mettre un pain pour avoir les informations qui permettraient de sauver ces enfants ? Bien sûr que oui. Et plutôt deux fois qu'une. Même s'il ne s'agit que de mille enfants, ou de cent, ou de dix. Quelqu'un qui ne comprend pas ça… eh bien, celui-là, je m'en méfie. Car lui aussi est un extrémiste dans son genre.

— Où voulez-vous en venir ?

— Je voudrais que vous repreniez une vie normale.

La voix de Jones s'est faite douce, implorante presque.

— Je sais que vous n'allez pas me croire, mais si on m'avait demandé mon avis, j'aurais refusé qu'on vous fasse subir ce que vous avez subi. Ce que je tenais aussi à vous dire, c'est que je suis protégé. Jones n'est pas mon vrai nom, et nous sommes ici, dans ce parc, parce que je n'ai pas de bureau. Même votre ami Win aurait du mal à me localiser. Je sais tout de vous à présent. Je connais votre passé. Votre blessure au genou, vos efforts pour rebondir. Dans la vie, on a rarement une seconde chance. Je vous en offre une maintenant.

Son regard s'est perdu au loin.

— Laissez tomber, retournez à vos affaires. Pour vous.

Il a fait un geste du menton.

— Et pour elle.

Je n'ai pas osé regarder tout de suite. Mes yeux glissaient le long de l'horizon quand, soudain, je me suis figé. Portant la main à ma bouche, je me suis efforcé d'encaisser le coup sans m'écrouler. Quelque chose m'a frôlé la poitrine.

De l'autre côté de la pelouse, les larmes aux yeux mais toujours belle à couper le souffle, se tenait Terese.

31

DURANT LA FUSILLADE DE LONDRES, Terese avait été blessée au cou.

J'en étais à embrasser délicatement cette jolie épaule lorsque j'ai aperçu la cicatrice. Non, elle n'avait pas été droguée ni emmenée dans un site noir. Elle avait été soignée dans un hôpital de la banlieue de Londres avant d'être rapatriée sur New York. Sa blessure était plus grave que la mienne. Elle avait perdu du sang. Elle souffrait encore beaucoup et se mouvait avec précaution.

Nous étions dans ma chambre, dans l'appartement de Win au Dakota. Enlacés, nous regardions le plafond. Elle a posé la tête sur ma poitrine. Je sentais mon cœur battre tout contre elle.

— Tu y crois, toi, à la version de Jones ? lui ai-je demandé.

— Oui.

Je lui ai caressé le dos, l'ai attirée plus près. Elle tremblait légèrement. Je ne voulais plus la perdre de vue.

— Quelque part, je savais que je me leurrais, a-t-elle dit. Mais c'était tellement fort… ce désir de rédemption, tu comprends ? Comme si on m'offrait une deuxième chance de sauver mon enfant.

Je comprenais.

— Qu'est-ce qu'on fait alors ?

— J'ai envie de rester là, allongée près de toi, sans rien faire. C'est possible ?

— Bien sûr.

J'avais les yeux fixés sur les moulures du plafond. Mais quand j'ai une idée en tête…

— À la naissance de Miriam, Rick et toi avez-vous conservé son sang ombilical ?

— Non.

Voilà qui était réglé.

— Tu veux toujours qu'on fasse faire les analyses ADN pour en avoir le cœur net ?

Elle a répondu :

— Qu'en penses-tu ?

— Je pense qu'on devrait le faire.

— Alors faisons-le.

— On aura besoin de ton ADN, ai-je dit, pour pouvoir comparer les deux. On n'a pas celui de Rick, mais si on confirme que l'enfant était de toi, eh bien, je suppose que tu n'as accouché qu'une seule fois dans ta vie, n'est-ce pas ?

Silence.

— Terese ?

— Je n'ai accouché qu'une seule fois dans ma vie.

Nouveau silence.

— Myron ?

— Oui ?

— Je ne peux plus avoir d'enfants.

Je n'ai rien dit.

— C'est un miracle que Miriam soit née. Mais

324

juste après l'accouchement, ils ont dû pratiquer une hystérectomie en urgence parce que j'avais une endométriose. Je n'aurai pas d'autres enfants.

J'ai fermé les yeux. J'aurais aimé la réconforter, mais tous les mots qui me venaient à l'esprit semblaient sentencieux ou superflus. J'ai resserré mon étreinte. Je ne voulais pas penser à l'avenir. Je voulais juste la tenir dans mes bras.

L'homme prévoit, Dieu rit.

Comme je l'ai sentie qui s'écartait, je l'ai ramenée à moi.

— Trop tôt pour en parler ? a-t-elle demandé.

J'ai réfléchi brièvement.

— Ou peut-être trop tard.

— C'est-à-dire ?

— Pour l'instant, ai-je répliqué, j'ai envie de rester là, près de toi, c'est tout.

Terese dormait quand j'ai entendu le bruit d'une clé dans la porte d'entrée. J'ai jeté un œil sur la pendule. Il était une heure du matin.

J'ai enfilé ma robe de chambre. Win et Moa venaient de rentrer. Moa m'a adressé un petit signe de la main.

— Salut, Myron.

— Salut, Moa.

Elle est allée dans la pièce d'à côté. Après son départ, Win a annoncé :

— Question sexe, c'est « Moa d'abord ».

Je l'ai regardé.

— Eh oui, rien n'est trop beau pour Moa.

— Arrête, s'il te plaît.

Win m'a serré fort dans ses bras.

— Ça va ? a-t-il demandé.

— Très bien.

— Tu sais ce qui est bizarre là-dedans ?

— Quoi ?

— On n'a jamais été séparés aussi longtemps depuis notre rencontre à Duke.

J'ai hoché la tête et attendu qu'il desserre son étreinte pour me dégager.

— Tu m'as menti au sujet de Bangkok.

— Pas vraiment. Quand on fait la tournée des boîtes pornos, c'est un genre de tourisme sexuel, non ?

Nous sommes passés au salon Louis Machin-Chose avec ses boiseries massives, ses sculptures baroques et ses bustes de types aux cheveux longs. Nous avons pris place dans des fauteuils clubs face à la cheminée de marbre. Win m'a lancé un Yoo-Hoo et s'est servi un verre de whisky hors d'âge qu'il conservait dans une carafe.

— J'allais me faire un café, a-t-il dit, mais ça voudrait dire une nuit blanche pour Moa.

J'ai soupiré.

— Bientôt à court de calembours, hein ?

— Le ciel t'entende.

— Pourquoi as-tu menti à propos de Bangkok ?

— À ton avis ?

La réponse était évidente. Une nouvelle vague de honte m'a submergé.

— Je t'ai balancé, c'est ça ?

— Oui.

J'ai senti les larmes, la peur, la gêne respiratoire devenue familière. Ma jambe droite s'est mise à danser la gigue.

— Tu craignais que je ne me refasse embarquer. Et que je ne me mette à table pour de bon, ai-je dit.

— Oui.

— Je suis désolé.

— Tu n'as pas à t'excuser.

— Je croyais… Je me voyais plus fort que ça.

Win a bu une gorgée de whisky.

— Tu es l'homme le plus fort que je connaisse.

J'ai marqué une pause, puis, incapable de me retenir :

— Plus fort que Moa ?

— Oui. Mais beaucoup moins souple.

Quelques minutes se sont écoulées ainsi, dans un silence complice.

— Tu te souviens de quelque chose ? a-t-il demandé.

— Très vaguement.

— Tu vas avoir besoin d'aide.

— Je sais.

— Tu as le fragment d'os pour le test ADN ?

J'ai hoché la tête.

— Si ça confirme ce que t'a dit ce type, Jones, on arrête là ?

— Jones a répondu à la plupart de mes questions.

— J'entends un « mais ».

— Il y a plusieurs « mais », en fait.

— Je t'écoute.

— Tu sais ce que pense Berléand du complot de Mohammad Matar ?

— Qu'il a survécu au bonhomme ? Oui.

— Si c'est vrai, on est tous en danger. Il faut agir, c'est notre devoir.

Win m'a dévisagé.

— Pouah !

— D'après Jones, si les disciples de Matar découvrent ce que j'ai fait, ils s'en prendront à moi. Je n'ai pas envie d'attendre les bras ballants, ou de vivre dans la peur.

Ce raisonnement lui a plu davantage.

— Tu préfères anticiper ?

— Je pense que oui.

— Et quoi d'autre ?

J'ai bu à grands traits.

— J'ai vu la blonde. Je l'ai vue marcher. J'ai vu son visage.

— Et, comme tu l'as déjà souligné, tu as relevé une ressemblance, peut-être génétique, avec la délicieuse Mme Collins.

Je continuais à siroter mon Yoo-Hoo.

— Tu te rappelles, a-t-il repris, les jeux d'illusions d'optique avec lesquels on s'amusait quand on était enfants ? Tu regardes un dessin et tu vois tantôt une vieille sorcière tantôt une jolie jeune fille. Il y en avait un aussi avec un lapin et un canard.

— Ce n'est pas le cas ici.

— Bon, alors imagine que Terese ne t'ait pas appelé de Paris. Imagine que tu croises la blonde dans la rue en allant au bureau. Est-ce que tu te dis : « Tiens, à tous les coups c'est la fille de Terese » ?

— Non.

— Donc, c'est circonstanciel. Tu comprends ?

— Oui.

Cette fois, le silence s'est prolongé.

— Évidemment, a ajouté Win, circonstanciel ne veut pas dire invraisemblable.

— Justement.

— Et ça pourrait être drôle de démasquer un complot terroriste.

— Tu es avec moi ?

— Pas encore, a-t-il rétorqué. Mais ça va venir, le temps de finir mon verre et d'aller dans ma chambre.

32

QUELQUEFOIS, LE CHEMINEMENT DE L'ESPRIT HUMAIN est retors et capricieux.

La logique n'est jamais linéaire. Elle saute du coq à l'âne, rebondit sur les murs, vire à cent quatre-vingts degrés et s'égare sur les chemins de traverse. N'importe quoi peut servir de catalyseur, généralement sans rapport avec le sujet, qui oriente vos pensées dans une direction insoupçonnée… et vous amène à la solution inaccessible au raisonnement linéaire.

Et c'est précisément ce qui m'est arrivé. C'est comme ça que j'ai commencé à assembler les pièces du puzzle.

Terese a remué lorsque j'ai regagné la chambre. Je ne lui ai pas fait part de ma théorie – circonstancielle ou autre – concernant la blonde. Pas pour lui cacher quoi que ce soit, mais parce qu'il était encore trop tôt. Elle était peut-être en voie de guérison. À quoi bon raviver la blessure avant d'en savoir plus ?

Elle s'est rendormie. Un bras autour d'elle, j'ai fermé les yeux. Au fond, j'avais très peu dormi depuis mon hiatus de seize jours. J'ai sombré dans un sommeil peuplé de cauchemars et je me suis réveillé en sursaut vers trois heures du matin. Mon cœur cognait follement dans ma poitrine. J'avais des larmes aux yeux. Le seul souvenir, c'était une sensation de quelque chose qui pesait sur moi, qui m'écrasait, quelque chose de si lourd que ça m'empêchait de respirer. Je me suis levé. Terese dormait toujours. Me penchant, j'ai effleuré son front d'un baiser.

Il y avait un ordinateur portable dans la pièce d'à côté. Je me suis connecté à Internet pour chercher des informations sur Sauvez les anges. Leur site est apparu à l'écran. Avec l'en-tête SAUVEZ LES ANGES et, au-dessous, en plus petits caractères, SOLUTIONS CHRÉTIENNES. Ça parlait de vie, d'amour et de Dieu. Et de remplacer la notion de « choix » par celle de « solution ». On y trouvait les témoignages de femmes ayant opté pour l'adoption plutôt que pour l'« assassinat ». Des couples infertiles évoquaient « les expériences inhumaines » sur « des enfants à naître », alors que Sauvez les anges aidait l'embryon à « réaliser son but ultime : la vie » grâce à la solution chrétienne de l'adoption.

Je me suis rappelé notre conversation avec Mario Contuzzi. D'après lui, ces gens-là se situaient plutôt à droite, mais sans verser dans l'extrémisme. J'avais tendance à lui donner raison. En continuant à surfer, je suis tombé sur une profession de foi qui commençait par citer la Bible, « parole de Dieu complète et inspirée, sans erreur », pour aboutir au caractère sacré de la vie. En cliquant sur des boutons, on en apprenait davantage sur l'adoption, les droits, l'actualité, les ressources des mères porteuses. Je suis allé sur la foire aux questions pour voir comment ils répondaient aux pourquoi et aux comment : aide aux mères célibataires, choix de l'embryon, papiers à remplir, tarifs, comment faire un don, comment devenir membre de l'association. Tout cela était fort impressionnant. Venait ensuite la galerie photo. J'ai cliqué sur la première page. Il y avait là les photos de deux demeures plutôt somptueuses où étaient recueillies les mères célibataires. La première ressemblait à une maison de planteur au dix-huitième siècle, toute blanche, avec des colonnes en marbre, entourée d'énormes saules pleureurs. L'autre, c'était le parfait bed-and-breakfast : une résidence victorienne pittoresque, un peu trop même, avec des tours, des tourelles, des vitraux, une véranda et un toit mansardé en ardoises bleutées. La légende préservait l'anonymat à la fois du lieu et de ses occupants – aucun nom, aucune adresse –, tandis que ces vues de carte postale vous donnaient presque envie de vous faire mettre en cloque.

J'ai cliqué sur la page deux de la galerie... et j'ai eu une révélation.

Des photos de bébés. Belles, adorables, poignantes, le genre d'images censées attendrir et émerveiller quiconque a un cœur.

Mon esprit retors aime le jeu des comparaisons. On regarde un film gore qui en fait des tonnes en Technicolor et on repense à Hitchcock qui a su nous tenir en haleine avec du noir et blanc. En contemplant ces « anges sauvés », je songeais à la beauté des images, comparée aux photos horriblement kitsch que j'avais vues en vitrine la veille. Ça m'a rappelé notre expédition, et notamment la trouvaille d'Esperanza, selon laquelle HHK pouvait signifier HoHoKus.

C'est ça, le cerveau humain, des myriades de synapses qui crépitent, pétillent, tourbillonnent, se créent et s'entremêlent au hasard. Le processus est difficile à décrire, mais voici comment cela a dû se passer dans ma tête : office photographique, HHK, Esperanza, son passé de catcheuse, la FFL alias les Fabuleuses Filles de la lutte.

Et soudain, le déclic. Tout devenait clair. Enfin, pas tout, mais une partie. Je savais, en tout cas, où il fallait que j'aille dans la matinée.

Dans cette boutique kitsch et toc à HoHoKus. L'Office Photographique Albin Laramie, alias – en prenant les initiales et la dernière lettre du nom – OPALE.

L'homme derrière le comptoir de l'office photo-graphique Albin Laramie devait être Albin himself. Il portait une cape. Une cape scintillante, façon Batman ou Zorro. Sa pilosité faciale semblait avoir été tracée au stylet sur une ardoise magique ; ses cheveux étaient coiffés pour créer l'impression d'un désordre savant, et l'ensemble de sa personne collait on ne peut mieux à l'étiquette de l'« artiiiiste ». Il était au téléphone, le sourcil ombrageux, quand je suis entré.

Je me suis avancé. Il a levé le doigt pour me prier de patienter.

— Il n'a rien compris, Leopold. Que veux-tu que je te dise ? Cet homme-là n'a ni angles, ni texture, ni couleur. On a l'œil ou on ne l'a pas.

Il m'a refait signe d'attendre encore une minute.

Quand enfin il a raccroché, il a poussé un soupir théâtral.

— Que puis-je pour vous ?

— Bonjour, je m'appelle Bernie Worley.

— Et moi, a-t-il déclaré, la main sur le cœur, je suis Albin Laramie.

Cela a été dit avec beaucoup de fierté et de panache. Il m'a fait penser à Mandy Patinkin dans *The Princess Bride* ; encore un peu, et il allait proclamer que j'avais tué son père, prépare-toi à mourir.

Je l'ai gratifié d'un sourire blasé.

— Ma femme m'a demandé de passer récupérer des photos.

— Vous avez votre ticket ?

— Je l'ai perdu.

Albin a froncé les sourcils.

— Mais j'ai le numéro d'ordre, si ça peut vous aider.

— Ça peut.

Il a sorti un clavier et, la main en l'air, s'est tourné vers moi.

— Je vous écoute.

— Quarante-sept quatorze.

Il m'a toisé comme si j'avais proféré une énormité.

— Ce n'est pas un numéro d'ordre.

— Ah bon ? Vous en êtes sûr ?

— C'est un numéro de séance.

— Un numéro de séance ?

Il a repoussé la cape de ses deux mains tel un oiseau déployant ses ailes.

— Oui, une séance photo.

Le téléphone a sonné, et il m'a tourné le dos

comme pour signifier que le sujet était clos. Ça s'annonçait mal. Reculant d'un pas, j'ai fait mon numéro moi aussi. J'ai cillé et formé un O avec ma bouche. Myron Bolitar, l'ingénue ébahie.

— Il y a un problème ? m'a-t-il demandé.

— Votre travail, ai-je dit. C'est époustouflant.

Il s'est rengorgé. C'est rare de voir un homme se rengorger pour de vrai. Pendant dix minutes, je l'ai bombardé de questions, lui ai parlé inspiration et l'ai écouté pérorer sur les teintes, les nuances, le style, l'éclairage et tout le tremblement.

— Marge et moi avons une petite fille, ai-je dit, admiratif, devant l'horreur victorienne qui faisait ressembler un bébé normalement mignon à mon oncle Morty en pleine crise de zona. On devrait vous l'amener.

Albin continuait à bomber le torse sous sa cape. Une cape, c'était fait pour ça. Nous avons discuté du prix de la séance, qui était astronomique et exigerait une deuxième hypothèque. J'ai joué le jeu. Pour finir, j'ai déclaré :

— Écoutez, c'est le numéro que ma femme m'a donné. Le numéro de séance. D'après elle, si je vois ces photos, je vais tomber par terre. Croyez-vous que je pourrais jeter un œil sur les photos de la séance numéro quarante-sept quatorze ?

S'il trouvait bizarre que, venant chercher des photos, je veuille maintenant voir les clichés d'une séance de pose, cette note discordante s'est perdue dans l'océan de louanges à la gloire du vrai génie.

— Oui, bien sûr, c'est dans mon ordinateur. Il faut que je vous dise. Je n'aime pas la photographie numérique. Pour votre petite fille, je préfère utiliser la chambre d'atelier classique. Côté texture, le résultat est incomparable.

— Ce serait formidable.

— Mais je me sers du numérique pour stocker mes fichiers sur le Net.

Il a pianoté sur le clavier, pressé la touche « retour ».

— Là, ce ne sont pas des photos de bébés. Pas vraiment. Tenez.

Albin a fait pivoter l'écran vers moi. Des tas d'onglets étaient apparus. J'ai ressenti un coup au cœur avant même qu'il ne clique sur l'un d'eux pour agrandir l'image. Pas de doute.

C'était la fille blonde.

— Je voudrais une copie de ça, ai-je lancé d'un ton dégagé.

— Quel format ?

— N'importe, treize sur dix-huit, ce serait parfait.

— La semaine prochaine, à partir de mardi.

— Il me la faut maintenant.

— Impossible.

— Votre ordinateur est relié à l'imprimante couleur, là-bas.

— Oui, mais ce n'est pas avec ça que vous obtiendrez une image de qualité.

Pas le temps de négocier. J'ai sorti mon portefeuille.

— Je vous donne deux cents dollars pour une sortie couleur.

Ses yeux se sont étrécis, mais seulement une fraction de seconde. Il venait enfin de comprendre qu'il y avait anguille sous roche, mais, n'étant ni avocat ni médecin, il n'était pas lié par le secret professionnel.

Je lui ai remis les deux cents dollars. Il s'est dirigé vers l'imprimante. J'ai repéré un lien intitulé « données perso » et cliqué dessus au moment où Albin sortait la photo de la machine.

— Excusez-moi ? a-t-il dit.

Je me suis écarté… j'avais vu ce que je voulais voir. Seul le prénom de la fille figurait sur sa fiche : Carrie. Son adresse ?

La porte à côté. Celle de la fondation Sauvez les anges.

Albin ignorait le nom de famille de Carrie. Comme j'insistais, il m'a laissé entendre qu'il faisait des photos pour Sauvez les anges, et rien d'autre. On ne lui indiquait que les prénoms. J'ai pris la sortie papier et je suis allé à côté. La porte des Anges était toujours fermée. Pas étonnant. Je suis allé trouver Minerva, ma réceptionniste préférée, chez Bruno & Associés, et je lui ai montré la photo de la blonde Carrie.

— Vous la connaissez ?

Minerva a levé les yeux.

— Elle a disparu, ai-je ajouté. Je suis chargé de la retrouver.

— Vous êtes détective privé ou quoi ?

— C'est ça.

C'était plus simple que de s'empêtrer dans des explications complexes.

— Cool.

— Ouais. Elle s'appelle Carrie. Vous la reconnaissez ?

— Elle a travaillé ici.

— À l'association ?

— Enfin, pas travaillé. Elle a été stagiaire chez eux. Pendant plusieurs semaines, l'été dernier.

— Parlez-moi d'elle.

— Elle est belle, hein ?

Je n'ai pas répondu.

— Je n'ai jamais su son nom. Elle n'était pas très aimable. Comme tous les autres, d'ailleurs. L'amour de Dieu, ils n'avaient que ça à la bouche, mais je ne les sentais pas. Bref, on avait des toilettes en commun. Moi, je disais bonjour. Et elle me regardait comme si j'étais transparente. Vous voyez le tableau ?

J'ai remercié Minerva et je suis retourné porte 3B. Je suis resté devant à la contempler, la porte de Sauvez les anges. L'esprit, une fois encore… Les pièces du puzzle voltigeaient pêle-mêle dans mon cerveau comme des chaussettes dans le tambour d'un sèche-linge. J'ai repensé au site web visité la nuit dernière, au nom même de l'association. J'ai examiné la photo dans ma main. Les cheveux blonds. Le beau visage. Les yeux bleus aux prunelles cerclées d'or. Pourtant, je voyais précisément ce que Minerva avait voulu dire.

Pas d'erreur possible.

Quelquefois, on est frappé par une ressemblance physique – comme cet anneau d'or autour de la pupille – et quelquefois, par une espèce d'écho. C'est ce que me renvoyait le visage de cette fille. Un écho.

L'écho de sa mère, j'en étais sûr à présent.

J'ai regardé la porte. J'ai regardé la photo. Et j'ai senti le froid s'insinuer jusque dans mes os.

Berléand n'avait pas menti.

Mon téléphone portable a sonné : Win.

— Je viens d'avoir les résultats des tests ADN.

— Ne m'en dis pas plus. Ça confirme le lien de parenté avec Terese. Jones a dit la vérité.

— Oui.

Je continuais à fixer la photo.

— Myron ?

— Je crois que j'ai compris. Je crois savoir ce qui se passe.

33

J'AI REGAGNÉ MANHATTAN, DIRECTION CRYOHOPE.

Ce n'est pas possible.

Cette pensée m'obsédait, un vrai leitmotiv. Peut-être que j'espérais me tromper, je ne sais pas… mais comme je l'ai déjà dit, la vérité a une odeur bien particulière. Quant au « pas possible », on en revient toujours à l'axiome de Sherlock Holmes : une fois qu'on a éliminé l'impossible, ce qui reste, aussi improbable que cela soit, doit être la vérité.

J'étais tenté d'appeler l'agent spécial Jones. Maintenant que j'avais la photo de la fille. Cette Carrie était soit une terroriste, soit une sympathisante, ou alors – dans le meilleur des cas – elle était retenue contre son gré. Mais il était trop tôt pour le savoir. Je pouvais parler à Terese, lui soumettre mon hypothèse, mais cela aussi me semblait prématuré.

Je voulais être sûr de moi à cent pour cent avant de rallumer – ou d'étouffer – la lueur d'espoir.

CryoHope avait un parking avec voiturier. J'ai laissé les clés au bonhomme et pénétré dans le hall. En apprenant sa maladie, Rick Collins était venu ici. *A priori*, cela faisait sens. CryoHope était leader dans la recherche sur les cellules souches. On pouvait penser qu'il faisait appel à eux pour tenter d'échapper à la malédiction génétique qui le frappait.

Sauf que c'était pour une autre raison.

Je me suis rappelé le nom du médecin dans la brochure.

— Je voudrais voir le Dr Sloan, ai-je dit à la réceptionniste.

— Votre nom ?

— Myron Bolitar. Dites-lui que c'est au sujet de Rick Collins. Et d'une jeune fille prénommée Carrie.

Win m'attendait à la sortie, adossé au mur avec la nonchalance de Dean Martin en concert à Las Vegas.

— Alors ?

Je lui ai tout raconté. Il a écouté sans m'interrompre.

— Et maintenant ?

— Je vais en parler à Terese.

— Comment crois-tu qu'elle va réagir ?

— Aucune idée.

— Attends un peu. Renseigne-toi.

— Sur quoi ?

Il a pris la photo.

— La fille.

— Ça va de soi. Mais il faut que Terese soit au courant.

Mon téléphone a trillé. Numéro inconnu. J'ai mis le haut-parleur :

— Allô ?

— Je ne vous manque pas trop ?

C'était Berléand.

— Vous ne m'avez pas rappelé, lui ai-je répondu.

— Vous étiez censé rester à l'écart. Un coup de fil de ma part risquait de relancer votre intérêt pour cette enquête.

— Alors pourquoi m'appeler maintenant ?

— Parce que ça sent le roussi.

— Je vous écoute.

— Suis-je sur haut-parleur ?

— Oui.

— Win est avec vous ?

Win a dit :

— Je suis là.

— C'est quoi, le problème ? ai-je demandé.

— On a intercepté des messages inquiétants sur un chat en provenance de Paterson, New Jersey. Le nom de Terese a été cité.

— Mais pas le mien ?

— Peut-être. Les messages instantanés, ce n'est pas toujours très clair.

— Vous pensez qu'ils sont au courant pour nous ?

— C'est fort probable, oui.

— Et comment ? Vous avez une idée ?

— Pas du tout. Les agents qui travaillent avec Jones, ceux qui vous ont gardé en détention, sont triés sur le volet. Aucun d'eux n'aurait parlé.

— Il doit y en avoir un, forcément.

— Vous êtes sûr de ça ?

J'ai repensé aux événements de Londres, aux personnes présentes ce jour-là. Qui parmi elles aurait pu informer les jihadistes que j'avais tué leur chef, Mohammad Matar ? J'ai jeté un coup d'œil à Win. Le sourcil arqué, il a brandi la photo de Carrie.

Une fois qu'on a éliminé l'impossible…

— Appelle tes parents, a dit Win. On va les

342

transférer dans le complexe Lock-Horne à Palm Beach. On va renforcer la sécurité autour d'Esperanza : peut-être que Zorra est disponible, ou bien ce type, Carl, de Philadelphie. Ton frère est toujours sur son chantier de fouilles au Pérou ?

J'ai hoché la tête.

— Dans ce cas, il ne risque rien.

Win, je le savais, resterait avec Terese et moi. Il a sorti son téléphone. J'ai pris le mien et coupé le haut-parleur.

— Berléand ?

— Oui.

— Jones a laissé entendre que vous auriez menti sur les résultats des tests ADN à Paris.

Il n'a pas répondu.

— Moi, je sais que vous ne mentiez pas.

— Comment ?

J'en avais déjà trop dit.

— J'ai quelques coups de fil à donner. Je vous rappelle.

J'ai raccroché et appelé mes parents. Pourvu que ce soit mon père qui réponde… naturellement, ç'a été ma mère.

— Maman, c'est moi.

— Bonjour, mon chéri.

Elle avait un ton fatigué.

— Je reviens à l'instant de chez le docteur.

— Tout va bien ?

— Tu pourras le lire sur mon blog ce soir, a déclaré maman.

— Attends un peu, tu rentres de chez le médecin, non ?

Elle a poussé un soupir.

343

— C'est ce que je viens de te dire.

— Eh bien, justement, je m'inquiète de ta santé.

— Ce sera le sujet de mon blog. Si tu veux en savoir plus, tu n'as qu'à le lire.

— Tu ne veux pas me dire ?

— Ne le prends pas mal, mon grand. Comme ça, je n'ai pas besoin de me répéter quand on me pose la question.

— Tu préfères le mettre sur ton blog ?

— Ça renforce la fréquentation de mon site. Tu vois, tu es intéressé maintenant. De cette façon, j'aurai plus de connexions.

Ma mère, mesdames et messieurs.

— Je ne savais même pas que tu tenais un blog.

— Ah, mais je suis très *in*, très à la page, très branchée. Je suis sur MyFace aussi.

J'ai entendu mon père crier :

— C'est MySpace, Ellen.

— Quoi ?

— Ça s'appelle MySpace.

— Je croyais que c'était MyFace.

— C'est Facebook. Et tu y es aussi. Comme sur MySpace.

— Tu en es sûr ?

— Sûr et certain.

— Voyez-moi un peu M. Billy Gates, grand spécialiste de l'Internet.

— Et ta mère va bien, a hurlé mon père.

— Ne lui dis pas ça, a pleurniché maman. Maintenant il n'ira pas sur mon blog.

— Maman, c'est important. Tu peux me passer papa une minute ?

Mon père a pris le combiné. J'ai exposé la situation

en deux mots, avec un minimum de détails. Une fois encore, il a compris tout de suite. Sans tergiverser, sans poser de questions. J'avais juste fini d'expliquer que quelqu'un viendrait les chercher pour les conduire à Palm Beach quand j'ai entendu le signal de double appel. C'était Terese.

J'ai pris congé de mon père et basculé sur l'autre numéro.

— J'arrive dans deux minutes. D'ici là, ne bouge surtout pas.

Silence.

— Terese ?

— Elle a téléphoné.

J'ai entendu le sanglot dans sa voix.

— Qui a téléphoné ?

— Miriam. Je viens de lui parler à l'instant.

34

ELLE M'A ACCUEILLI À LA PORTE.

— Raconte-moi.

Elle s'est avancée, tremblante, et je l'ai prise dans mes bras en fermant les yeux. J'appréhendais cette conversation. Je comprenais mieux maintenant. Pourquoi Rick Collins lui avait dit de se préparer. Pourquoi il l'avait avertie que ses révélations allaient bouleverser sa vie.

— Mon téléphone a sonné. J'ai répondu et, à l'autre bout, une fille a dit : « Maman ? »

J'ai essayé de l'imaginer, cet instant où l'on entend ce mot dans la bouche de son enfant, l'être qu'on a chéri le plus au monde et qu'on croit avoir tué.

— Qu'a-t-elle dit d'autre ?

— Qu'on la retenait en otage.

— Qui ça ?

— Des terroristes. Elle m'a dit de ne pas en parler.

J'ai gardé le silence.

— Un homme avec un fort accent lui a pris le téléphone des mains. Il a dit qu'il rappellerait pour me faire connaître leurs exigences.

Elle était blottie contre moi.

— Myron ?

Nous avons réussi à parvenir jusqu'au canapé. Elle me regardait avec espoir et – je sais ce que vous allez penser – avec amour. Le cœur lourd, je lui ai tendu la photographie.

— C'est elle, la fille blonde que j'ai vue à Paris.

Elle a examiné la photo pendant une bonne minute sans mot dire. Puis :

— Je ne comprends pas.

J'ai hésité. N'avait-elle pas remarqué la ressemblance ? Ne commençait-elle pas à entrevoir la vérité elle aussi ?

— Myron ?

— C'est la fille que j'ai vue, ai-je répété.

Elle a fait non.

Je lui ai posé la question, même si je connaissais déjà la réponse :

— Qu'est-ce qu'il y a ?

— Ce n'est pas Miriam.

Elle a regardé de nouveau, s'est essuyé les yeux.

— Peut-être qu'après une opération de chirurgie plastique… Je ne sais pas, ça fait longtemps. Les gens changent. La dernière fois que j'ai vu Miriam, elle avait sept ans…

Elle a scruté mon visage comme pour se rassurer. Je n'ai pas cillé. Le moment était venu de se jeter à l'eau :

— Miriam est morte.

Le sang a reflué lentement de ses joues. Mon cœur saignait, j'aurais voulu la reprendre dans mes bras, mais je savais que ce n'était pas une solution. Terese luttait pour garder la tête froide : elle sentait que c'était important.

— Mais le coup de fil… ?

— Les services de renseignements ont intercepté des messages instantanés où il est question de toi. À mon avis, ces gens-là cherchent à mettre la main sur toi.

Elle a contemplé la photo.

— Ce serait donc un canular ?

— Non.

— Mais tu viens de me dire…

Terese avait beaucoup de mal à s'y retrouver. J'ai réfléchi à la meilleure façon de lui annoncer la chose et je me suis rendu compte qu'il n'y en avait pas. Il fallait que je lui expose les faits comme je les avais découverts.

— Revenons en arrière, ai-je dit, quand Rick a appris qu'il avait la maladie de Huntington.

Elle m'a regardé.

— Quel a été son premier réflexe après ça ? ai-je demandé.

— Faire examiner son fils.

— Exact.

— Eh bien ?

— Il est allé voir CryoHope. J'étais persuadé que c'était pour trouver un traitement.

— Et ce n'était pas pour ça ?

— Non. Tu connais le Dr Everett Sloan ?

— J'ai lu son nom dans la brochure. Il travaille à CryoHope.

— Oui, et il a repris la clientèle du Dr Aaron Cox.

Elle n'a rien dit.

— Lequel Dr Cox, je viens juste de l'apprendre, était l'obstétricien qui t'a suivie. Quand tu attendais Miriam.

348

Terese a ouvert de grands yeux.

— Rick et toi aviez de gros problèmes pour concevoir. Jusqu'au moment où, comme tu l'as dit, le miracle s'est produit. Même si la fécondation *in vitro* est une pratique courante de nos jours.

Elle semblait sans voix.

— *In vitro*, par définition, l'ovule est fécondé par le spermatozoïde avant d'être transplanté dans l'utérus. Tu m'as dit que tu avais pris du Pergonal pour stimuler l'ovulation. Comme la plupart des femmes dans ta situation. Et puis il y a tous ces embryons en trop. Depuis vingt-cinq ans, on a l'habitude de les congeler. Parfois on les utilise dans la recherche sur les cellules souches. Ou alors quand le couple refait appel à la procréation assistée. Ou quand l'un des conjoints meurt, ou quand on découvre qu'on a un cancer et qu'on veut malgré tout faire un enfant. Tu connais tout ça. Les questions de divorce et de garde entraînent des tas de complications juridiques, et beaucoup d'embryons sont détruits ou restent congelés jusqu'à nouvel ordre.

J'ai dégluti. Maintenant elle devait avoir compris où je voulais en venir.

— Qu'est-il arrivé à vos embryons surnuméraires ?

— C'était notre quatrième tentative, a dit Terese. Les autres avaient échoué. Tu n'imagines pas à quel point c'était éprouvant. Et l'heureuse, la merveilleuse surprise quand ç'a fini par marcher…

Sa voix s'est perdue dans un murmure.

— Il ne nous restait que deux autres embryons. Nous allions les conserver au cas où nous voudrions remettre ça, mais là-dessus j'ai eu mon endométriose et… bref, je ne pouvais plus tomber enceinte. Le

Dr Cox m'a dit que de toute façon les embryons n'avaient pas survécu à la congélation.

— Il t'a menti.

Elle a examiné de nouveau la photo de la fille blonde.

— Tu te souviens de cette œuvre caritative, Sauvez les anges ? Ils sont contre la recherche sur les embryons ou la destruction d'embryons sous quelque forme que ce soit. Depuis une vingtaine d'années, ils bataillent pour les faire adopter. C'est assez logique, somme toute. D'un côté, il y a des centaines de milliers d'embryons en stock, et de l'autre, des couples qui pourraient leur donner la vie. Juridiquement parlant, c'est compliqué. La plupart des États sont contre l'adoption des embryons car, en un sens, la mère porteuse n'est qu'un ersatz. Sauvez les anges veut faire implanter les embryons chez des femmes stériles.

Elle comprenait maintenant.

— Oh, mon Dieu…

— Je ne connais pas tous les détails. Le Dr Cox avait un interne qui devait soutenir à fond Sauvez les anges. Tu ne te souviens pas du Dr Jiménez ?

Terese a secoué la tête.

— L'association a fait pression sur Cox juste au moment où il lançait CryoHope. J'ignore s'il a cédé, s'il a touché des dessous-de-table ou s'il s'est rallié à leur cause de son plein gré. Cox a dû se dire que certains embryons ne seraient jamais utilisés, alors pourquoi pas ? Pourquoi les garder au frigo ou les détruire ? Du coup, il les a donnés pour adoption.

— Donc elle…

Terese ne quittait pas la photo des yeux.

— … c'est ma fille ?

— Au sens biologique du terme, oui.

Elle fixait son visage sans ciller.

— Quand il lui a succédé il y a six ans, le Dr Sloan a découvert le pot aux roses. Il était très ennuyé. Au début, il a pensé garder ça pour lui, mais il avait conscience que c'était à la fois illégal et contraire à la déontologie. Il a donc opté pour la voie du milieu. Il a contacté Rick pour lui demander l'autorisation de faire adopter les embryons. Je ne suis pas Rick, mais j'imagine qu'entre les détruire et leur donner une chance de vivre, il a choisi la vie.

— Ils m'auraient contactée aussi, non ?

— Toi, tu avais déjà donné ton accord à l'époque. Pas Rick. Et puis, personne ne savait où tu étais. Rick a donc signé les papiers. Je ne sais pas si c'était légal. Mais c'était déjà fait, de toute manière. Le Dr Sloan voulait juste remettre de l'ordre, et ouvrir le parapluie au cas où il y aurait un problème. Or problème il y a eu. Quand Rick a appris sa maladie, il a tenu à prévenir les parents adoptifs de ces embryons. Il est allé voir CryoHope. Le Dr Sloan lui a dit la vérité : les embryons avaient été implantés il y a des années par le truchement de Sauvez les anges. Il a promis de s'informer auprès de l'association. Mais à mon avis, Rick n'a pas voulu attendre.

— Il serait entré chez eux par effraction ?

— Cela y ressemble.

Terese a fini par détacher les yeux de la photo.

— Et où est-elle maintenant ?

— Je ne sais pas.

— C'est ma fille.

— Biologique.

Son regard s'est voilé.

— Pas de ça, s'il te plaît. Tu as appris l'existence de Jeremy quand il avait quatorze ans. Ça ne t'empêche pas de le considérer comme ton fils.

J'allais répondre que dans mon cas c'était différent, mais elle n'avait pas entièrement tort non plus. Jeremy était mon fils biologique, mais il ne m'avait pas connu en tant que père. Je l'avais découvert trop tard pour jouer un rôle dans son éducation ; aujourd'hui pourtant, je faisais partie de sa vie. Au fond, était-ce si différent que ça ?

— Comment s'appelle-t-elle ? a demandé Terese. Qui l'a élevée ? Où habite-t-elle ?

— Son prénom serait Carrie, mais je n'en suis pas absolument sûr. Pour le reste, je ne sais rien encore.

Elle a posé la photo sur ses genoux.

— Il faut qu'on en parle à Jones, ai-je dit.

— Non.

— Si ta fille a été kidnappée…

— Tu n'y crois pas, n'est-ce pas ?

— Je ne sais pas.

— Allez, sois honnête avec moi. Tu penses qu'elle est liée à ces monstres ?

— Je ne sais pas. Mais si elle est innocente…

— Elle l'est, d'une manière ou d'une autre. Elle ne peut pas avoir plus de dix-sept ans. Même si elle s'est laissé embringuer là-dedans parce qu'elle était jeune et influençable, Jones et ses petits camarades des services secrets ne lui feront pas de cadeau. Sa vie sera fichue. Tu as bien vu ce qu'ils t'ont fait, à toi.

Je me taisais.

— J'ignore pourquoi elle est avec eux, a poursuivi Terese. Peut-être que c'est le syndrome de

Stockholm. Peut-être qu'elle a eu des parents minables ou qu'elle est en pleine crise d'adolescence. Peu importe. Ce n'est qu'une enfant. Et c'est ma fille, Myron. Tu comprends ça ? Ce n'est pas Miriam, mais la vie m'offre une seconde chance, là. Je ne peux pas lui tourner le dos. S'il te plaît.

Je continuais à me taire.

— Je pourrais l'aider. C'est comme… comme si c'était écrit. Rick est mort en voulant la sauver. Maintenant c'est mon tour. On m'a dit au téléphone de n'en parler à personne, à part toi. S'il te plaît, Myron. Je t'en supplie. S'il te plaît, aide-moi à la sortir de là.

35

TERESE TOUJOURS À MES CÔTÉS, J'AI RAPPELÉ
BERLÉAND.

— Jones insinue que vous avez menti ou trafiqué
les résultats des tests ADN.

— Je sais.

— Ah bon ?

— Il voulait vous tenir en dehors de cette histoire.
Moi aussi. C'est pour ça que je ne vous ai pas
recontacté.

— Pourtant, vous m'avez téléphoné avant.

— Pour vous mettre en garde. C'est tout. Vous
devriez laisser tomber.

— Je ne peux pas.

Il a poussé un soupir. J'ai repensé à notre rencontre
à l'aéroport, à ses cheveux fatigués, à ses grosses
lunettes, à notre incursion sur le toit du 36, quai des
Orfèvres… cet homme-là, je l'aimais beaucoup.

— Myron ?

— Oui.

— Vous saviez, dites-vous, que je n'avais pas
menti à propos des tests ADN.

— Eh oui.

— C'est ma tête qui vous inspire confiance ou mon charisme quasi surhumain ?

— Ni l'un ni l'autre.

— Alors vous voulez bien m'éclairer ?

J'ai regardé Terese.

— Promettez-moi une chose d'abord.

— Mm-mm.

— J'ai des renseignements qui peuvent vous être utiles. Vous en avez sûrement qui pourraient l'être pour moi.

— Vous proposez quoi, un échange de bons procédés ?

— Pour commencer.

— Pour commencer, a-t-il répété. Avant que je ne vous donne mon accord, si nous en venions au fait, hein ?

— On fait équipe. On règle ça tous les deux. En dehors de Jones et des forces spéciales.

— Et mes contacts du Mossad ?

— Rien que vous et moi.

— Je vois. Enfin, non, je ne vois pas.

Terese s'est rapprochée pour entendre ce qu'il disait.

— Si la cellule de Matar fonctionne toujours, je veux qu'on s'en occupe, nous. Pas eux.

— Parce que… ?

— Parce que je tiens à épargner la fille blonde.

Il y a eu une pause. Puis Berléand a repris :

— Jones vous a dit qu'il avait fait analyser les fragments d'os de la sépulture de Miriam Collins.

— En effet.

— Et qu'il s'agit bien de Miriam Collins.

— Je sais.

— Pardonnez-moi, mais je patauge, là. Pourquoi chercher à protéger une terroriste présumée ?

— Je ne peux pas le dire tant que vous n'aurez pas accepté de collaborer avec moi.

— À l'insu de Jones ?

— Oui.

— Tout ça pour la blonde qui a probablement trempé dans les assassinats de Karen Tower et Mario Contuzzi ?

— Vous l'avez dit, probablement.

— Il y a des tribunaux pour ça.

— C'est hors de question. Quand vous saurez ce que je sais, vous comprendrez pourquoi.

Berléand s'est tu à nouveau.

— Marché conclu ? ai-je demandé.

— Jusqu'à un certain point.

— Ce qui veut dire ?

— Que vous regardez les choses par le petit bout de la lorgnette. Vous vous préoccupez d'une personne, et d'une seule. Ça peut se comprendre. Je suppose que vous n'allez pas tarder à m'expliquer pourquoi. Mais dans ce cas précis, il s'agit de milliers de vies. De milliers de pères, de mères, de fils et de filles. Les échanges qu'on a interceptés parlent d'un enjeu planétaire… pas d'un attentat, mais d'une série, et sur plusieurs mois. Comparé aux milliers de morts en perspective, le sort d'une jeune fille en particulier m'indiffère totalement.

— Alors que me promettez-vous, au juste ?

— Vous ne m'avez pas laissé finir. Mon désintérêt est à double sens. Je me fiche qu'elle se fasse prendre… ou qu'elle échappe à la justice. Vous avez donc ma parole. On va régler ça tous les deux ; c'est plus ou moins ce que je suis en train de faire, de toute façon. Mais si nous sommes dépassés en nombre ou en armement, je me réserve le droit de faire appel à Jones. Je tiendrai ma promesse et vous aiderai à protéger la fille. La priorité, cependant, est d'empêcher les jihadistes de mettre leur plan à exécution. Entre sauver une seule vie et plusieurs milliers, il n'y a pas photo.

Ça dépend pour qui.

— Vous avez des enfants, Berléand ?

— Non. Et ne me faites pas le coup du sentiment paternel, c'est insultant.

Puis :

— Attendez, vous êtes en train de me dire que la blonde est la fille de Terese Collins ?

— En un sens, oui.

— Expliquez-vous.

— On est bien d'accord ? ai-je demandé.

— Oui, avec les réserves que je viens de vous exposer. Dites-moi ce que vous savez.

Je lui ai résumé mes visites à Sauvez les anges, à Albin Laramie, la découverte des embryons offerts à l'adoption, le coup de fil à « maman » reçu par Terese. Berléand m'a interrompu à plusieurs reprises pour me poser des questions auxquelles j'ai répondu de mon mieux. Lorsque j'ai eu terminé, il a tranché :

— Avant tout, nous devons identifier la fille. On va faire des copies de la photo. J'en enverrai une par mail à Lefebvre. Si elle est américaine, peut-être qu'elle se trouvait à Paris dans le cadre d'un programme d'échanges. Il peut toujours se renseigner.

— OK.

357

— Vous dites que l'appel est arrivé sur le portable de Terese ?

— Oui.

— Le numéro était masqué, j'imagine ?

Je n'avais même pas pensé à demander. J'ai regardé Terese. Elle a hoché la tête. J'ai dit :

— Oui.

— À quelle heure exactement ?

Terese a consulté son journal d'appels.

— Je vous rappelle dans cinq minutes.

Berléand a raccroché.

Win est entré dans la pièce.

— Tout va bien ?

— Ça baigne.

— On s'est occupé de tes parents. Pareil pour Esperanza et le bureau.

Le téléphone a sonné, c'était Berléand.

— J'ai peut-être quelque chose.

— Je vous écoute.

— L'appel reçu par Terese provenait d'un téléphone jetable acheté et payé en espèces à Danbury, dans le Connecticut.

— C'est grand, Danbury.

— Je vais tâcher d'être plus précis, alors. Je vous ai dit que nous avions intercepté des messages provenant d'une éventuelle cellule à Paterson, New Jersey.

— Oui.

— La plupart des communications se font avec l'étranger, mais il y en a qui circulent sur le sol américain. Les éléments criminels, vous savez, communiquent souvent par e-mail.

— J'imagine.

— Parce que c'est anonyme. On crée un compte

358

chez un fournisseur d'accès indépendant, et le tour est joué. Ce que les gens ignorent, c'est qu'aujourd'hui on est capable de déterminer où le compte a été créé. Ça n'avance pas à grand-chose ; la plupart du temps il s'agit d'un lieu public, une bibliothèque ou un cybercafé, par exemple.

— Et dans le cas qui nous concerne ?

— On relève là-dedans une adresse e-mail créée il y a huit mois à la bibliothèque Mark Twain de Redding, à une quinzaine de kilomètres de Danbury.

— Ça pourrait être une piste.

— Qui plus est, cette bibliothèque est fréquentée par les élèves d'une école privée du coin, la Carver Academy. Avec un peu de chance, votre « Carrie » pourrait en faire partie.

— Vous pouvez vous renseigner ?

— J'ai déjà envoyé une demande. En attendant, Redding est à une heure et demie de voiture. On pourrait y faire un saut pour montrer la photo aux autochtones.

— Vous voulez que je conduise ?

— Excellente idée, a opiné Berléand.

36

J'AI CONVAINCU TERESE DE RESTER – ce qui n'a pas été facile. J'ai promis de téléphoner dès qu'on aurait du nouveau. Elle a accepté à contrecœur. Inutile d'y aller en masse ; mieux valait répartir les forces. Win tiendrait compagnie à Terese, essentiellement pour la protéger, mais tous deux pourraient s'essayer à explorer d'autres pistes. La solution, c'était probablement Sauvez les anges qui la détenait. Si on pouvait accéder à leur fichier, on trouverait le nom complet et l'adresse de Carrie, les coordonnées de ses parents adoptifs ou de substitution, comme vous préférez, et peut-être que cela nous mènerait jusqu'à elle.

Chemin faisant, Berléand m'a demandé :

— Vous avez déjà été marié ?

— Nan. Et vous ?

Il a souri.

— Quatre fois.

— Waouh.

— Ça s'est toujours soldé par un divorce. Mais je ne regrette rien.

— Vos ex sont du même avis ?

— Ça m'étonnerait. Mais nous sommes amis maintenant. Je suis plus doué pour séduire les femmes que pour les garder.

— Je ne vous voyais pas comme ça, ai-je plaisanté.

— Parce que je ne suis pas beau ?

J'ai haussé les épaules.

— On accorde trop d'importance au physique, a-t-il rétorqué. Vous voulez savoir ce que j'ai ?

— Laissez-moi deviner. Un grand sens de l'humour, hein ? À en croire la presse féminine, c'est la première qualité qu'elles recherchent chez un homme.

— Mais oui, bien sûr, et tant que vous y êtes, la marmotte, elle emballe le chocolat.

— Ce n'est donc pas ça.

— Je suis quelqu'un de très drôle, a-t-il précisé. Mais ce n'est pas ça.

— Quoi alors ?

— Je vous l'ai déjà dit.

— Redites-le-moi.

— Mon charisme. J'ai un charisme d'une puissance quasi surhumaine.

J'ai souri.

— Difficile d'argumenter contre ça.

Redding était plus rural que je ne l'aurais cru, une petite ville de la Nouvelle-Angleterre somnolente et sans prétention : architecture puritaine, villas post-modernes, brocantes au bord de la route, exploitations agricoles vieillottes. Au-dessus de la porte verte de la modeste bibliothèque, une plaque disait :

BIBLIOTHÈQUE MARK TWAIN

Et, en plus petits caractères :

J'ai trouvé ça curieux, mais bon, on n'était pas venus pour ça. Nous nous sommes approchés du bureau de la bibliothécaire.

Puisque Berléand avait sa plaque officielle, même si nous étions loin, très loin de sa juridiction, je l'ai laissé prendre la direction des opérations.

— Bonjour, a-t-il dit à la bibliothécaire.

Sur son badge, on lisait « Paige Wesson ». Elle l'a regardé d'un air las, comme s'il était venu rendre un livre en retard, avec une excuse bidon qu'elle avait déjà entendue des milliers de fois.

— Nous recherchons une jeune fille disparue. Vous ne l'avez pas vue ?

D'une main il a brandi sa plaque, de l'autre la photo. La femme a examiné la plaque d'abord.

— Vous venez de Paris.

— Oui.

— Est-ce qu'on est à Paris ici ?

— Pas vraiment, a concédé Berléand. Mais cette affaire a des ramifications internationales. La dernière fois, elle a été vue dans mon secteur, et il pourrait bien s'agir d'un enlèvement. Nous pensons qu'elle a pu utiliser un de vos ordinateurs.

Elle a pris la photo.

— Sa tête ne me dit rien.

— Vous en êtes sûre ?

— Non, je n'en suis pas sûre. Regardez autour de vous.

Nous avons obéi. Il y avait des ados presque à chaque table.

— Des jeunes, on en voit plein tous les jours. Je ne

dis pas qu'elle n'a jamais mis les pieds ici. Je dis juste que je ne la connais pas.

— Pourriez-vous consulter votre fichier pour voir s'il n'y a pas une fiche au nom de Carrie ?

— Vous avez une commission rogatoire ? a demandé Paige.

— Peut-on jeter un œil sur la liste des personnes qui ont utilisé Internet il y a huit mois ?

— Je réitère ma question.

Berléand lui a souri.

— Passez une bonne journée.

— Vous de même.

Nous avions à peine tourné les talons quand mon portable s'est mis à vibrer. C'était Esperanza.

— J'ai réussi à joindre quelqu'un à la Carver Academy. Ils n'ont pas d'élève prénommée Carrie.

— Et zut.

Je l'ai remerciée et, après avoir raccroché, j'ai répété l'info à Berléand.

— Que suggérez-vous ?

— On se sépare, ai-je répondu, et on montre la photo aux jeunes qui sont là.

En balayant la salle du regard, j'ai repéré une table avec trois ados dans un coin. Deux d'entre eux portaient des blousons de sport comme j'en avais eu quand j'étais au lycée, avec le nom griffonné devant et les manches amovibles. Le troisième était un pur produit de l'école privée : mâchoire serrée, ossature fine, col roulé, pantalon kaki griffé. J'ai décidé de commencer par eux.

— Connaissez-vous cette fille ?

C'est le garçon B.C.B.G. qui a répondu :

— Je crois qu'elle s'appelle Carrie.

Bingo !

— Et son nom de famille ?

Les trois ont secoué la tête de concert.

— Elle est dans la même école que vous ?

— Non, a dit B.C.B.G. Elle doit être au lycée, je présume. On l'a déjà croisée, c'est tout.

— Elle est bonne, a dit Premier Blouson.

B.C.B.G., la mâchoire serrée, a approuvé.

— Elle a un cul à tomber.

J'ai froncé les sourcils. Un Win en herbe, celui-là.

Berléand a regardé dans ma direction. Je lui ai fait signe de nous rejoindre.

— Savez-vous où elle habite ?

— Non. C'est Kenbo qui se l'a faite.

— Qui ?

— Ken Borman. Il se l'a faite.

— Se l'a faite ? a répété Berléand.

J'ai levé les yeux vers lui.

— Ah oui, a-t-il dit. Se l'a faite.

— Et où pouvons-nous trouver Kenbo ? ai-je demandé.

— Il doit être dans la salle de muscu sur le campus.

Ils nous ont indiqué le chemin, et nous sommes partis à sa recherche.

37

JE L'IMAGINAIS PLUS BALÈZE, LE KENBO.

Avec un surnom pareil, sachant qu'il s'est envoyé la blonde sexy et qu'il fait de la gonflette, on s'attend à voir quelqu'un du genre Musclor. Or Kenbo avait des cheveux si foncés et si lisses qu'on aurait dit qu'il les teignait et les repassait. Ils lui tombaient sur un œil à la manière d'un épais rideau noir. Il avait le teint pâle, des bras grêles et des ongles peints en noir brillant. De mon temps, on appelait ça un « goth ».

Quand je lui ai tendu la photo, j'ai vu son œil – l'autre étant caché par les cheveux – s'agrandir. Il nous a regardés, et j'ai lu la peur sur son visage.

— Tu la connais, ai-je dit.

Se redressant, Kenbo a reculé de quelques pas et, soudain, il a détalé. Je me suis tourné vers Berléand. Qui a lâché :

— Vous ne croyez tout de même pas que je vais lui courir après ?

Alors je lui ai couru après. Kenbo était déjà dehors, en train de traverser le vaste campus de la Carver Academy. Ma blessure se faisait sentir, mais pas au point de me gêner dans ma course. Il y avait peu de monde alentour, et aucun professeur en vue, mais quelqu'un risquait d'alerter les flics. Ça commençait mal.

— Attends ! ai-je crié.

Rien à faire. Il a bifurqué sur la gauche et disparu derrière un bâtiment en brique. Comme il portait un pantalon à la mode, un pantalon taille basse, ç'a joué en ma faveur. Il était obligé de le remonter sans cesse. La distance entre nous diminuait. Mon genou abîmé s'est rappelé à mon bon souvenir. J'ai sauté par-dessus un grillage métallique. Il courait maintenant sur le gazon artificiel d'un terrain de sport. Je n'ai plus crié. C'était une perte d'énergie, et de temps. Il se dirigeait vers la lisière du campus, loin des regards curieux, et j'ai jugé que c'était bon pour moi.

Lorsqu'il a atteint une clairière à l'orée du bois, j'ai plongé et refermé les bras autour de sa jambe à faire pâlir d'envie n'importe quel défenseur de la National Football League. Il est tombé plus lourdement que je ne l'aurais voulu et s'est mis à ruer pour se dégager.

— Je ne te veux aucun mal.

— Laissez-moi tranquille !

Je l'ai enfourché en plaquant ses bras au sol comme l'aurait fait un grand frère.

— Calme-toi.

— Lâchez-moi !

— Je voudrais juste retrouver cette jeune fille.

— Je ne sais rien.

— Ken…

— Lâchez-moi !

— Tu promets de ne pas te sauver ?

— Lâchez-moi. S'il vous plaît !

J'étais en train d'immobiliser un gamin terrifié et sans défense. Quelle serait l'étape suivante ? Noyer un chaton ? J'ai roulé à terre.

— Je cherche à aider cette fille.

Il s'est assis. Ses joues étaient maculées de larmes. Il les a essuyées et s'est caché le visage dans le bras.

— Ken ?

— Quoi ?

— Cette jeune fille a disparu. Elle est probablement en danger.

Il m'a regardé.

— Il faut que je la retrouve.

— Vous ne la connaissez pas ? a-t-il demandé.

J'ai secoué la tête. Berléand avait fini par apparaître à l'horizon.

— Vous êtes flics ?

— Lui, oui. Moi, je fais ça pour des raisons personnelles.

— Lesquelles ?

— J'essaie d'aider…

Je ne voyais pas comment le formuler autrement.

— … d'aider sa mère biologique à la localiser. Carrie a disparu et elle risque de gros ennuis.

— Je ne comprends pas. Pourquoi vous venez me voir, moi ?

— Tes copains nous ont dit que tu étais sorti avec elle.

Il a baissé les yeux. J'ai ajouté :

— Plus que ça, même.

Il a haussé les épaules.

— Et alors ?

— Quel est son nom de famille ?

— Vous ne le savez pas non plus ?

— Elle a des ennuis, Ken.

Berléand nous a rejoints, hors d'haleine. Il a fouillé dans sa poche – j'ai cru qu'il cherchait un stylo mais il a sorti une cigarette. Bonne idée.

— Carrie Steward, a dit Ken.

J'ai regardé Berléand. Il a répondu dans une sorte de râle :

— Je me renseigne.

Il s'est éloigné, le téléphone en l'air, à la recherche du réseau.

— Je ne comprends pas pourquoi tu t'es enfui, ai-je dit.

— J'ai menti. Aux copains, OK ? Je n'ai jamais couché avec elle. Je leur ai raconté des craques.

Je l'ai laissé parler.

— On s'est rencontrés à la bibliothèque. Elle était trop belle, quoi. Elle était avec deux autres blondes, et elles avaient toutes le regard fixe comme dans *Children of the Corn*. C'était glauque. Bref, je l'ai matée comme ça pendant trois jours, et à un moment, quand elle était seule, j'en ai profité pour aller lui dire bonjour. Au début, elle m'a ignoré grave. Je me suis déjà pris des vestes, mais cette nana-là me flanquait la chair de poule. Oh et puis zut, je me suis dit, qu'est-ce que j'ai à perdre ? J'ai continué à la baratiner, et comme j'avais mon iPod, je lui ai demandé quel genre de musique elle aimait. Elle m'a répondu qu'elle n'aimait pas la musique. J'y croyais pas, alors je lui ai fait écouter un morceau de Blue October. Je l'ai vue changer de tête. La magie de la musique, hein ?

Il s'est interrompu. J'ai jeté un coup d'œil par-dessus mon épaule. Berléand était au téléphone. J'ai

envoyé par SMS le nom « Carrie Steward » à Esperanza et à Terese. Pour qu'elles cherchent de leur
côté. J'attendais que quelqu'un de l'école vienne
nous demander ce qu'on faisait là, mais non, on nous
laissait tranquilles. Assis dans l'herbe, nous faisions
face au campus. Le soleil commençait à baisser, laissant une traînée flamboyante dans le ciel.

— Et ensuite ?

— On a discuté. Elle m'a dit qu'elle s'appelait
Carrie. Elle voulait entendre d'autres chansons. Mais
elle regardait tout le temps autour d'elle, comme si
elle craignait que ses copines ne la voient avec moi.
Je me sentais comme un gros loser, mais bon, c'était
peut-être juste l'histoire de l'école privée contre
l'école publique, je ne sais pas. C'est ce que j'ai
pensé. Au début. On s'est revus plusieurs fois après
ça. Elle venait à la bibliothèque avec ses copines, on
s'éclipsait dans un coin et on bavardait ou on écou-
tait de la musique. Un jour, je lui ai parlé d'un groupe
qui jouait à Norwalk. J'ai demandé si elle voulait y
aller. Elle est devenue toute blanche. De peur. J'ai dit,
pas grave, mais Carrie a décidé de tenter le coup. J'ai
proposé de passer la chercher chez elle. Elle a flippé,
mais alors grave.

L'air commençait à fraîchir. Berléand avait
terminé sa conversation téléphonique. Il s'est tourné
vers nous et, voyant nos têtes, a préféré rester à
l'écart.

— Et puis, que s'est-il passé ?

— Elle m'a dit de me garer au bout de Duck Run
Road. On s'est donné rancard à neuf heures. Je suis
arrivé un peu en avance. Il faisait noir. J'ai attendu
dans la voiture. Il n'y avait aucune lumière sur la

route, rien. Neuf heures et quart. Soudain j'entends un bruit, ma portière s'ouvre et on me traîne dehors.

Ken s'est tu. Des larmes lui coulaient sur le visage. Il les a essuyées.

— Je me suis pris un coup de poing en pleine mâchoire. Deux dents de cassées.

Il m'a montré.

— Je ne sais pas combien ils étaient. Quatre ou cinq, à me donner des coups de pied. J'ai juste essayé de me protéger la tête ; je me disais : « Je vais mourir. » Ils m'ont étendu sur le dos. Ils me bloquaient les bras. Je ne voyais pas leurs visages… et franchement, je n'y tenais pas. L'un d'eux m'a brandi un couteau sous le nez. En disant : « Elle ne veut plus que tu lui adresses la parole. Et si tu mouftes, nous tuerons ta famille. »

Pendant quelques instants, nous sommes restés assis en silence, Ken et moi. J'ai regardé Berléand. Il a secoué la tête. Rien sur Carrie Steward.

— Et voilà, a dit Ken. Je ne l'ai plus jamais revue. Ni elle ni ses copines. Volatilisées.

— Tu n'en as parlé à personne ?

Il a fait signe que non.

— Et comment as-tu expliqué tes blessures ?

— J'ai raconté que je m'étais fait tabasser à la sortie du concert. Vous ne direz rien, hein ?

— Je ne dirai rien. Mais il faut qu'on la retrouve, Ken. Tu n'as aucune idée de l'endroit où Carrie pourrait être ?

Il se taisait.

— Ken ?

— Je lui ai demandé où elle habitait. Elle n'a pas voulu me le dire. Mais un jour…

Il a marqué une pause, pris une grande inspiration.

— ... je l'ai suivie quand elle est sortie de la bibliothèque.

Il a détourné le regard et cillé.

— Tu connais donc son adresse ?

Il a haussé les épaules.

— Peut-être. Je n'en sais rien. Je ne le crois pas.

— Peux-tu me montrer jusqu'où tu l'as suivie ?

— Je peux vous indiquer le chemin. Mais je n'irai pas avec vous, OK ? Tout ce que je veux, c'est rentrer chez moi.

38

IL Y AVAIT UN PANNEAU « VOIE PRIVÉE » accroché à la chaîne qui nous barrait le passage.

Nous avons avancé un peu pour nous garer après le tournant. Tout autour, il n'y avait que bois et champs labourés à perte de vue. Jusqu'à présent, nos différentes sources n'avaient rien trouvé sur Carrie Steward. Il s'agissait peut-être d'un nom d'emprunt, mais tout le monde continuait à chercher. Esperanza m'a appelé.

— J'ai quelque chose qui pourrait vous intéresser.

— Allez-y.

— Vous avez parlé d'un certain Dr Jiménez, l'interne qui avait travaillé avec le Dr Cox quand celui-ci avait lancé CryoHope.

— Oui ?

— Jiménez entretenait des liens avec Sauvez les anges. Il a participé à une retraite qu'ils avaient organisée il y a seize ans. Je vais continuer mes recherches pour voir s'il a quelque chose à nous apprendre sur cette adoption d'embryons.

— OK, parfait.

— Carrie ne pourrait pas être un diminutif ?

— Je ne sais pas. De Caroline, peut-être ?

— Je vérifie et vous rappelle dès que j'ai du nouveau.

— Une dernière chose.

Je lui ai donné les coordonnées du carrefour le plus proche.

— Pouvez-vous me trouver cette adresse sur Google et voir ce que ça dit ?

— Rien du point de vue des occupants. Ça ressemble à un domaine agricole. Impossible de savoir à qui ça appartient. Vous voulez que je cherche ?

— S'il vous plaît.

— Je vous rappelle.

J'ai raccroché. Berléand a dit :

— Regardez ça.

Il désignait un arbre à l'entrée du chemin. Avec une caméra de surveillance orientée vers la route.

— Un dispositif de sécurité. Curieux pour une ferme.

— Ken nous a parlé d'une voie privée. Il a dit que Carrie était passée par là, ai-je répondu.

— Si on y va, on se fera repérer, c'est sûr.

— À supposer que la caméra fonctionne. Si ça se trouve, c'est un leurre.

— Non, a dit Berléand. Un leurre serait plus visible que ça.

Il n'avait pas tort.

— On n'a qu'à suivre le chemin.

— Violation de propriété privée, a-t-il déclaré.

— Tant pis. Il faut bien qu'on fasse quelque chose. Il doit y avoir une ferme au bout.

Tout à coup, une idée m'a traversé l'esprit.

— Attendez une seconde.

J'ai rappelé Esperanza.

— Vous êtes devant l'ordinateur, n'est-ce pas ?

— Oui, a-t-elle répondu.

— Regardez l'adresse que je viens de vous donner sur Google Maps.

Un rapide cliquetis de touches.

— Ça y est.

— Maintenant cliquez sur photo satellite et zoomez dessus.

— Un instant… OK, j'y suis.

— Qu'y a-t-il au bout du petit chemin du côté droit de la route ?

— Beaucoup de verdure et ce qui ressemble à une grande maison, vu d'en haut. À deux cents mètres environ de là où vous êtes, pas plus. C'est carrément isolé.

— Merci.

J'ai raccroché.

— Il y a une grande maison.

Berléand a ôté ses lunettes, les a nettoyées, les a examinées à la lumière, les a frottées de nouveau.

— Comment explique-t-on ce qui se passe ici ? a-t-il dit.

— Vous voulez la vérité ?

— De préférence, oui.

— Je n'en ai pas la moindre idée.

— Croyez-vous que Carrie Steward se trouve dans cette grande maison ? a-t-il demandé.

— Il n'y a qu'un seul moyen de le savoir.

À cause de la chaîne qui bloquait le passage, nous avons décidé d'y aller à pied. J'ai appelé Win pour lui exposer la situation, au cas où ça tournerait mal. Il a promis de nous rejoindre après s'être assuré que Terese allait bien. Après réflexion, Berléand et moi avons conclu que le plus simple serait d'aller sonner à la porte.

Le soleil agonisait, même s'il faisait encore jour. Enjambant la chaîne, nous sommes passés devant la caméra de surveillance pour nous engager dans le chemin. Celui-ci était bordé d'arbres de part et d'autre, et sur au moins un arbre sur deux on avait placardé un panneau « DÉFENSE D'ENTRER ». Le chemin n'était pas goudronné, mais semblait en bon état. Il y avait du gravier par endroits, mais surtout de la terre. Berléand a grimacé et s'est avancé sur la pointe des pieds. Il s'essuyait sans cesse les mains sur son pantalon et s'humectait les lèvres.

— Je n'aime pas ça, a-t-il dit.

— Vous n'aimez pas quoi ?

— La terre, les bois, les bestioles. C'est tellement sale.

— Par contre, la boîte de strip-tease dans le Bronx, ça, c'était clean.

— Eh, c'était un club select, vous n'avez pas vu l'enseigne ?

Devant nous, on apercevait une rangée d'arbustes et, au-delà, un toit mansardé gris-bleu.

Il y a eu comme un déclic dans ma tête. J'ai accéléré le pas.

— Myron ?

Derrière nous, j'ai entendu la chaîne qui dégringolait et le bruit d'une voiture. Je me suis hâté pour voir ça de plus près. Un véhicule de police arrivait à notre hauteur. Berléand s'est arrêté. Pas moi.

— Monsieur ? Vous êtes dans une propriété privée.

J'ai franchi le tournant. Une clôture entourait la propriété. Une protection de plus. Mais d'ici, on voyait clairement la maison.

— Arrêtez-vous là. Vous êtes allé assez loin comme ça.

Je me suis arrêté. J'ai regardé la maison. Sa vue confirmait ce que je soupçonnais déjà depuis que j'avais entraperçu le toit d'ardoises. On aurait dit un parfait bed-and-breakfast : une résidence victorienne pittoresque, un peu trop même, avec des tours, des tourelles, des vitraux, une véranda et – eh oui – un toit mansardé en ardoises bleutées.

J'avais vu cette maison sur le site de Sauvez les anges.

C'était l'un de leurs foyers d'accueil pour mères célibataires.

Deux agents de police sont descendus de la voiture.

Ils étaient jeunes et bodybuildés, ils avaient la démarche chaloupée et portaient des feutres façon police montée canadienne. Des feutres qui avaient l'air tartes et semblaient contre-productifs pour faire régner l'ordre et la loi. Cette dernière réflexion, je l'ai gardée pour moi.

— On peut vous aider, messieurs ? a demandé l'un des deux.

C'était le plus grand ; les manches de sa chemisette lui cisaillaient les biceps à la manière d'un garrot. Sur son insigne on lisait « Taylor ».

Berléand a sorti la photographie.

— Nous sommes à la recherche de cette jeune fille.

Le flic a pris la photo, l'a examinée brièvement, puis l'a passée à son coéquipier du nom d'« Erickson ».

— Et vous êtes ?

— Capitaine Berléand de la brigade criminelle de Paris.

Berléand lui a montré sa plaque d'identification. Taylor l'a prise avec deux doigts, comme si c'était un sac plein de crottes de chien fumantes. Il l'a étudiée pendant un moment avant de me désigner du menton.

— Et votre ami ?

Je lui ai adressé un petit signe de la main.

— Myron Bolitar, ravi de vous connaître.

— Quel est votre rôle là-dedans, monsieur Bolitar ?

J'allais dire que c'était une longue histoire, mais tout compte fait ce n'était pas si compliqué que ça.

— Elle est peut-être la fille de mon amie.

— Peut-être ?

Taylor s'est tourné vers Berléand.

— OK, inspecteur Clouseau, vous voulez m'expliquer de quoi il s'agit ?

— Inspecteur Clouseau, a répété Berléand. Très drôle. Parce que je suis français, c'est ça ?

Taylor s'est borné à le dévisager.

— Je travaille sur une affaire liée au terrorisme international.

— Ah oui ?

— Le nom de cette jeune fille a surgi au cours de l'enquête. Nous pensons qu'elle habite ici.

— Vous avez un mandat ?

— Le temps est un facteur clé.

— J'imagine que ça veut dire non.

Taylor a soupiré et jeté un œil à son coéquipier qui, imperturbable, continuait à mâcher du chewing-gum. Puis il m'a regardé.

— C'est vrai, monsieur Bolitar ?

— Absolument.

— La « peut-être » fille de votre amie serait mêlée à une affaire de terrorisme international ?

— Oui.

Il a gratté sa joue poupine. J'ai essayé de deviner leur âge. Dans les vingt et quelques, même s'ils auraient facilement pu passer pour des lycéens. Depuis quand la police recrutait-elle à la sortie des écoles ?

— Vous savez ce que c'est, ici ? a demandé Taylor.

Au moment même où Berléand secouait la tête, j'ai répondu :

— Un foyer pour mères célibataires.

Taylor a pointé le doigt sur moi.

— C'est censé être confidentiel.

— Je sais.

— Mais vous avez parfaitement raison. Vous comprendrez donc qu'ils tiennent à préserver leur tranquillité.

— Tout à fait, ai-je dit.

— Si on n'était pas à l'abri des regards indiscrets dans un lieu comme celui-ci, où le serait-on, hein ?

— Très juste.

— Et vous êtes sûr que la « peut-être » fille de votre amie ne se trouve pas ici tout simplement parce qu'elle est enceinte ?

378

Au fond, ce n'était pas bête comme question.

— Ça n'a aucun rapport. Le capitaine Berléand vous le dira. Il s'agit d'un complot terroriste. Enceinte ou pas, ça ne fait aucune différence.

— On n'a jamais eu de problème avec ces gens-là.

— Je ne le nie pas.

— Et nous sommes encore aux États-Unis d'Amérique. S'ils ne veulent pas de vous dans leur propriété, vous n'avez rien à y faire sans un mandat.

— Ça non plus, je ne le nie pas.

J'ai contemplé le manoir.

— Ce sont eux qui vous ont appelés ?

Taylor a plissé les yeux... j'ai cru qu'il allait m'envoyer balader. Au lieu de quoi, lui aussi a regardé en direction de la maison.

— Bizarrement, non. Ils le font d'habitude, quand des gamins viennent traîner par ici. En ce qui vous concerne, on l'a su par Paige Wesson de la bibliothèque, et aussi quelqu'un qui vous a vu courser un môme à la Carver Academy.

Taylor fixait la maison comme si elle venait juste de se matérialiser.

— S'il vous plaît, écoutez-moi, a dit Berléand. C'est une affaire très importante.

— Nous sommes en Amérique, a répété Taylor. S'ils ne veulent pas vous parler, vous devez respecter ça. Cela dit...

Il s'est retourné vers Erickson.

— Tu vois une objection à ce qu'on aille frapper chez eux et qu'on leur montre la photo ?

Après un instant de réflexion, Erickson a secoué la tête.

— Vous deux, restez ici.

Ils se sont dirigés nonchalamment vers le portail. Entendant un bruit de moteur derrière nous, j'ai tourné la tête. Rien. Probablement une voiture qui passait sur la route principale. Le soleil avait disparu, le ciel s'assombrissait. J'ai regardé la maison. Aucun signe de vie là-dedans, aucun mouvement depuis notre arrivée.

À nouveau un bruit de voiture, cette fois quelque part du côté de la maison. Et toujours rien en vue. Berléand s'est rapproché de moi.

— Vous le sentez comment ? a-t-il demandé.

— Pas bien.

— Je pense que nous devrions prévenir Jones.

Au moment où Taylor et Erickson atteignaient les marches du perron, mon portable s'est mis à vibrer. C'était Esperanza.

— J'ai quelque chose qu'il faut que vous voyiez.

— Ah ?

— Vous vous rappelez, je vous ai parlé d'une retraite à laquelle avait participé le Dr Jiménez avec Sauvez les anges ?

— Oui.

— J'ai trouvé d'autres gens qui y étaient aussi. J'ai visité leurs pages sur Facebook. L'un d'eux a toute une galerie de photos là-dessus. Je vous en envoie une, c'est une photo de groupe, le Dr Jiménez est tout au fond à droite.

— OK, je raccroche.

J'ai coupé la communication, et le navigateur web a pris le relais. J'ai ouvert le mail d'Esperanza et cliqué sur la pièce jointe. Le téléchargement était lent. Berléand regardait par-dessus mon épaule.

Taylor et Erickson étaient à la porte d'entrée.

Taylor a sonné. Un adolescent blond est venu ouvrir. J'étais trop loin pour les entendre. Taylor lui a dit quelque chose. Le garçon a répondu.

L'image s'est affichée sur mon BlackBerry. L'écran était petit, et les visages encore plus. J'ai sélectionné l'option zoom et, déplaçant le curseur vers la droite, cliqué à nouveau. L'agrandissement ainsi obtenu était flou. J'ai tapé sur antiflou. Un sablier est apparu, le temps d'effectuer la mise au point.

J'ai jeté un œil sur la porte du manoir. Taylor a fait un pas en avant, comme s'il voulait entrer. Le garçon blond a levé la main. Taylor a regardé Erickson. J'ai vu qu'il avait l'air surpris. Puis j'ai entendu Erickson. Il paraissait en colère. On aurait dit que le garçon avait peur. En attendant que la correction de l'image se termine, je me suis rapproché.

La mise au point était achevée. J'ai regardé l'écran et, en voyant le visage du Dr Jiménez, j'ai failli lâcher le téléphone. Ç'a été un choc et pourtant, compte tenu de ce que Jones m'avait dit, la terrifiante vérité commençait à se faire jour.

Le Dr Jiménez – malin d'adopter un patronyme espagnol quand on a la peau basanée – n'était autre que Mohammad Matar.

J'en étais là de mes réflexions quand le garçon a crié :

— Vous ne pouvez pas entrer !

Erickson :

— Pousse-toi, petit.

— Non !

Erickson n'a pas aimé sa réponse. Il a levé les bras comme pour l'écarter de son passage. Un couteau est soudain apparu dans la main du garçon. Sans leur laisser le temps de réagir, il l'a brandi au-dessus de sa tête pour le planter dans la poitrine d'Erickson.

Oh non…

Fourrant le téléphone dans ma poche, je me suis précipité vers la porte d'entrée. Une détonation m'a stoppé net dans mon élan.

Des coups de feu.

Touché, Erickson a pivoté sur lui-même avec le couteau dans la poitrine et s'est effondré. Taylor a voulu sortir son arme, mais il n'avait aucune chance. Une nouvelle déflagration a déchiré l'air du soir. Il a eu un soubresaut, puis un autre, avant de s'écrouler comme une masse.

Des bruits de moteur, une voiture arrivant par le chemin, une autre de derrière la maison. J'ai cherché Berléand des yeux. Il accourait vers moi.

— Le bois ! ai-je crié.

Crissement de pneus suivi de rafales.

J'ai foncé vers les arbres, vers l'obscurité. Le bois, me disais-je. On pourrait se cacher dans le bois. Une voiture a traversé le terrain, fouillant les alentours de ses phares. Ça canardait à l'aveugle, mais je n'ai pas cherché à voir d'où venaient les tirs. Ayant repéré un rocher, je me suis planqué derrière. Berléand, lui, était toujours à découvert.

Nouvelle rafale. Berléand est tombé.

Je me suis soulevé, mais il était trop loin. Deux hommes se sont rués vers lui. Trois autres ont bondi d'une Jeep, armés jusqu'aux dents. Ils ont couru vers Berléand en tirant au jugé en direction du bois. Une balle a heurté un arbre derrière moi. Suivie d'une salve qui m'a fait replonger dans ma cachette.

Il y a eu une brève accalmie. Puis :

— Sors tout de suite !

Une voix d'homme avec un fort accent du Moyen-Orient. Aplati derrière mon rocher, j'ai risqué un coup d'œil. Il faisait déjà presque nuit, mais j'ai vu que deux de ces hommes au moins étaient bruns et avaient une barbe fournie. Ils portaient un bandana vert autour du cou, de ceux qu'on peut remonter pour se couvrir le visage, et criaient dans une langue que j'ai supposé être de l'arabe.

Que diable se passait-il ?

— Montre-toi ou c'est ton ami qui va payer.

Ça devait être le chef. Il a aboyé des ordres en pointant le doigt à droite et à gauche. Deux hommes se sont dirigés vers moi en décrivant des cercles. Un autre est remonté dans la voiture pour balayer le bois avec les phares. Je me suis recroquevillé, la joue plaquée au sol, le cœur battant à grands coups.

Je n'étais pas armé. Quel imbécile ! Quel fichu imbécile !

J'ai fourragé dans ma poche à la recherche de mon portable.

— Dernier avertissement ! a lancé le chef. Je commencerai par lui tirer dans les genoux.

Et Berléand :

— Ne l'écoutez pas !

Mes doigts venaient de trouver le téléphone quand une balle, une seule, a sifflé dans la nuit.

Berléand a hurlé.

La voix de leur chef :

— Sors maintenant !

À tâtons, j'ai appuyé sur la touche du numéro de

383

Win. Berléand gémissait. J'ai fermé les yeux, m'efforçant de m'abstraire, de réfléchir.

La voix de Berléand, luttant contre les larmes :

— Ne l'écoutez pas !

— L'autre genou !

Nouveau coup de feu. Berléand a poussé un cri de douleur. J'en avais mal aux tripes, mais je savais que je ne pouvais pas céder. Si je me montrais, on mourrait tous les deux. Win avait dû entendre ce qui se passait. Il allait appeler Jones, alerter la police. Ça ne devrait pas être long.

J'entendais Berléand qui pleurait.

Puis, encore une fois, plus faiblement :

— Ne… l'écoutez… pas !

Les hommes étaient en train de fouiller le bois. Je n'avais pas le choix. Il fallait que je bouge. J'ai regardé le manoir à ma droite. Mes doigts se sont refermés sur une grosse pierre tandis qu'un plan commençait à prendre forme dans mon esprit.

Le chef :

— J'ai un couteau. Je vais lui crever les yeux.

Il y avait du mouvement dans la maison, je l'ai vu par la fenêtre. Le temps pressait. Je me suis redressé, genoux fléchis, prêt à passer à l'action.

De toutes mes forces, j'ai lancé la pierre à l'opposé de ma position. Elle a cogné un arbre avec un bruit sourd.

Le chef a tourné la tête. Les hommes qui ratissaient le bois se sont précipités en tirant dans cette direction, suivis par la Jeep.

Du moins, je l'espérais.

Car je n'ai pas attendu pour voir. Mon bras à peine retombé, j'ai foncé à travers les arbres vers la maison, m'éloignant des cris de Berléand et des hommes qui cherchaient à me tuer. Je n'y voyais presque plus, mais cela ne m'a pas arrêté. Les branches me cinglaient le visage. Je m'en moquais. Je savais que ce n'était plus qu'une question de secondes. Et j'avais l'impression de mettre beaucoup trop de temps pour arriver jusqu'à la maison.

Tout en courant, je me suis baissé pour ramasser une autre pierre.

Le chef :

— Je lui crève un œil maintenant.

J'ai entendu Berléand crier :

— Non !

Et il s'est mis à pousser des hurlements stridents.

J'ai profité de mon élan pour catapulter la pierre en direction de la maison. J'y ai mis toute l'énergie qui me restait, manquant me déboîter l'épaule. Malgré l'obscurité, j'ai vu la pierre décrire un arc de cercle. Dans l'aile droite de la maison – de mon côté – il y avait une belle fenêtre panoramique. J'ai cru un instant avoir raté ma cible.

En fait, non.

La pierre a traversé la vitre, la faisant voler en éclats. Et semant la panique, exactement comme je l'avais escompté. Courbé en deux, je me suis enfoncé dans le bois pendant que les hommes armés couraient vers la maison. J'ai vu deux adolescents blonds – un garçon et une fille – s'approcher de la fenêtre. Brièvement, je me suis demandé si la fille n'était pas Carrie, mais ce n'était pas le moment de s'attarder. Les hommes vociféraient en arabe. Une fois de plus, je n'ai pas attendu pour voir la suite. J'ai rebroussé chemin aussi vite que j'ai pu, zigzaguant pour surprendre le chef par-derrière.

L'homme de la Jeep s'est arrêté et s'est précipité vers la fenêtre, lui aussi. Leur principale mission était de protéger la maison. J'avais franchi le périmètre de sécurité. Éparpillés, ils essayaient de se regrouper. Dans la plus grande confusion.

Toujours à couvert et sans perdre une minute, j'avais réussi à regagner et à dépasser le rocher qui m'avait servi de cachette. Le chef me tournait le dos. Une soixantaine de mètres nous séparaient.

Combien de temps avant l'arrivée des renforts ?

Trop… Ça prendrait trop de temps.

Le chef était en train de hurler des ordres, avec Berléand à ses pieds. Immobile. Pire que ça, silencieux. Plus de cris, plus de gémissements.

Il me fallait arriver jusqu'à lui.

Oui, mais comment ? En émergeant de derrière cet arbre, j'allais me faire tirer comme un lapin. Sauf que je n'avais plus le choix.

Je me suis élancé.

Je n'avais pas fait trois pas quand j'ai entendu un cri d'avertissement. Le chef s'est retourné. Il restait peut-être quarante mètres entre nous. Je volais presque, tandis qu'autour de nous tout a semblé ralentir. Le chef aussi portait un bandana vert autour du cou, comme un hors-la-loi dans un vieux western. Sa barbe était drue. Il était plus grand que les autres, dans les un mètre quatre-vingt-cinq, et costaud. Dans une main, il tenait un couteau, dans l'autre, un pistolet. Qu'il a pointé sur moi. J'ai hésité à me jeter à terre ou à faire un écart pour sortir de sa ligne de mire, mais en évaluant rapidement mes chances, j'ai compris que ça ne marcherait pas. Il pourrait me rater une première fois, mais certainement pas la seconde. Qui plus est, ma manœuvre de diversion avait fait son temps. Les autres accouraient déjà vers nous. Eux aussi ouvriraient le feu.

J'avais espéré qu'il paniquerait et me manquerait.

Il a armé le pistolet. Dans son regard se lisait le calme né d'une infaillible certitude morale. J'étais fait comme un rat. Il ne me manquerait pas. Soudain, juste avant qu'il ne presse la détente, je l'ai entendu beugler de douleur.

Berléand lui avait planté les dents dans le mollet tel un rottweiler furibond.

L'homme a abaissé le bras, le visant à la tête. Dans une ultime poussée d'adrénaline, je me suis jeté sur lui. Au même instant, j'ai entendu la détonation et vu son arme reculer. Le corps de Berléand s'est convulsé. J'ai ceinturé le salopard et, tandis que nous basculions, j'ai placé mon avant-bras sur son nez. Nous avons chuté lourdement, tout le poids de mon corps sur mon avant-bras. Son nez a éclaté. Un sang chaud m'a giclé au visage. Il a poussé un cri, mais sans capituler pour autant. J'ai esquivé son coup de tête. Il a voulu nouer ses bras autour de moi. Geste fatal. Je me suis laissé faire. Quand il a commencé à serrer, j'ai promptement dégagé mes bras. Désormais, il était à ma merci. Je n'ai pas hésité. J'ai songé à Berléand, à tout ce que cet homme lui avait fait endurer.

Il était temps d'en finir.

Les doigts de ma main droite ont formé une pince. Je ne visais ni les yeux, ni le nez, ni un autre point sensible pour le mettre hors de combat. À la base du cou, juste au-dessus du thorax, se trouve un creux où la trachée n'est pas protégée. De toutes mes forces, j'y ai planté deux doigts et le pouce et j'ai serré sa gorge comme dans un étau. J'ai crié en tirant sur sa trachée, j'ai hurlé comme une bête tandis qu'un homme était en train de mourir entre mes mains.

J'ai arraché le pistolet de sa main immobile.

Les hommes qui accouraient vers nous n'avaient pas tiré de peur de toucher leur chef. J'ai rampé vers le corps inanimé à ma droite.

— Berléand ?

Mais il était mort. Je m'en rendais compte maintenant. Ses lunettes loufoques à la monture surdimensionnée étaient de travers sur son visage. J'ai eu envie de pleurer. J'ai eu envie de tout lâcher, de le prendre dans mes bras et de pleurer tout mon soûl.

Les autres se rapprochaient. J'ai levé les yeux. Ils avaient du mal à me distinguer ; les lumières à l'intérieur de la maison, en revanche, dessinaient parfaitement leurs silhouettes. J'ai tiré. L'un des hommes est tombé. J'ai tourné l'arme et tiré à nouveau. Et de deux. Du coup, ils ont riposté. Je me suis abrité derrière leur chef, utilisant son corps comme un bouclier, et j'ai tiré encore une fois. Et de trois.

Des sirènes.

Me baissant, j'ai couru vers la maison. Les voitures de flics arrivaient en trombe. Au-dessus de nous, j'ai entendu un hélicoptère, peut-être deux. Une nouvelle fusillade a éclaté. À eux de gérer la situation maintenant. Moi, je voulais entrer dans la maison.

J'ai dépassé Taylor. Mort. La porte était toujours ouverte. Le cadavre d'Erickson gisait sur le perron, le couteau enfoncé dans la poitrine. Je l'ai enjambé et j'ai pénétré dans le hall.

Silence.

Je n'aimais pas ça.

Le pistolet du chef à la main, je me suis plaqué contre le mur. L'intérieur de la maison était complètement délabré. Le papier peint partait en lambeaux. Les lumières étaient allumées. Du coin de l'œil, j'ai vu quelqu'un passer en courant, j'ai entendu des pas qui descendaient un escalier. Il devait y avoir un sous-sol.

Dehors, ça canardait toujours. Une voix appelait à la reddition dans un mégaphone. Elle pouvait être celle de Jones. Je n'avais plus qu'à attendre. De toute façon, je n'avais aucune chance de sortir Carrie de là. Ne pas bouger, surveiller l'entrée, ne laisser personne franchir la porte. Ça relevait du bon sens. Attendre.

C'est ce que j'aurais fait sans doute. Je serais resté là, je ne serais pas descendu au sous-sol si le garçon blond n'était pas remonté à toute vitesse.

J'ai dit garçon. En fait, il devait avoir dix-sept ou dix-huit ans ; il était à peine plus jeune que les barbus que je venais d'abattre. Mais quand cet adolescent aux cheveux blonds, vêtu d'une chemise blanche et d'un pantalon kaki, est remonté en coup de vent – une arme à la main – je n'ai pas tiré.

— Pas un geste ! ai-je crié. Lâche ton arme.

Son visage s'est crispé en une sorte de masque mortuaire hideux. Il a levé son pistolet. J'ai bondi sur la gauche et tiré. Je n'avais pas l'intention de le tuer, contrairement aux hommes à l'extérieur. Je l'ai visé aux jambes. Il a poussé un cri et s'est écroulé. Mais il n'avait pas lâché son arme, et son visage grimaçant n'avait pas changé d'expression. Il m'a mis en joue.

J'ai foncé dans le couloir… où je suis tombé sur la porte qui menait au sous-sol.

Atteint à la jambe, le blondinet ne pourrait pas me suivre en bas. Retenant mon souffle, j'ai saisi la poignée de ma main libre et poussé la porte.

Obscurité totale.

Le pistolet sur la poitrine, collé contre le mur, je suis descendu lentement, tâtant les marches du pied. D'une main je tenais mon arme, de l'autre je cherchais l'interrupteur. Il n'y en avait pas. J'ai continué à descendre en crabe, marche après marche. Combien de balles me restait-il ? Aucune idée.

J'ai entendu des murmures en bas.

Pas de doute. Les lumières étaient éteintes, mais il y avait quelqu'un là-dedans, dans le noir. Ils étaient peut-être même plusieurs. À nouveau, j'ai hésité. La raison me dictait de m'arrêter, de rebrousser chemin, d'attendre les renforts. Dehors, la fusillade avait cessé. Jones et ses hommes avaient dû investir le périmètre.

Mais je ne me suis pas arrêté.

Mon pied gauche s'est posé sur la dernière marche. J'ai entendu un trottinement qui m'a fait dresser les cheveux sur la tête. Ma main libre tâtonnait le long du mur. J'ai fini par trouver l'interrupteur. Une rangée de trois interrupteurs, plus exactement. Le pistolet au poing, j'ai pris une grande inspiration et appuyé sur les trois en même temps.

Plus tard, j'allais me remémorer les détails : graffitis arabes peints à la bombe sur les murs, drapeaux verts ornés d'un croissant ensanglanté, posters de martyrs en tenue de combat et armés de fusils d'assaut. Plus tard, j'allais me remémorer les portraits de Mohammad Matar aux différentes étapes de sa vie, y compris lorsqu'il avait été interne en médecine sous le nom de Jiménez.

Mais pour l'instant tout cela n'était qu'une toile de fond.

Car, au vu du spectacle qui s'offrait à moi dans ce sous-sol, mon cœur s'est arrêté de battre. J'ai cillé, n'en croyant pas mes yeux, et pourtant quelque part ça tombait sous le sens.

Un groupe d'enfants et d'adolescents blonds étaient massés autour d'une femme enceinte en burqa noire. Leurs yeux bleu acier me fixaient avec haine. Soudain, un brouhaha s'est élevé dans la pièce, semblable à un grondement. Sauf que ce n'était pas un grondement, c'étaient des paroles répétées *ad nauseam*…

— *Al-sabr wal saïf.*

J'ai reculé.

— *Al-sabr wal saïf.*

Les rouages de mon cerveau se sont remis en branle. Les cheveux blonds. Les yeux bleus. Cryo-Hope. Mohammad Matar alias le Dr Jiménez. La patience. L'épée.

La patience.

J'ai ravalé un cri tandis que la vérité se faisait jour dans mon esprit. Sauvez les anges n'avait pas utilisé les embryons pour venir en aide aux couples infertiles. Ils les avaient utilisés pour créer l'arme de destruction ultime, pour infiltrer la société en vue du jihad planétaire.

La patience et l'épée viendront à bout des mécréants.

Les adolescents blonds se sont avancés vers moi, malgré le fait que j'étais armé. Certains continuaient à psalmodier. D'autres pleurnichaient. D'autres encore se sont réfugiés, affolés, derrière la femme en burqa. Je me suis rué dans l'escalier. Une voix familière m'appelait d'en haut :

— Bolitar ? Bolitar ?

Tournant le dos à la vision apocalyptique, j'ai grimpé les marches quatre à quatre et claqué la porte du sous-sol. Comme si cela pouvait changer quelque chose. Comme si ça allait les faire disparaître.

Jones était là, avec ses hommes en gilet pare-balles. Il a vu ma tête.

— Qu'est-ce que c'est ? Qu'y a-t-il là-dessous ?

Incapable d'articuler un mot, je suis ressorti en courant et me suis effondré près du corps inerte de Berléand. Envers et contre tout, j'espérais un miracle, j'espérais m'être trompé dans le feu de l'action. Mais non. Berléand, le pauvre cher bougre, était mort. Je l'ai serré dans mes bras une seconde ou deux. Pas plus.

Ma tâche n'était pas terminée. Il aurait été le premier à me le dire.

Il me restait encore à retrouver Carrie.

J'ai appelé Terese. Pas de réponse.

J'ai pris part à la fouille de la maison. Jones et ses hommes étaient déjà descendus au sous-sol. Les enfants blonds ont été ramenés à la surface. J'ai scruté leurs visages, leurs regards haineux. Carrie n'était pas parmi eux. Nous avons découvert deux autres femmes, entièrement dissimulées sous la burqa traditionnelle. Toutes deux étaient enceintes. Pendant que ses hommes regroupaient les captifs à l'extérieur, Jones m'a regardé avec horreur et incrédulité. Ces femmes-là n'étaient pas des mères. Elles étaient des incubatrices, des porteuses d'embryons.

Nous avons vidé tous les placards, nous avons trouvé des manuels d'entraînement, des vidéos, des ordinateurs portables… une abomination en chassant une autre. Mais pas de Carrie.

J'ai pris mon téléphone et composé de nouveau le numéro de Terese. Toujours pas de réponse. Ni sur son portable. Ni à l'appartement au Dakota.

Quand je suis sorti en titubant, Win venait d'arriver. Il m'attendait sur le perron. Nos regards se sont croisés.

— Terese ?

— Elle est partie, a répondu Win.

Une fois de plus.

39

Province de Cabinda
Angola, Afrique
Trois semaines plus tard

ÇA FAIT PLUS DE HUIT HEURES QUE NOUS BRINQUEBALONS dans ce pick-up sur une piste improbable. Je n'ai pas vu un être humain ni même une habitation depuis six heures. J'en ai connu, des coins paumés, mais celui-là, il est paumé puissance dix.

Lorsque nous arrivons à la hutte, le chauffeur s'arrête et coupe le moteur. Il m'ouvre la portière et me tend le sac à dos. Il m'indique le sentier. Il y a un téléphone dans la hutte, m'informe-t-il. Quand je veux rentrer, je n'ai qu'à appeler. Il viendra me chercher. Je le remercie et m'engage sur le sentier.

Au bout de six kilomètres, j'entrevois la clairière.

Terese est là. Elle me tourne le dos. Quand je suis retourné au Dakota ce soir-là, elle était, comme Win l'avait dit, partie. Elle m'avait laissé un mot :

Je t'aime tellement.

Et c'est tout.

Terese s'est teinte en brune. Pour mieux se cacher, j'imagine. Une blonde, c'est plus voyant, surtout par ici. Je l'aime bien comme ça. Je la suis des yeux et souris malgré moi. Tête haute, épaules en arrière, la posture idéale, quoi. Je repense aux images de vidéo-surveillance montrant Carrie… même port de tête, même démarche altière.

Terese est entourée de trois femmes noires aux tenues colorées. Je me dirige vers elles. L'une des femmes m'aperçoit et chuchote quelque chose. Terese se retourne, intriguée. Son regard se pose sur moi, et tout son visage s'illumine. Le mien aussi, je crois. Elle lâche le panier qu'elle porte et se précipite vers moi. Sans l'ombre d'une hésitation. Je cours à sa rencontre. Elle m'enlace et m'attire contre elle.

— Comme tu m'as manqué.

Je l'étreins à mon tour. C'est tout. Je n'ai pas envie de parler. Pas tout de suite. Je voudrais me fondre dans cette étreinte. Y disparaître et rester dans ses bras pour toujours. Au fond de mon cœur, je sais que ma place est là, entre ses bras, et l'espace de quelques instants j'ai besoin de cette paix.

Finalement, je demande :

— Où est Carrie ?

Elle me prend par la main et me conduit tout au bout de la clairière. Carrie est là, quelques dizaines de mètres plus loin, avec deux jeunes Africaines de son âge. Elles sont occupées à ramasser ou à éplucher quelque chose, je ne vois pas quoi. Les jeunes Africaines rient. Pas Carrie.

Elle aussi a les cheveux noirs.

Je me retourne vers Terese. Je contemple ses yeux bleus aux pupilles cerclées d'or. Sa fille a les mêmes.

Le cercle d'or, la démarche. L'incontestable écho génétique.

Que lui a-t-elle légué d'autre ?

— S'il te plaît, comprends-moi, dit Terese. J'ai fui parce que c'est ma fille.

— Je sais.

— Je devais la sauver.

J'acquiesce.

— Elle t'a donné son numéro de téléphone quand elle t'a appelée.

— Oui.

— Tu aurais pu m'en parler.

— C'est vrai. Mais j'ai entendu Berléand. Elle ne vaut pas les milliers d'autres vies, sauf pour moi.

Au nom de Berléand, mon cœur se serre douloureusement. Je ne sais quoi dire. La main en visière, je regarde en direction de Carrie.

— As-tu une idée de ce qu'elle a vécu ?

Terese ne cille pas.

— Elle a été élevée par des terroristes.

— Pire que ça. Mohammad Matar a fait son internat à Columbia-Presbyterian au moment où la fécondation *in vitro* et le stockage d'embryons commençaient à se pratiquer à grande échelle. Il y a vu un moyen pour frapper un grand coup : la patience et l'épée. Sauvez les anges était un groupe extrémiste qui se faisait passer pour une association chrétienne de droite. Matar recourait au mensonge et à la coercition pour se procurer des embryons. Il ne les donnait pas aux couples infertiles. Il utilisait des femmes musulmanes acquises à sa cause comme mères porteuses… des unités de stockage jusqu'à la naissance, en quelque sorte. Après quoi, lui et ses acolytes élevaient les rejetons pour en faire des terroristes, et rien d'autre. Carrie n'avait pas le droit de se lier avec quiconque. Elle n'a jamais connu l'amour, même dans sa prime enfance. Jamais connu la tendresse. Personne ne l'a tenue dans ses bras. Personne ne l'a réconfortée quand elle pleurait dans son sommeil. Elle et les autres ont été endoctrinés jour après jour pour tuer les infidèles. C'est tout. Ils étaient dressés pour devenir l'arme ultime, pour se fondre dans la masse en attendant le déclenchement de la guerre sainte. Imagine un peu... Matar sélectionnait les embryons des parents blonds aux yeux bleus. Ses créatures pouvaient circuler librement n'importe où, sans éveiller les soupçons.

J'attends que Terese réagisse, mais elle ne bronche pas.

— Tu les as tous capturés ?

— Pas moi. J'ai démantelé le noyau principal dans le Connecticut. Jones a trouvé d'autres données sur place... et je suppose que les terroristes survivants ont dû être interrogés.

J'aime mieux ne pas savoir dans quelles conditions. Ou peut-être que si... je ne sais plus.

— La Mort verte avait un autre camp dans les environs de Paris. Les forces spéciales ont donné l'assaut dans les heures qui ont suivi. De leur côté, les Israéliens ont mené un raid aérien contre un important centre d'entraînement à la frontière syro-irakienne.

— Et les enfants, que sont-ils devenus ?

— Certains ont été tués. D'autres ont été placés en détention.

— D'après toi, parce qu'elle n'a jamais connu l'amour, Carrie n'y a pas droit aujourd'hui ?

— Ce n'est pas ce que je dis.

— Mais ça y ressemble.

— Je t'expose les faits.

— Tu as des amis qui ont eu des enfants, n'est-ce pas ? demande-t-elle.

— Bien sûr.

— Quelle est la première chose qu'ils te diront ? Que leurs enfants sont ce qu'ils sont. Et que tout est déjà joué à la naissance. Les parents peuvent les guider, essayer de les maintenir dans le droit chemin, mais au fond ils n'assurent que le matériel. Tel enfant restera gentil, quoi qu'il arrive. Tel autre finira psychotique. Tu connais des gens qui ont donné une éducation identique à leur progéniture. Dans le tas, tu en as un qui est extraverti, un autre taciturne, un troisième malheureux et un quatrième généreux. Quand on est parent, on découvre vite les limites de son influence.

— Elle a grandi sans aucun amour, Terese.

— On va réparer ça.

— Tu ignores ce dont elle est capable.

— Je pourrais dire ça de n'importe qui.

— Ce n'est pas une réponse.

— Que veux-tu que j'y fasse ? Elle est ma fille. Je la surveillerai. Car c'est le rôle d'une mère. Et je la protégerai. D'ailleurs, tu te trompes. Tu as rencontré Ken Borman, n'est-ce pas ?

Je confirme.

— Carrie était attirée par lui. Malgré l'enfer indicible qu'elle vivait jour après jour, elle se sentait des affinités avec ce garçon. Elle a tenté de s'affranchir.

C'est pour ça qu'elle était avec Matar à Paris. Pour être rééduquée.

— Elle était là quand Rick a été assassiné ?

— Oui.

— Son sang était sur la scène de crime.

— Elle dit qu'elle a voulu le défendre.

— Et tu la crois ?

Terese me sourit.

— J'ai perdu une fille. Je donnerais tout, tout pour la récupérer. Tu comprends ça ? Tu peux m'annoncer, par exemple, que Miriam a survécu et qu'elle est devenue une espèce de monstre. Ça ne changerait rien.

— Carrie n'est pas Miriam.

— Oui, mais c'est ma fille. Je ne la laisserai pas tomber.

Derrière Terese, Carrie se lève et commence à gravir la colline. Elle s'arrête, regarde dans notre direction. Terese sourit et lui adresse un signe de la main. Carrie répond. Je crois qu'elle sourit aussi, mais je n'en suis pas sûr. Je m'interroge. Je m'interroge sur l'adolescent blond qui allait tirer sur moi, sur les raisons de mon hésitation. Tout est joué à la naissance. Si un enfant conçu et élevé par des extrémistes fous devient un extrémiste fou, on le liquide sans sourciller. La différence tient-elle à la génétique ? Aux cheveux blonds et aux yeux bleus ?

Je n'en sais rien. Je suis trop exténué pour y penser.

Carrie n'a jamais connu l'amour. Elle le connaîtra maintenant. Admettons que vous et moi ayons grandi dans les mêmes conditions. Serait-il mieux de nous détruire purement et simplement, comme une denrée

avariée ? Ou bien le fond d'humanité qui reste finira-
t-il par reprendre le dessus ?

— Myron ?

Je regarde le beau visage de Terese.

— Je n'ai pas laissé tomber ton enfant. S'il te
plaît, ne laisse pas tomber le mien.

Je ne réponds pas. Je prends son visage dans mes
mains, je l'attire à moi, j'embrasse son front. Mes
lèvres s'attardent, je ferme les yeux. Je sens ses bras
autour de moi.

— Prends soin de toi, dis-je.

Je m'écarte. Elle a les larmes aux yeux. Je reprends
la direction du sentier.

— Je n'étais pas obligée de retourner en Angola.

Je m'arrête, me retourne.

— J'aurais pu aller au Myanmar, au Laos,
quelque part où tu ne m'aurais pas retrouvée.

— Alors pourquoi avoir choisi de venir ici ?

— Parce que je voulais que tu me retrouves.

Moi aussi maintenant j'ai les larmes aux yeux.

— S'il te plaît, dit-elle. Ne pars pas.

Je suis tellement fatigué. Je ne dors plus. Dès que
je ferme les paupières, les visages des morts surgis-
sent devant moi. Les yeux bleu acier me regardent
fixement. Mes nuits sont peuplées de cauchemars, et
lorsque je me réveille je suis tout seul.

Terese s'approche.

— S'il te plaît, reste avec moi. Juste cette nuit…

J'essaie de dire quelque chose, mais je n'y arrive
pas. Les larmes coulent librement. Elle me serre
contre elle. Je ne veux pas craquer. Ma tête tombe sur
son épaule. Elle me caresse les cheveux, me chuchote
des mots apaisants.

— Tout va bien, murmure-t-elle. C'est fini.

Et tant que je suis dans ses bras, j'y crois.

Le même jour, quelque part aux États-Unis, un autocar s'arrête devant un monument historique noir de monde. Il transporte un groupe d'ados en voyage scolaire à travers le pays. Aujourd'hui, c'est le troisième jour de leur périple. Le soleil brille. Le ciel est clair.

Les portes de l'autocar coulissent. Les adolescents sautent à terre. Ils gloussent, mastiquent du chewing-gum.

Le dernier à descendre est un garçon blond.

Il a des yeux bleus aux pupilles cerclées d'or.

Et, bien qu'il porte un lourd sac à dos, il pénètre dans la foule la tête haute, les épaules en arrière… la posture idéale, quoi.

Remerciements

OK, commençons par les fonctionnaires du 36, quai des Orfèvres, étant donné qu'ils sont dans les forces de l'ordre et que je ne tiens pas à les contrarier : M. le directeur de la police judiciaire Christian Flaesch ; M. Jean-Jacques Herlem, directeur adjoint chargé des brigades centrales ; Mme Nicole Tricart, inspectrice générale, conseiller auprès du directeur général de la police nationale ; M. Loïc Garnier, commissaire divisionnaire, chef de la brigade criminelle ; Mlle Frédérique Conri, commissaire principal, chef adjoint de la brigade criminelle.

Dans le désordre, mais avec une immense gratitude : Marie-Anne Cantin, Éliane Benisti, Lisa Erbach Vance, Ben Sevier, Melissa Miller, Françoise Triffaux, Jon Wood, Malcolm Edwards, Susan Lamb, Angela McMahon, Ali Nasseri, David Gold, Bob Hadden, Aaron Priest, Craig Coben, Charlotte Coben, Anne Armstrong-Coben, Brian Tart, Mona Zaki et Dany Cheij.

Certains personnages de ce livre proviennent de ce qu'on pourrait qualifier de prismes divers. S'ils ont été créés par moi il y a des années, d'autres les ont abordés sous un angle différent, d'autres encore les ont interprétés… après quoi je les ai entièrement recréés ici. C'est pourquoi je dois remercier également Guillaume Canet, Philippe Lefebvre (doublement) et François Berléand.